全球电子业巨头的创新精神、数码领先战略与高端品牌营销

索尼创新攻略

杨　延/著

SONY STRATEGIES

南方日报出版社

点击 行业巨头·第二辑
DIANJI HANGYE JUTOU

图书在版编目（CIP）数据

索尼创新攻略 / 杨延著. —广州：南方日报出版社，2005
ISBN 7-80652-395-2

Ⅰ. 索…　Ⅱ. 杨…　Ⅲ. 电子工业—工业企业管理—经验—日本
Ⅳ. F431.366

中国版本图书馆 CIP 数据核字（2005）第 002832 号

索尼创新攻略　　杨延 著

出版发行：南方日报出版社
地　　址：广州市广州大道中 289 号
电　　话：（020）87373998-8502
经　　销：全国新华书店
印　　刷：湛江日报社印刷厂
开　　本：787mm×1092mm　1/16
印　　张：15.75
字　　数：250 千字
版　　次：2005 年 3 月第 1 版第 1 次印刷
定　　价：32.00 元

投稿热线：（020）87373998-8503　读者热线：（020）87373998-8502

网址：http://www.nanfangdaily.com.cn/press　http://www.southcn.com/ebook

前　言

一个新兴行业开始时都会有数百计的竞争者，然后经历激烈的市场竞争和多次重组，最终只会有少数几个巨头公司主导整个行业。

如果一个行业全球化，或者当一个行业全球化的时候，随之而来的就是动荡，全球市场将势不可挡地最终形成巨无霸般的行业巨头公司，比如全球快餐业巨头麦当劳公司，全球零售业巨头沃尔玛、家乐福，等等。

美国著名管理学者杰格迪斯和拉金德拉在长期观察产业发展之后发现，在绝大多数行业，总会有几个最强大而且最有效率的标杆企业，他们控制着70％～90％的市场份额。

对这些可以称得上行业先锋的标杆企业进行长期观察和专门研究，并不仅仅是因为他们作为单个企业在商业上取得的巨大成功，而是要站在行业发展与企业成长的双重背景下，探讨这些行业巨头在特定行业中如何一步步从小到大，如何在特定领域内进行创新，如何获得比竞争对手更大的优势，等等。

起家于二战废墟之上的索尼，以其固有的创新精神，在短短的50余年的时间里，创造了一个日本乃至世界电子、娱乐行业的神话！它创造的“Walkman”随身听、特丽珑电视、CD和PS游戏机都是世界电子产品领域里具有代表性的里程碑。如今，这个年轻的世界巨头涉及家电、数码电子、音乐影视、传媒、游戏及金融等多个领域的业务，并不断在自己的产品和服务中注入创新意识，改变着人们的生活方式。索尼的创新力量无疑是神奇的。

那么，这家富有传奇色彩的企业，是怎样以东瀛人士特有的执着，从一家日本小企业一步一步地做大做强，做成“技术的索尼”、“国际的索尼”的呢？

归结起来，有以下几个方面的原因：

1. 经营创新

索尼将创新融入经营之中，竭力为人们提供丰富多彩的视听享受，并积极地为改变人们的生活娱乐方式而努力着。它锁定层次较高的消费群体，以其他企业望尘莫及的研发速度创造出一个又一个新产品，在家电、数码领域始终保持着领先地位。

目前，为顺应时代的要求，索尼矢志革新，以多元化发展为方向，努力开拓新的经营领域以应对挑战、求得可持续发展。

2. 国际品牌策略

索尼国际品牌是伴随着索尼的成长而逐步发展起来的。公司建立之初，为了脱离当时“日本制造”的廉价货阵营，打造自己的国际品牌形象，在商标设计、销售方式等方面都付出了卓绝的努力。

不仅如此，索尼还只身独闯美国，以优质的产品和服务、高品质定位以及极具吸引力的品牌承诺俘获了众多消费者的心，为实现“SONY”的国际品牌化打下牢固的根基。

3. 营销新范式

索尼将创新与营销相结合，以不同的营销方式将自己展示在人们的面前。它通过形象营销、体验营销、网络营销、未来营销以及积极的环保政策扩大影响，塑造良好的企业形象，不断培养更广阔的客户群体，不仅让世界更了解索尼，也让索尼获得了生生不息的发展动力。

4. 创新利器

索尼不断地更新、改造产品，始终将创新力作为自己最富魅力的特点。它立足于“以人为核心”的创新机制，积极宣扬创新精神，并将创新赋予产品理念之中，创造出诸如“Walkman”等改变人们生活方式的卓越产品。

索尼的创新已经远远超越了技术的创新，真正将创新的思想融入了自己的血脉之中。

5. 独特的人才策略

索尼始终坚持以人为本的人才策略，唯才是用。

索尼有一套灵活的内部调动机制，使员工们可以根据资历和意愿在不同的岗位上发挥自己的才能。这是索尼有别于其他日本企业的特色之一。

对索尼而言，重视人才、重视培育人才，不拘一格地汇集、培育英才是它成功的关键。它用多方位的培训方式以及“压担子”策略努力培养国际化的人才。在信息网络技术发达的今天，索尼更是积极革新，在新技术的支持下将人力资源管理外包，凸显其人才策略的创新理念。

6. 创新文化

作为一个国际化的大型公司，具有 50 多年历史的索尼是年轻的，但它已经培养了自己独特而深厚的创新文化底蕴。

索尼强调企业精神、全体员工共同的价值取向及在此基础上形成的凝聚力、向心力的柔性管理，将追求独创作为内在的文化品质，努力营造自由、开放的创新文化氛围，鼓励所有员工积极创新。作为索尼的灵魂，创新文化将推动着整个公司不断向前发展。

本书以简洁、生动的笔调，详细地剖析了索尼如何在短短的 50 余年里成为一个领先世界的电子娱乐帝国的经过，重点从经营理念、品牌塑造过程、营销范式、创新力特点、内部管理、人才策略、企业文化以及海外扩张等诸多方面进行详细的分析，提炼其独具特色的成功经验。为了让读者更真实地贴近、了解索尼的运营管理，本书还大量采用了我们专为培训而设计的大量的幻灯片，结合索尼在不同方面的管理经验，生动地讲述了其以创新为根本，发展壮大的详细经过。

写作过程中，陈惠文、黎其民、关其山、林杨子、司研、啜俊锋、阎建平、钱萍、周金霞、符礼君、杨敏、江涛、杜凯、刘小力、叶逢、刘韶增、张冬辉、刘炎平、刘娜、谢君、林霞、高远、鄢琼、曹磊、林娟、李林林、陈晓聪、黄帆、罗大源、余梦蓝、王烨等参与本书资料收集和担任企业采访工作，本书最终得以顺利成书，离不开他们的辛勤付出；南方日报出版社的周山丹编辑，以她的敬业和专业精神，使得本书得以成功出版，在此一并深表感谢！

最后，要感谢众多读者朋友对此套“点击行业巨头”丛书一如既往的关注与厚爱，我们将不懈追求、精益求精，奉献出更多更好的研究成果。

目 录

第一章 索尼的不朽神话

关键词点击

蜚声世界 伟大企业 创新制胜 数字网络时代 天才联袂 追求激情 白手起家 理想工厂 东京通信工业公司 革新精神 年轻人团体 艰难岁月 执着精神 惨淡经营 国际化战略 海外市场 多元化战略 形象战略 一流企业 弹性联盟

第二章 索尼的经营创新

关键词点击

自由豁达 开拓创新 目标群体 SDCM（供需连锁） 高端消费群体 快速研发 技术领先者 领先数码 数码时代 VAIO 笔记本电脑 多元动力 收购爱华 多媒体时代 游戏市场 传媒事业 技术规则的制订者 家庭媒体系统 宽带 因特网 数码梦想小子

第三章　索尼的品牌创新

关键词点击

国际品牌形象　独立品牌　实验鼠　日本制造　廉价仿制品　美国市场　晶体管收音机　SONY 商标　日不落的帝国标志　CI　标牌委员会　霓虹灯招牌　现代品牌理念　品牌战略　品牌承诺　品牌运营　未来品牌　品牌群体　品牌联盟

第四章　索尼的营销新范式

关键词点击

形象营销　形象力　外观包装　蓝色战略　体验营销　感性信息　数码生活　“体验式”陈列　互动管理　网络营销　交互式沟通　Sony Style 网站　新型媒体　未来营销　索尼探梦　未来生活方式　环保政策　环境管理系统　塑料识别系统　全员参与　环保教育　环境报告大奖

第五章 索尼的创新利器

关键词点击

创新力 创新机制 创新氛围 鼓励创新 创新理念 创造市场 “三不”法则 价值创新 小型化 轻型化 创新精神 超越技术创新 Walkman 产品理念 产品创意 个人娱乐市场 改造精神 Clie 埃美奖 贵翔引擎

第六章 索尼的管理创新

关键词点击

向心凝聚力 1+1>2 参与管理 员工积极性 工作效率 自由商讨 集体领导 民主管理 决策 合作气氛 内部协调 内部竞争 加强合作 加强沟通 相互合作 协调运作 内容与技术会议 市场战略委员会议 全球高层会议

第七章 索尼的独特人才策略

关键词点击

人才队伍 以人为本 训导新人 中坚力量 用人政策 唯才是用 实际才能 实务主义 内部调动系统 内部晋升 相互激励 超前培训 多方位培训 自我管理 角色转化 “压担子”策略 人才国际化 人才策略变革 人力资源职能外包

第八章 索尼的创新文化

关键词点击

创新文化 整体价值准则 价值导向 创新至上 新文化环境 企业即人 企业精神 价值取向 柔性管理 共同使命感 互敬互重 强大生命力 追求独创 夹缝理论 技术创新 产品创新 市场创新 创造力

第九章 索尼的竞合创新

关键词点击

联盟 竞合 研发实力 领先地位 标准规格 品质声誉 行销实力 技术联合 共享成果 携手爱立信 鸡肋式 压倒性优势 盈利关口 附加值 集众竞合 独立发展 对话联系 双赢势态 竞争优势 竞争力 整体实力

第十章 索尼的海外扩张

关键词点击

经济一体化 海外扩张 全球声誉 购买意向 国际经营 立足美国 洋房策略 销售网 美国分公司 美国工厂 上市美国 影业坎坷 策略变化 影像资源销售权 本土化推进 流程本土化 人才本土化 海外策略沿革 电子娱乐帝国

第十一章 索尼的中国之路

关键词点击

抢滩中国 全球发展战略 跨入近邻 运营框架 植根中国 全方面协调 生产中国化 生产基地 劳动力资源 EMCS 品牌忠诚度 企业公民 公众

第十二章 索尼的挫折应对

关键词点击

第十三章 索尼的未来蓝图

关键词点击

第十四章 索尼的战略创新者

关键词点击

行动楷模 经营谋略家 技术灵魂 酿酒世家 伙伴关系 崭露头角 先驱者 《学历无用论》 独创能力 改革之父 冒险精神 领军人物 核心技术 个人魅力 诚信品质 媒体国王 向心力 凝聚力 CEO“禅让”关系 结构改革 突破限制

第一章

索尼的不朽神话

在短短的半个多世纪的时间里，索尼公司始终遵循着“创新制胜”的精神，创造了一个日本乃至世界电子、娱乐行业的神话！

从一家不起眼的小企业起步，进而勇敢地走出日本，索尼历尽艰辛而最终成为了跨国公司，成为日本津津乐道的民族英雄、世界瞩目的国际化企业。它也给世界的电子、娱乐业带来了一次又一次革命性的冲击。作为战后日本经济高速增长和走向国际化的象征，索尼在国际市场的发展成绩尤为显著。现在，包括出口和海外生产在内，索尼约有70％的业务是面向海外的。可以说，在日本企业中，索尼是推进国际化方面走在最前列的一家企业。

索尼也是最具时尚色彩的企业，它的许多产品都被冠以“时尚”、“高贵”等殊荣。例如第二代VAIO，800万像素的数码相机等产品都颇受高端消费群的欢迎，这使得索尼深得消费者的信赖。公司在世界500强企业中具有较高的信誉，索尼品牌因此在国际企业品牌排行中位居前列。正如索尼IT及移动解决方案网络分公司总裁木村敬治所说，索尼是全球数一数二的电子企业，它是无与伦比的，不可复制的。

但是，索尼对于世界的意义远不止这些。从它诞生之日起，索尼所独创的产品已经联成一条耀眼的产品线，延绵不断，极大地丰富了人们的生活，

SONY®

■ 从一家不起眼的小企业起步，进而勇敢地走出日本，索尼历尽艰辛而最终成为了跨国公司，成为日本津津乐道的民族英雄、世界瞩目的国际化企业。

拓展了人们的视野，同样也创下了诸多令同行眼红的业界纪录。索尼以自己令人瞩目的成就证明了“创新是企业发展的灵魂”这一颠扑不破的真理。

那么，这家富有传奇色彩的企业，是怎样以东瀛人士特有的执着，从一家日本小企业一步一步地做大做强，做成“技术的索尼”、“国际的索尼”的呢？

1.1 起于废墟

第二次世界大战以后，日本的经济增长速度在主要资本主义国家中是最高的。1953～1979 年日本工业平均年增长率为 10.9%，同期联邦德国为 5.7%，法国为 4.2%，美国为 4%，英国为 2.5%。日本国民生产总值占资本主义世界的比重，从 1950 年的 1.5%猛增为 1980 的 13.3%，在资本主义世界的经济地位从第 7 位跃升到第 2 位，仅次于美国。西方有些学者把战后日本经济的发展称为 20 世纪的“奇迹”。索尼，正是缔造这一“奇迹”的传奇企业之一。

同为日本企业，如今索尼的声望与松下电器、丰田、三菱等齐名，都是为世人所熟知的著名跨国企业。但是，与这些企业不一样的是，索尼起家于二战的废墟之上，没有雄厚的资金和技术积淀，后来的巨大辉煌都源自公司两个创始人——盛田昭夫和井深大的远大理想，以及他们孜孜不倦的创新精神。

1.1.1 天才联袂

今天的索尼是一个蜚声世界的伟大企业，它生产不同种类的产品，如数

■ 索尼起家于二战的废墟之上，没有雄厚的资金和技术积淀，后来的巨大辉煌都源自公司两个创始人——盛田昭夫和井深大的远大理想，以及他们孜孜不倦的创新精神。

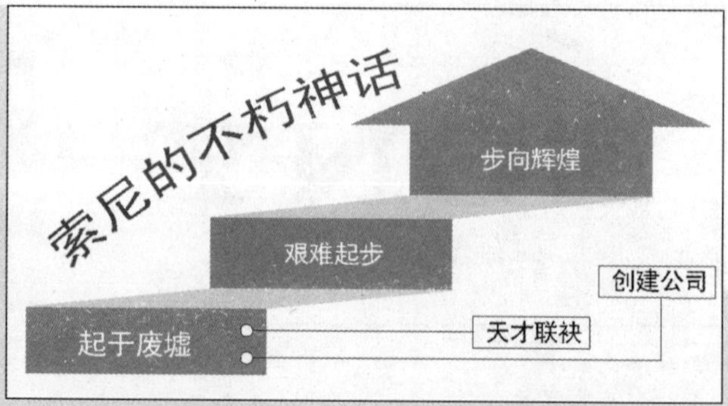

码、家电、行业专用等，这些产品为人们提供了丰富多彩的视听享受，并改变着人们的生活娱乐方式。如今，索尼更是致力于通过电子产品将硬件和软件产品结合，在数字网络时代进一步开发新的视听娱乐产品。而这样一个“为爱梦的人造梦”的企业，是在盛田昭夫和井深大这两位创始人的“追求激情”的梦想中诞生的。

盛田昭夫出生于一个世代以酿酒为业的富足人家。父亲盛田彦太郎希望他这个长子能子承父业，把已有400多年历史的造酒厂继续经营下去。然而盛田昭夫却不是这么想的，他不想过一辈子无忧无虑、安静平稳的生活。他认为“男儿当自强”，所以决心走自己的路，过一种充满激情的生活。

盛田昭夫以优异成绩考入大阪帝国大学，攻读物理专业。毕业时恰逢二战，盛田昭夫应征入伍。在海军服役期间，他结识了同在海军服役的电子技术专家井深大，两人志同道合，很快成为要好的朋友。

日本战败投降后，两人来到了东京。当时驻日盟军对日本经济界实施监管，许多战前的大企业、大公司被责令停业以待审查，这为白手起家者创造了一个良好的机遇和环境。

由于盛田昭夫和井深大都是专攻物理学，井深大又精通电子技术，他们便决定开办一家修理收音机、制造电器元件的小工厂。在战后的一片残垣断壁上，井深大和盛田昭夫想尽办法，凭着四处筹措的19万日元现金，总算成立了“东京通信工业株式会社”。

井深那时38岁，而盛田只有25岁，但是盛田已经是一位久经历练的商人了。盛田的商业经验与井深的大不相同，他是一个商业集团的继承人，他的家族生意包括一个米酒厂、一个豆酱厂和一个日本最大的面包公司。他从

已故索尼公司创始人兼首席顾问
井深大先生 （1908-1997）

■ 如今，索尼更是致力于通过电子产品将硬件和软件产品结合，在数字网络时代进一步开发新的视听娱乐产品。而这样一个“为爱梦的人造梦”的企业，是在盛田昭夫和井深大这两位创始人的“追求激情”的梦想中诞生的。

小到大乘坐有专人驾驶的豪华轿车，有佣人服侍，有一切西方化的便利设施供他使用。盛田年仅 24 岁时，就已经和他的父亲参加过 10 多年的商务会议了。第二次世界大战期间，他已经开始尝试着做生意，为军队生产测量和检验设备，后来由于日本战败，他只好转行。

盛田在和井深一起创办公司之前，从事过收音机零部件生产和收音机维修。之所以选择这一行，在很大程度上得益于盛田敏锐的观察力，他认为机械维修行业有利可图，因为所有的美国士兵在入驻日本时都随身携带着他们的小型电器。而井深的生意经可能没有盛田念得好，他似乎更钟情于他的技术。由此看来，盛田天生的经营才能使他能够成为一个很好的经营家，而井深的技术头脑成为这个经营的强力后盾。这样的两个人走到一起，在一起相互配合补充，成为了索尼成功的一个重要因素。

此后的几十年里，他们再没有分开过，也许有时会为了一件公司的事情相互争吵，但是他们都是为了公司更好的发展。盛田说过他们喜欢这样，大家都是那种有什么话就说出来的人，所以说出来就算了，谁都不会计较，这是一种独特的关系。当时就有人开玩笑说："自从有了盛田，井深在做生意的时候就不会被骗了。"

正是因为盛田和井深这两位天才的联袂，才会有在第二次世界大战的废墟上诞生的索尼，才会有在重重困难中勇于实践、奋力拼搏，最终成为全球综合性大公司的索尼。

1.1.2 创建公司

战前的几十年，日本商界一直被大家族企业控制，比如，松下电器公

■ 正是因为盛田和井深这两位天才的联袂，才会有在第二次世界大战的废墟上诞生的索尼，才会有在重重困难中勇于实践、奋力拼搏，最终成为全球综合性大公司的索尼。

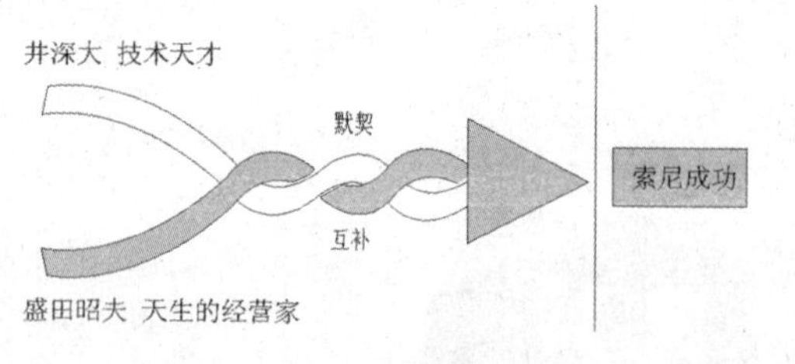

索尼成功的重要因素

司、三菱公司、东芝公司等。但战后，日本已不再专属于这些功成名就的商界精英了。在风起云涌的商业竞争环境中，这些商业巨子们与新兴的企业家相比正一点点地失去优势。新兴的企业家们都很清楚日本的前途与他们自己的方向。他们比前者拥有更广泛的资源调配优势、更多的发展空间，而其中，东京通信工业公司（即索尼的前身）就是这样一家颇有代表意义的企业。

创业之初，盛田昭夫和井深大的目标是建立一个自由豁达、以技术为本，一个真正具有活力的公司。这一宗旨至今仍被各代公司领导人一脉传承，并被不断地充实、完善。

公司起步时，最大的问题是资金不足，这方面多亏了盛田昭夫的父亲以及各方友人的帮助才得以解决。事实上，就像许多战后成功的日本企业一样，东京通信工业公司与日本战前以及第二次世界大战期间的权势人物有很深的关系。盛田的富豪父亲盛田彦太郎，井深的岳父前田太文在背后支持着他们，为他们求得政治影响。这些重量级人物为东京通信工业公司带来了很多有权有势的支持者，如实力雄厚的三井银行。他们能和三井银行建立联系，对日后安排公司的融资活动至关重要。

不过，租赁厂房仍然是件难事，因为处于战后的混乱之时，寻找出租的房屋是十分困难的。为此，工厂曾经几次搬迁，最终“定居”在位于品川御殿山的一个破旧不堪的简易厂房里，那里曾是“日本汽化器”公司的职工食堂——当时谁能想到几十年之后这里会矗立起令世人瞩目的索尼大厦呢？

东京通信工业公司正式挂牌时，总共才有二十几名员工，工作场所只是一间简陋的小屋，条件异常艰苦。没有足够的机械设备，材料奇缺，工具完

索尼创业初期的目标定位

■ 创业之初，盛田昭夫和井深大的目标是建立一个自由豁达、以技术为本，一个真正具有活力的公司。这一宗旨至今仍被各代公司领导人一脉传承，并被不断地充实、完善。

全自制，焊枪自不必说，连改锥也是用从战争废墟里捡来的摩托车弹簧做成的，购买线圈这样的事连想都不敢想，只能自己缠。最初，与其说是公司，还不如说是一个明快、乐观的充满干劲的年轻人团体，他们夜以继日，不辞辛劳地紧张工作。

有了这样一支激情洋溢的前锋队伍，就等于夯实了索尼大家庭的基础。从那之后，依靠盛田超凡的感召力和井深热情的辅助，吸引并留住了一批聪明绝顶的人才为他们照管各色各样的业务。索尼轰轰烈烈的事业从此开始了。

1.2 艰难岁月

索尼电器电子产品流线型的质感设计，极具人性化的功能以及不菲的价格……这些都给人们留下了深刻的印象。索尼在人们的心目中就是“前卫、高品质生活”的代名词。甚至当人们提到日本，就会禁不住想起“索尼”这个响亮的名字。然而，它的成就不是一朝一夕就能得到的。索尼那无限光辉的源头也曾是一段不堪回首的艰难岁月。

1946年5月7日，是一个值得纪念的日子，这一天，盛田昭夫和井深大一起主持了索尼的成立仪式。井深亲自执笔完成公司成立宗旨书。“我们并不能和大公司一样做相同的事情。但是，我们在技术上并不逊色。我们要做大公司不能做的事，用技术的力量振兴祖国！”这足见索尼的革新精神。

从创立之初，东京通信工业公司发展的方向就已经确定了。虽然没有钱和机器，但盛田和井深认为自己有头脑和技术，有了这样两样东西没有办不

■ 1946年5月7日，是一个值得纪念的日子，这一天，盛田昭夫和井深大一起主持了索尼的成立仪式。井深亲自执笔完成公司成立宗旨书。“我们并不能和大公司一样做相同的事情。但是，我们在技术上并不逊色。我们要做大公司不能做的事，用技术的力量振兴祖国！”

索尼初期革新精神的体现

到的事。如果凭借优秀的技术和团结的精神不断努力，发展公司事业，那么不久的将来这家小公司就一定会成长为一家大公司，并对社会做出贡献。事实上索尼的发展的确印证了当初的设想。

不过，最初的索尼举步维艰。从东京通信工业公司成立伊始，他们就一直为资金发愁。而公司成立后，资金周转困难的状况仍在继续。为了解决这一难题，在公司成立一个月后，盛田曾给盛田造酒的监查人员写过这样一封信："今后东通工一定会稳步发展。前天刚刚召开了生产会议，决定要尽最大努力提高生产能力。大家充分认识了现状并将努力工作。但一直未能与万代先生见面，今天他又外出了，我想明天上午去拜访他。我想在前两个月由于尚处准备阶段，所以将会很困难。工厂的场地想从吉祥寺租借，现正在交涉之中。我认为现在必须要考虑增资的问题。"为了从银行贷款，盛田在公司成立后第一次拜访万代。盛田详细说明了公司的现状并希望万代能给他们贷款。临走时万代把盛田送到门口，对他说："今天你来借钱，说明你已经长大了。"盛田沉默不语但却踌躇满志。

后来他们遭遇到了更为困难的事情，他们被从原来的工场中赶了出来，不得不寻找其他的地方来代替以前的厂房。井深找到了横河电机的承包工厂——吉祥寺的内田工厂。但这个工厂太小，后来盛田又租借了"日本汽化器"公司的一处破旧的厂房。但是他们必须容忍在这里停放的消防车。天晴的时候消防车就停在外边，可要是下雨的话车子就要停在工厂里了，这使工作场地变得拥挤而混乱。工厂的场地好歹就这样解决了，可事务所的房子却仍未找到，他们只好暂时留在原处。然而，不久之后政府的一项政策又为他们增加了新的困难，为了抑制战后的通货膨胀，政府决定废除旧货币而发行

索尼渡过经营惨淡期的法宝

■ 不过，最初的索尼举步维艰。从东京通信工业公司成立伊始，他们就一直为资金发愁。而公司成立后，资金周转困难的状况仍在继续。

新纸币，在兑换新日元的同时，冻结普通存款。索尼的业务基本上都是与政府机关有关的，所以付款全部成为冻结存款。除非有特别许可，否则每个人每月只能提取500元以下的现金。为了增加现金，他们就必须想办法赚取新日元。最后，还是凭借井深的电热蒲团，他们才渡过了难关。

当时在公司，时常有人工作到晚上，甚至加班到很晚。有一回一名员工加班后从单位出来，被警察当成小偷而遭到了盘问。对于索尼的创业者们来说，这种对事业的执着精神，自有一番苦与乐。公司成立的第二天，索尼就接到了50台真空管电压计的订单。但是，关键的部件真空管却没有。他们只好到黑市寻问，结果是真空管属于军队发放物资，要到很远的地方才能买到。而更糟糕的是，好不容易买回来的真空管规格不一，有50%可以使用就算不错的了。盛田和井深拿着测定器在店里进行检查，这使店员都很不高兴并有些抱怨。之后更麻烦的是组装起来的产品必须接受递信省的检查，可是东京通信工业公司没有场地也没有设备，因此，最后只能在递信省附属的研究所接受检查。研究所位于品川区东五反田（现在的关东递信医院），而当时井深他们还没有自己的汽车，于是全体员工出动，把电压计一台一台地搬到了研究所。交货时产品都是裸露的，没有任何包装。

这就是索尼成立之初的惨淡经营。然而，在一次又一次的困难面前，索尼的创始人没有放弃成立公司时的梦想，而是进一步坚定决心，以惊人的毅力克服困难，不断向前挺进。这股永不服输、坚持不懈的精神成为索尼公司的一笔宝贵的财富，在它后来的成长路上不断发挥着重要的作用。

■ 在一次又一次的困难面前，索尼的创始人没有放弃成立公司时的梦想，而是进一步坚定决心，以惊人的毅力克服困难，不断向前挺进。这股永不服输、坚持不懈的精神成为索尼公司的一笔宝贵的财富，在它后来的成长路上不断发挥着重要的作用。

1.3 迈向辉煌

凭借着半个多世纪的执着追求，索尼已经实现了当初的梦想，逐步成为了一个世界级的大型公司，它在全世界已经拥有 72 家子公司，4 万多员工，在 7 个国家开设了 30 多个工厂。在世界著名的《财富》杂志世界企业 500 强排行榜上，索尼公司曾排名第 31 位，当年总营业收入额 531.567 亿美元，利润额 14 亿美元，资产总额达到 531.829 亿美元。近几年来，随着 SONY 品牌不断深入人心，索尼以其绝对优势跻身《商业周刊》杂志评出的世界品牌 100 强的行列。

索尼的成功可以归结为它在三个方面的不懈努力。

1.3.1 国际化战略

索尼的国际化战略是它能够走向世界的关键。在日本跨国发展的企业中，索尼是最先进的企业之一，它具有相当强的创新技术开发水平，能生产出附加值高的商品，所以它有能力开拓海外市场和实现国际化，使自己迅速成长起来。值得注意的是，索尼公司还能够独立自主地开展各项活动，实现自己向国际化企业飞跃发展的战略。

以创新精神开拓海外市场，是索尼公司实现国际化的一个重要特点。索尼最初向国际市场提供的商品是半导体收音机，它在美国市场上受到高度的评价。20 世纪 60 年代，索尼建立了独资企业——索尼（美国）公司，生产附加值高的商品，并做到生产和销售一元化。当时，作为第一家在国外以自

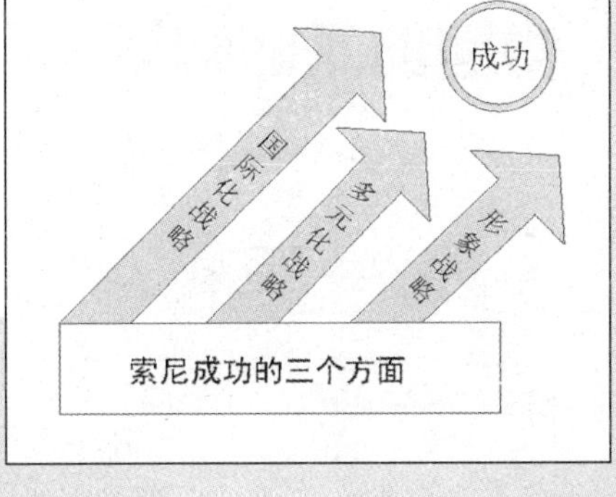

■ 索尼的国际化战略是它能够走向世界的关键。在日本跨国发展的企业中，索尼是最先进的企业之一，它具有相当强的创新技术开发水平，能生产出附加值高的商品，所以它有能力开拓海外市场和实现国际化，使自己迅速成长起来。

身力量销售自行制造的产品的日本企业，索尼开始受到人们的注意。也正是因为这一点，可以说在日本，索尼公司是开发海外市场的先驱。

在销售方式上，索尼也是与众不同的。它首先将新产品在美国市场上进行销售，有了成效之后，再将产品销售到日本及其他国家。索尼公司在各国强有力的销售能力因此得到充分的发挥。

1.3.2 多元化战略

多元化战略是索尼持续发展的方针。在经济高速增长时期，企业的成长是与扩大市场紧密相连的。但是，在经济低速增长时期，只有开发新的行业才是使企业持续发展的良策。要克服新的行业的风险，需要强有力的组织和有用的人才，而索尼的多元化战略具备了这些条件，适合于公司新时代的事业发展的需要。

具体来说，索尼的多元化有三个特点：

（1）索尼公司与海外的第一流企业结合在一起，以此为中心开展活动。比如与 CBS 公司合作成立 CBS 索尼公司，这是索尼涉足音乐界的起点。后来的发展证明，这一起点是非常成功的。近年来，索尼与爱立信在手机方面的合作也卓有成效。

（2）索尼的体制区别于复合企业。美国型的复合企业是对资金和经营能力不足的企业进行收购后形成的。索尼公司的多元化，则是自己从内部开发，并经过长时期的培养而形成的体制，既是创业又是挑战。像这样典型的多元化，需要具备精力旺盛的企业家人才，而索尼公司经过常年努力已经培养了很多符合这类要求的人才。

■ 索尼的多元化有三个特点：（1）索尼公司与海外的第一流企业结合在一起，以此为中心开展活动；（2）索尼的体制区别于复合企业；（3）放眼世界，积极寻求有潜力的市场。

（3）放眼世界，积极寻求有潜力的市场。多元化发展需要有巨大的市场背景。索尼积极寻找有潜力的市场，为扩大业务范围准备条件。例如，20世纪90年代，索尼正式登陆中国，成立了索尼（中国）有限公司。自公司正式运营以来，投资建立了三家合资工厂和两家独资工厂，设立了20个分公司和办事处，维修站遍布全国各地，建立了从生产、销售到服务的完善运营体系。在中国生产和销售的产品包括贵翔平面特丽珑彩电、笔记本电脑、音响、家用摄录放一体机、数码照相机、DVD播放机、数据投影机、DV-CAM摄像机等一系列产品。

1.3.3 形象战略

索尼能够驰名世界，在很大程度上要归功于它的形象战略。

从当初的收音机到彩电，再到如今的笔记本电脑和数码相机，索尼开发出的所有产品无不富含着前卫的理念和高贵的品质。根据日经广告研究所（日本一家颇有影响的双月刊，公开发行的学术性刊物）、日本经济新闻社规划调查部曾经进行的“企业信誉”调查，索尼公司无论是从企业的认识程度、接触广告程度、购买股票的意向还是就业想法等项目都符合一流企业的标准。而在一般消费者心目中，索尼同样具有很高的信誉。“技术的索尼”、“世界的索尼”就是大众对索尼形象的认识。

商品规划和商品设计是将企业形象展示给公众的一个重要途径，索尼在这方面就因新颖而驰名。它为了宣传新的商品，专门成立了宣传中心。作为面向市场的宣传索尼自身优势的设计部门，该中心统辖了过去分散在各事业部的设计室，为突出索尼产品的魅力而做出了巨大的努力。1979年7月，

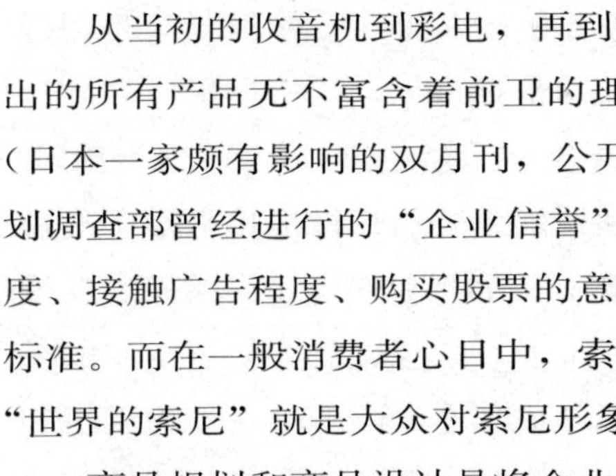

■ 索尼能够驰名世界，在很大程度上要归功于它的形象战略。

索尼向市场销售使用电池的携带式“Walkman”(随身听)。这是根据该中心研究出来的成果命名的。把产品名称变为普通名词，这一点受到大众的好评，在海外也引起了世界著名的指挥家卡拉扬等音乐家们的好感。各地的舞厅、剧院一下子购买了60万台，适应了年轻人的习俗和文化生活的需要。“Walkman”并不包含新技术，而是在构思方面决定胜负的商品。它被看作是超越单纯的年轻人风格的、具有生活情趣的变革型产品。在当时，“Walkman”就像哥伦布发现新大陆那样是极少有的典型事例。它的成功使索尼由此博得了大众的信赖。

今天的索尼，已经把电子硬件产品与内容产品相融合的技术推向了尖端。一切音乐、影视及游戏等全新的娱乐内容都可以通过硬件这个媒体平台发行。为迎接宽带时代的挑战，20世纪90年代索尼就开始与拥有共同发展理念的企业合作，实行“弹性联盟”。在电子业务方面，索尼倡导随时随地连接网络的网络环境，使用户在全世界任何角落都可以享受索尼提供的各种内容和服务。

在娱乐方面，索尼也卓有成就。索尼影视娱乐公司积极推进电影、电视节目的数字化。索尼影视数码娱乐公司创造了一个便利的模式，他们的在线游戏“EVERQUEST”将可以通过PS2、Clie以及索尼爱立信公司生产的手机来运行。索尼爱立信公司可以让顾客使用索尼制作的电影画面作为手机的待机画面或者屏幕保护。另外，索尼音乐、索尼ATV音乐出版公司的著名艺术家、作曲家的作品也可以作为手机铃声来下载。在索尼新型的手机中，还装入了索尼影视娱乐有限公司制作的“黑衣人”和“霹雳娇娃2”等游戏。索尼人的勇于挑战自我的魄力和敢于创新的能力，将会给人们带来一个

■ 今天的索尼，已经把电子硬件产品与内容产品相融合的技术推向了尖端。一切音乐、影视及游戏等全新的娱乐内容都可以通过硬件这个媒体平台发行。

又一个惊喜和快乐。

索尼，承载着光荣与梦想，走过最初的艰难岁月，一次又一次地刷新人们的记忆，一次又一次让世界睁大了惊叹的眼睛，以执着奋进的精神创造了伟大的成就。

附录：索尼大事记

1946 年 5 月　资金为 19 万日元的东京通信工业公司（索尼前身）在东京都中央区日本桥设立；

1950 年 7 月　日本第一代磁带录音机“G 型”机上市；

1955 年 8 月　日本第一代晶体管收音机“TR-55”上市；

1958 年 1 月　公司更名为 Sony 公司（索尼公司）；

1960 年 2 月　在美国成立索尼公司美国分公司；

1960 年 5 月　世界第一代晶体管电视机“TV8-301”上市；

1963 年 7 月　世界第一代晶体管小型磁带录音机“PV-100”上市；

1965 年 8 月　世界第一代家用磁带录像机“CV-200”上市；

1966 年 4 月　位于东京银座的索尼大厦建成并对外开放；

1968 年 3 月　与美国哥伦比亚广播公司合资（索尼公司出资 50%）成立 CBS 索尼唱片公司；

1968 年 10 月　世界第一代单枪三束彩色显像管“特丽珑”彩色电视机“KV-1310”上市；

1979 年 7 月　世界第一代立体声随身听“Walkman”（TPS-L2）上市；

1982 年 10 月　世界第一代 CD 播放机“CDP-101”上市；

1982 年 11 月　广播电视用 1/2 英寸摄录一体型磁带录像机“BETA-CAM”（BVW-1）上市；

1985 年 1 月　世界第一代摄录一体型 8 毫米录像机“CCD-V8”上市；

1988 年 1 月　购买美国哥伦比亚广播公司唱片公司（1991 年 1 月更名为索尼音乐娱乐公司）；

1989 年 6 月　世界第一代体积小、重量轻的护照型 8 毫米摄录机“CCD-TR55”上市；

1989 年 11 月　购买美国哥伦比亚影视娱乐公司（1991 年 8 月更名为索尼影视娱乐公司）；

1990 年 12 月　世界第一代高清晰度家用 36 英寸“HD 特丽珑”彩电上市；

1991 年 10 月　世界第一代配备超级特丽珑彩色显像管的彩电系列上市；

1992 年 11 月　世界第一代 MD 产品“ZS-M1”上市；

1993 年 10 月　广播用数字分量录像机“数字 BETACAM”系统上市；

1993 年 11 月　索尼计算机娱乐公司成立；

1995 年 6 月　开发出新型等离子平面显示器“Plasmatron”；

1995 年 9 月　Digital Handycam，第一代家用数字摄录一体机“DCR-VX1000/DCR-VX700”上市；

1995 年 12 月　为新一代高密度光盘命名为“DVD”，并就其规格达成最终协议；

1996 年 10 月　索尼数码相机 Cyber-shot“DSC-F1”上市；

1996 年 12 月　世界第一代超级纯平特丽珑彩电“KV-28SF5”上市；

1997 年　索尼笔记本电脑 VAIO 上市；

1998 年 9 月　“Memory Stick”记忆棒产品“MSA-4A/8A”问世；

1999 年　具有版权保护功能的 Magic Grate 的 MS 记忆棒及相关 MS 的随身听问世；

2000 年 10 月　Sony 游戏机 PlayStation 2 上市；

2001 年 8 月　500 万像素的 DSC 的 F707 上市；

2002 年 3 月　结束的 2001 财年中的合并销售额达到 570 亿美元，全球雇用总数达 5 万多人；

2002 年　索尼推出全新的 MP3 CD Walkman——D-CJ01，兼容 CD-R 和 CD-RW 格式；

2002 年　索尼电影公司制作的《蜘蛛侠》获美电影票房冠军；

2003 年　调查报告《品牌·日本 2003》中，品牌排名索尼位居第一；

2003 年　800 万像素的 CCD 传感器数码相机 Cybershot DSC-F828 上市；

2004 年　索尼便携式无线电视上市；

2004 年　索尼推出 70 英寸背投电视；

2004 年　索尼影业娱乐公司出品的《蜘蛛侠 2》全球上映。

案例：三星的崛起

相对于西门子、诺基亚和摩托罗拉等传统的电子品牌，三星是一个名副

■ 相对于西门子、诺基亚和摩托罗拉等传统的电子品牌，三星是一个名副其实的后起之秀。如今，这个后生辈是世界上记忆芯片及纯平显示器最大的生产商，全球第三大数字电视机生产商，全球第三大 DVD 播放机生产商。

其实的后起之秀。如今，这个后生辈是世界上记忆芯片及纯平显示器最大的生产商，全球第三大数字电视机生产商，全球第三大 DVD 播放机生产商。更不容忽视的是，它已经超过西门子成为全球第三大手机制造商，仅次于诺基亚和摩托罗拉。

三星的崛起可以说是一个后来者居上的典型例子。

1. 建立与挫折

三星集团的前身是 1938 年 3 月 1 日于韩国大邱市成立的“三星商会”。1947 年，三星商会迁至汉城。经历了朝鲜战争的波折，三星商会迁至临时首都釜山，并于 1951 年 1 月更商号为“三星物产株式会社”，一直沿续至今。

创始人李秉喆选择“三星”（Samsung）这两个字做商号的名称，可谓是用心良苦。“三星”的“三”表示大、多、强，是朝鲜民族最喜欢的一个数字；“星”意味着清澈、明亮、深远和永放光芒。以这两个字作为商号，是希望公司天长地久，强大兴旺。

不过，三星在发展的初期，颇多挫折。在 20 世纪 50 年代，三星决定投资制造业，它先后在制糖业、纺织业方面取得了不俗的成绩，使得公司规模大大扩展，成为韩国最大的企业。但是当三星进入化工行业，建成一座现代化的化肥厂，由于发生了“三星”走私事件，三星不得不以向国家交付“韩肥”51%的股份了结此案。这一事件无疑对三星造成了极大的打击。1968 年，三星借鉴日本的经验，决定向电子产业进军，开始了三星在电子行业的发展历程。

■“三星”的“三”表示大、多、强，是朝鲜民族最喜欢的一个数字；“星”意味着清澈、明亮、深远和永放光芒。以这两个字作为商号，是希望公司天长地久，强大兴旺。

20 世纪 70 年代，三星集团决定进军半导体行业。1974 年 12 月至 1979 年 12 月，三星先后购买了美、韩合资的半导体企业——“韩国半导体股份公司”的全部股份，从而使其变成三星的独资企业，将商号改为三星电子。

20 世纪 90 年代初，美国人的消费能力有了较大的提高，三星忙着把大量的微波炉、电视机、冰箱等产品销往美国。不过，三星当时的产品无论品质特性，还是品牌档次都远远低于日本的各大品牌，因此只能以低廉的价格在零售店和折扣店销售。由于三星产品质量不太稳定，卖出去的每 6 个产品可能就有 1 个会出质量问题，开始出现产品大量积压的情况。挑剔的美国人理所当然地把三星的产品与地摊上的廉价商品画上了一个大大的等号。陷入困境的三星一方面狠抓质量管理，一方面提高产品的技术含量，重新推出与日本电子产品品质相当的产品。

三星产品经过努力品质开始有了改进，但在消费者心目中三星产品等于低劣产品的印象已经烙刻下来了。标有 Samsung 商标的产品，依然被认为是大路货，无法与日本众多的世界级品牌相提并论。祸不单行的是，这个时候又爆发了 1997 年泰国金融危机，而且迅速扩展到整个亚洲，形成了震撼全球的“亚洲金融风暴”。三星在这次灾难中深受其害，仅三星电子每月的亏损额就达到数百万美元。

2. 重新崛起

在经历了这次创伤之后，三星开始专注于打造一个全球最具知名度的品牌，而不仅仅是做一个供应商，它要打入西方市场，像索尼那样获得高端的认同。于是，三星在产品生产、广告、渠道等均投入了大量资本进行建设，

■ 在经历了这次创伤之后，三星开始专注于打造一个全球最具知名度的品牌，而不仅仅是做一个供应商，它要打入西方市场，像索尼那样获得高端的认同。

以提升品牌形象，并最终获得了成功。

（1）向索尼学习

为了改变品牌形象，三星设定了一个最强有力的竞争对手，并立志努力去赶上和超越它，这个目标就是日本索尼。

几年前，三星还不得不从索尼或者 Matsushita 公司购买芯片。但自从把索尼作为自己赶超的目标后，三星开始在技术上虚心地学习日本，不惜重金派驻自己的人员到索尼等当时技术强大的日本公司学习，终于突破了技术瓶颈，有了自己强大的研发队伍。

现在的三星已今非昔比。在技术上，三星已成为了世界顶尖级的技术创新公司，它在众多的领域创造了一系列的尖端技术，包括移动电话、手持计算设备、平面显示器以及超薄笔记本电脑等领域。2003 年，三星电子的专利数在全球排名第 5，仅次于 IBM、NEC、佳能和 Micron 公司，领先于 Matsushita、索尼、日立、三菱和富士通公司。

（2）多元化发展

作为亚洲存储器芯片制造业的领头羊，三星电子将主业一直放在制造芯片上，而亚洲金融危机却使得半导体产品价格一路下跌，以至于使三星电子的生存受到威胁。也正是经历过这场芯片风暴，三星意识到必须实施多样化经营。

三星首先进入的是电子消费品领域。起初，三星是为其他品牌贴牌生产家用电器，同时慢慢地开始制造自己的品牌，如数字电视和 DVD 播放机等产品。虽然三星进军电子消费品领域的时间不长，但该业务的收入目前已经占据了公司整体收入的 37%。完成这一转变之后，三星又大举挥师移动电

■ 现在的三星已今非昔比。在技术上，三星已成为了世界顶尖级的技术创新公司，它在众多的领域创造了一系列的尖端技术，包括移动电话、手持计算设备、平面显示器以及超薄笔记本电脑等领域。

话领域，其市场份额不断增加，从 2003 年的 6.2%增加到现在的 9.6%。目前移动电话业务已占其总收入的 35%。而曾作为三星主要收入来源的芯片业务在整体收入中的比重已经下跌为 28%，但 DRAM 芯片业务在全球市场上的份额达到 27%，高于往年的 20.9%。在三星电子的产业布局中，半导体、电子消费品和通信开始三分天下。

（3）提升产品形象

为了树立高档产品的形象，三星力求在广告宣传和销售渠道上都给消费者以高档的感觉。无论是移动电话、DVD 播放器，还是 MP3，三星都力图将产品定位于高端市场。它投入大量的资金，要让美国人重新熟悉三星商标，扭转过去人们把它看作是廉价品牌的看法。例如，在盐湖城冬奥会上，三星花了 1 500 万美元的巨额赞助费赞助冬奥会，为其产品促销。另外，三星还用一家广告商取代了几十家广告商，以便于三星广告的外观能给人更一致的感觉。随着一系列广告的成功推出，三星的盈利和知名度水涨船高。

三星另一个提升产品公众形象的举措，是将其产品从一些大型连锁商店如沃尔玛和 Kmart 中撤出。因为光顾这些连锁超市消费者更看重产品的价格，而不是产品的质量。三星将撤出的 DVD、电视以及计算机等产品转移至 Best Buy、Sears、Circuit City 以及其他一些高级专业商店进行销售，因为这些商店看重的是产品的质量和品牌。

（4）领导数码社会

在新的数码时代，三星力图站在席卷全球的数码巨浪的浪头上，期望用先进的技术，有竞争力的产品，职业化的人力资源领导数码社会。

迄今为止，三星已经有 13 种产品拥有“全球第一”的市场占有率，其

■ 在新的数码时代，三星力图站在席卷全球的数码巨浪的浪头上，期望用先进的技术，有竞争力的产品，职业化的人力资源领导数码社会。

领先全球市场的产品有半导体产品、TFT-LCDs、显示器和CDMA移动电话，在此基础上还将增加数码电视、MT2000和打印机。三星的目标是，2005年要拥有不少于30种世界顶级产品。

如今，三星电子在数码产品上已经取得了出色的业绩，其品牌价值也达到了108亿美元，品牌成长率连续三年达到30%左右。2003财年收入达到了362.8亿美元，包括TFT、LCD、显示器、CDMA手机和内存芯片在内的7种产品的市场占有率达到全球第一，并以尖端的产品和技术继续保持在数字领域的领导地位。

第二章 索尼的经营创新

任何一家企业，它能否继续生存、发展，关键不在于它是否拥有悠久的历史，或是庞大的规模，而在于它是否具有不断调整自我的灵活性。用一个流行的词来概括，即它能否将自己置于一种“非常化”的竞争状态中：不断更新自身的经营观念，调整经营模式。如果不能，那么它将失掉不断获得创新的资本，将不能研制和提供能符合市场需求的产品和服务。自然，也就避免不了被无情淘汰的命运。

自创建以来，索尼一直以“自由豁达、开拓创新”作为公司经营理念，在世界上率先开发出了众多创新的电子产品，如晶体管收音机、特丽珑（Trinitron）彩电、随身听（Walkman）、激光唱机 Discman 和 8 毫米摄录放一体机等，都是消费者耳熟能详的时尚产品。索尼将创新融入经营之中，竭力为人们提供丰富多彩的视听享受，并积极地为改变人们的生活娱乐方式而努力着。

2.1 锁定目标

在消费者说了算的当今社会，企业经营活动成败的关键就是，尽可能地

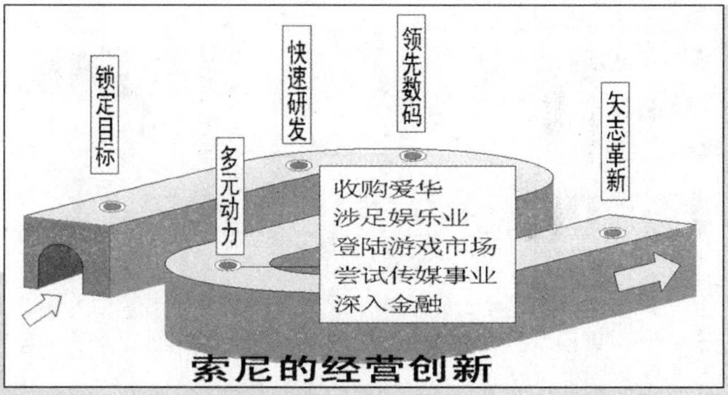

■ 索尼将创新融入经营之中，竭力为人们提供丰富多彩的视听享受，并积极地为改变人们的生活娱乐方式而努力着。

满足消费者!

在这一点上，世界上各大成功企业都有各自的做法，其中一些经验被列为典范。索尼是以独特战略制胜的范例，在日本，大多数公司都受困于效率经营竞争之时，索尼的经验就更加难能可贵：索尼在众多消费者中筛选出一部分作为目标群体，针对目标群体中的个性需求，生产不同的电子产品，然后高价销售，并用独特的方法进行市场营销，强调产品技术的原创性。

索尼的这一目标群体观念，虽然一直颇有争议，然而在索尼公司领导人看来，没有哪个经营观念比这个更贴近客户的了。事实也证明，如果索尼只是单纯地依靠技术上的创新，那么它的许多优秀产品在面对市场时可能都会一筹莫展，所以，目标群体观念正是索尼在技术以外的经营突破。

什么样的消费者是索尼的目标群体？索尼是这样定义的：

（1）风格各异，有时又被称为对自己钟爱品牌的忠诚群体。

（2）比其他消费者群体更崇尚完整的设计和高档次的品质，更加爱追求世界各地的时尚潮流。

（3）见识过许多种生活方式，并且是非常挑剔的、务实的，也是各种想法和物品的收集家，而他们所购买的商品往往都能引领着大众消费潮流。

这个目标群体其实是一群挑剔、高收入而又很难说服的群体，他们可能是总裁、企业家或是胸怀抱负的白领，也就是说，他们常常为了某家公司的时尚产品而无理由地购买。索尼认识到这一群体就是企业发展的金矿，而要向这些生活更稳定、精力也比从前更旺盛的顾客推荐自己的产品，关键的一点就是以技术和质量取胜，开发出符合他们的想法和需要的产品。

索尼设计中心经常作一些市场调查、焦点团体调查或用户研究，以了解

■ 索尼在众多消费者中筛选出一部分作为目标群体，针对目标群体中的个性需求，生产不同的电子产品，然后高价销售，并用独特的方法进行市场营销，强调产品技术的原创性。

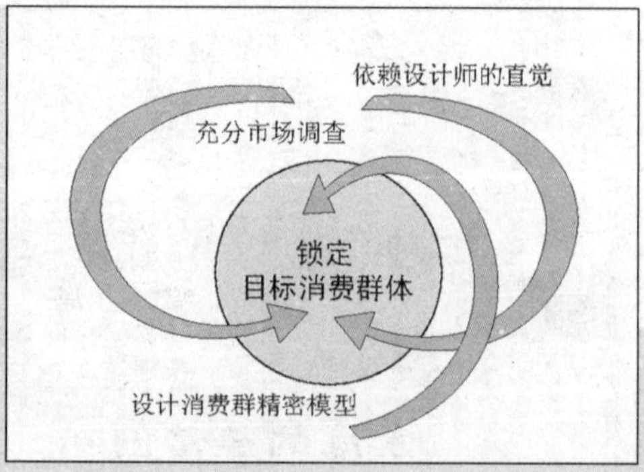

目标群体中不同的想法和需要，希望想消费者所想，充分理解他们不同的生活方式。索尼很清楚，随着社会和科技的发展速度的加快，趋势调查只能搜集到很快就会过时的资料，这使得目标群体的调查更加困难。也许当设计人员能识别出一种潮流并生产出相应产品时，这种潮流可能早已过时，生产出来的产品自然也就成了落伍的东西。何况，调查的方法有时也是问题百出，因为到目前为止还没有一种大家公认的能测试消费者偏好的方法。一些测试题目的答案往往不能反映出实际情况，因为回答问题的人可能只会说他们现在用什么产品，而这也只能反映出他们以前做出的决定。让消费者们对所要调查的产品做出正确的选择已经很困难了，而让他们说他们将来会做出哪些选择就更困难了。因此，索尼鼓励设计人员们在设计一种新产品时，依靠自己的直觉来做出判断。

索尼也在不断完善市场调查的方法，它已经设计出了一种考察目标消费群的精密模型，即把整个消费群细分成若干个不同的种类，这样，设计中心就可以针对个体或部分群体的需求研发产品。

在这个目标消费群模型中，最重要的也是索尼最倚重的恐怕要数那些对产品质量有着苛刻追求的高消费人士。对于这类消费者来说，产品的时尚精巧是一个主要的卖点，例如他们会青睐索尼数码相机如 F717，因为它不但时尚精致，而且造型也相当独特。

在 2002 年的一次“谁是消费者最喜爱的数码相机品牌”调查中，索尼以 30.97%的支持率脱颖而出。这是一个值得琢磨的现象。数码相机生产虽然算作是 IT 行业，但是有实力有影响的生产商多由传统光学相机生产企业转型而来，其中只有索尼例外。索尼固然是一个大牌子，但却不从事传统的

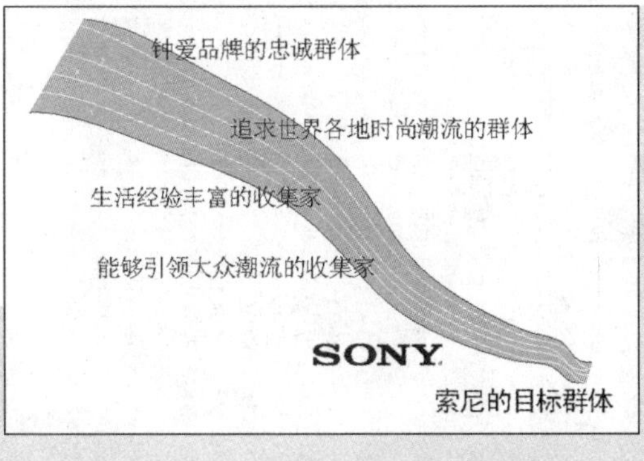

■ 索尼也在不断完善市场调查的方法，它已经设计出了一种考察目标消费群的精密模型，即把整个消费群细分成若干个不同的种类，这样，设计中心就可以针对个体或部分群体的需求研发产品。

照相机行业，其 IT 产品线也不是很长。它之所以能不以传统光学相机与 IT 品牌的优势而在数码相机上取得成功，可以归结为广告及成功的营销策略 SDCM，即“供需连锁”（Supply Demand Chain Management），它把数码相机定位成一个时尚产品，这种巧妙的转型不仅扬长避短，使自已面对大牌传统相机生产厂商时毫不吃力，而且引导顾客的眼光把数码相机看成一个普通的新型电子消费产品。要知道，索尼生产的电子消费品，特别是高科技的“小玩意儿”如游戏机、PDA、MP3 等产品，在年轻人心中颇有影响。如果把数码相机也归入此类，就可以起到品牌影响的迁移效应。

索尼在开发新产品时，都坚持着这样一种核心思想：必须以质量最好、价值含量最高的产品和服务来满足目标消费群体。它始终坚信，一种产品真正的特色不仅在于它光鲜的外表，更重要的是，还得符合消费者的想法和需要，让他们感到满意。这样，消费者才能在不用这种产品的时候也为能拥有这样的产品而感到高兴。这其实也是索尼之所以能够牢牢锁定高端消费群体的关键所在。

2.2 快速研发

新产品的开发和旧产品的更新，是制造型企业研发能力的体现。如果产品中没有自己的技术含量，只是一味地跟随他人，或者说产品中总是难有新的元素，那么这个企业将无法避免被淘汰的命运。所以说，研发能力是企业的生命。

以创新闻名世界的索尼具有相当强的研发能力，平均每年它都会推出

■ 以创新闻名世界的索尼具有相当强的研发能力，平均每年它都会推出 1000 多种产品，其中约有 800 种左右是原有产品改进的，其余的完全靠创新，这种研发速度之快令其他企业望尘莫及。

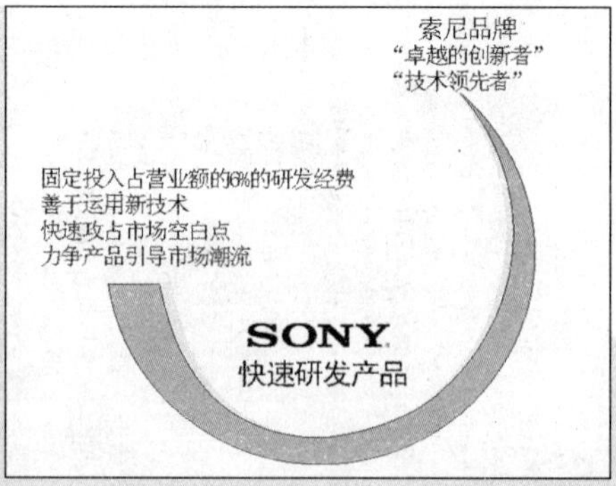

1 000多种产品，其中约有 800 种左右是原有产品改进的，其余的完全靠创新，这种研发速度之快令其他企业望尘莫及。

索尼公司一直都很重视产品的开发与更新，它在科技开发上的经费投入占营业额的 6%以上。在推出新产品和改进型号方面，索尼公司是世界上最高效的公司之一。事实上从公司初创开始，井深大等创始人就不断强调公司产品的开发创新，由此诞生了一系列令同行嫉妒的产品：

面对庞大的台式收音机市场，索尼先开发微型收音机，再开发磁带录音机、随身听。

当市场上普及收录机后，索尼开发出高保真收录机。

最早研发晶体管电视机，索尼因此生产出微型电视机。

最早生产 8 毫米摄像机，索尼因此成为世界最大的摄像机生产企业；其摄像机从个人使用到航空拍摄应有尽有。

最早生产系列电视机，索尼电视机走高端路线，比对手贵一倍；在彩电竞争中，以“特丽珑彩色显像管”技术胜出，引领潮流。

最早生产“等离子技术”系列电视机。

最早生产“背投技术”系列电视机。

最早生产出数字式电视机。

已开发最先进的“有机电子发光技术”（OEL）平面电视机。

2003 年 8 月 15 日，索尼开发出了最新款准专业级数码相机 Cybershot DSC-F828，它具备了 800 万的像素，成为当时最耀眼的超新星。于是有人曾说，面对 F828，其他公司发表的数款旗舰产品将不得不向隅而泣。

至此，索尼的产品线从原来以生产家用电器进入新兴的数码行业，并很

■ 索尼公司一直都很重视产品的开发与更新，它在科技开发上的经费投入占营业额的 6%以上。在推出新产品和改进型号方面，索尼公司是世界上最高效的公司之一。

快打开市场，索尼公司也因此成为数码企业的领军旗帜。

快速的产品研发充分体现了索尼的经营理念：要走在别人的前面，做别人没有做过的东西。它从市场空白点切入，先发制人，领先一步发展新技术，快速研制新产品，并以最快的速度将其推向国内外市场。而索尼这种“力争产品领先”的研发策略，满足了消费者的需求，得到了市场的认同，并取得了巨大的成功。索尼品牌也因此在人们心中树立起了“卓越的创新者”和“技术领先者”的形象。

2.3 领先数码

社会的全面进步，依靠科技突飞猛进的发展。例如，载人飞船的成功发射，首位宇航员的太空之旅，磁悬浮的开通，带摄像头手机的广泛应用，这所有一切都在暗示着一场巨大的科技革命、一次时尚变革即将来临。其中，与人们日常生活密切相关的数码技术，作为现代科技飞跃的代表之一，应用越来越广泛，已经渗透到各个方面。数码电视、数码摄像机、数码相机……每一次数码产品的更新，都是一次科技的加速。它正引领着革命潮流给众多的消费者带来了无数惊喜。

数码产业的巨头们都在努力地打造着自己的品牌，不断推出含有最新技术的数码产品。而这当中，索尼是先导者。1980 年，索尼和飞利浦公司合作开发了 CD 格式，开创了数码家电的先河。接着，CD Walkman、MD Walkman、MP3……随着一系列数码产品的推出，索尼开始在数码领域大展拳脚。在数码产业里，索尼倾注了大量的精力，其产品也日臻完美，VAIO

■ 快速的产品研发充分体现了索尼的经营理念：要走在别人的前面，做别人没有做过的东西。它从市场空白点切入，先发制人，领先一步发展新技术，快速研制新产品，并以最快的速度将其推向国内外市场。

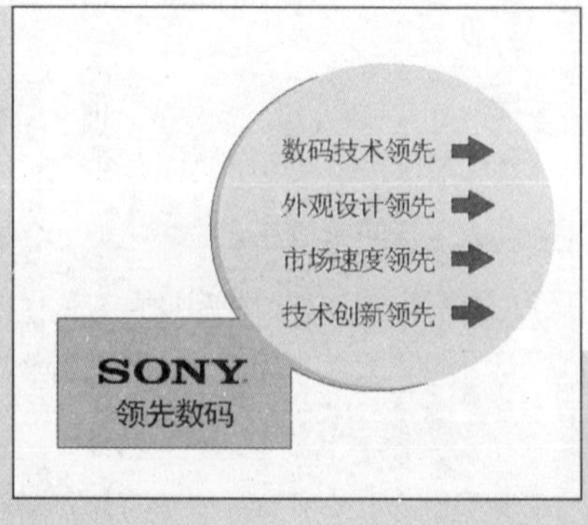

笔记本电脑系列、数码彩电、数码相机、数码摄像机……这些不断更新的产品正逐渐覆盖人们的生活，将索尼推向数码的巅峰。

2.3.1　VAIO 笔记本电脑系列

索尼进入笔记本领域的时间并不长，但是它的 VAIO 笔记本电脑系列一经推出，就受到广大消费者的青睐。VAIO 是"Video Audio Integrated Operation"的缩写，意思是"数码影音整合操作系统"，这意味着 VAIO 将实现 AV 产品，包括网络随身听、摄像机和数码照相机等设备与 IT 产品及网络的连接。截至 2004 年，VAIO 笔记本电脑已经推出了 8 个系列，更新了数十代产品。VAIO 设计轻巧，外形时尚美观，秉承了索尼产品的一贯风格，是索尼领先数码的王牌之一。

2.3.2　数码电视技术

自从索尼特丽珑显像管诞生以来，电视机就成为索尼的主要产品之一。新世纪来临，为了给人们提供更加完美的享受，索尼向全球推出了革命性显示技术——"贵翔引擎"（WEGA Engine）。它是一种全数码化影像整合处理技术，可支持模拟信号、数码广播、DVD 影碟、Memory Stick 记忆卡及其他输入信号。WEGA Engine 具有影像强化功能及电路板，可将输入的信号加以全面数码化处理，大幅减少由输入信号至输出信号的模拟数码转换次数，从而将噪声减至最低，全面提高画面的解像度。WEGA Engine 更同时采用 14-bit 屏幕驱动信号取样，能提升画面的真实感和深度，带来最清晰的影像，大大提升画质。索尼以此技术为基础，将电视机产品线全面延伸，从

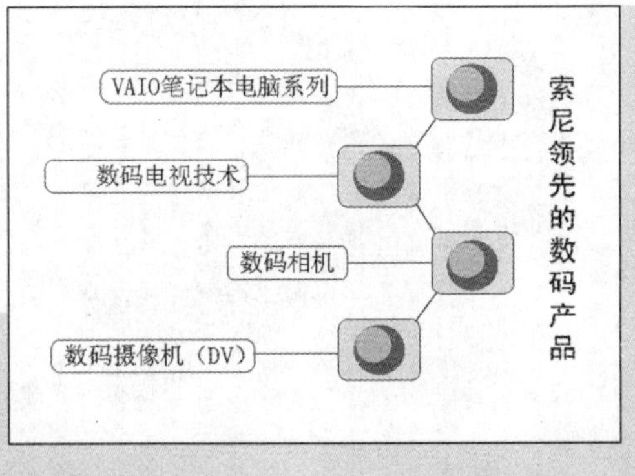

■ 在数码产业里，索尼倾注了大量的精力，其产品也日臻完美，VAIO 笔记本电脑系列、数码彩电、数码相机、数码摄像机……这些不断更新的产品正逐渐覆盖人们的生活，将索尼推向数码的巅峰。

特丽珑平面电视到大屏幕背投电视，进而到更为引领时尚的最新液晶和等离子电视，从不同的型号种类到不同的显示比例一应俱全，更多产品搭载先进的贵翔引擎技术，为消费者提供丰富而多元化的选择。

2.3.3　数码相机

数码相机是数码产品中的佼佼者，它的发展直接推动着整个数码产业的快步前进。在这一领域里，极具代表性的索尼没有经历过传统相机的时代，而直接步入数码相机世界。它可以完全不受传统胶片相机的束缚，全力投入到对于数码新技术的开发当中。

像素是数码相机技术参考的重要指标，索尼正是在这一方面掌握了最先进的技术。像素从最早的 35 万发展到 100 万、300 万，直到现在，500 万主流趋势仍由索尼领导。不仅如此，2003 年，索尼推出了世界上首款 800 万像素数码相机“Cybershot DSC-F828”。这款照相机 800 万的像素分辨率能够达到 3 264 ×2 488 像素，可以进行 A3 尺寸的打印，在 A3 纸上打印的图像达到 200DPI，非常清晰。而且，它还具有 4 色 CCD，可使色彩还原更加逼真，达到更加清晰的巨幅成像效果，这让众多数码迷叹为观止。这一数码高峰并没有让索尼放慢脚步，它还在不断地努力创新，继续着自己的数码时代。

2.3.4　数码摄像机（DV）

一直以来，索尼数码摄像机在全球市场的占有率为第一位，达到了 40%～50%。不论是过去体积庞大的 VHS 模拟摄像机还是如今迷你轻便的

■ 像素是数码相机技术参考的重要指标，索尼正是在这一方面掌握了最先进的技术。像素从最早的 35 万发展到 100 万、300 万，直到现在，500 万主流趋势仍由索尼领导。

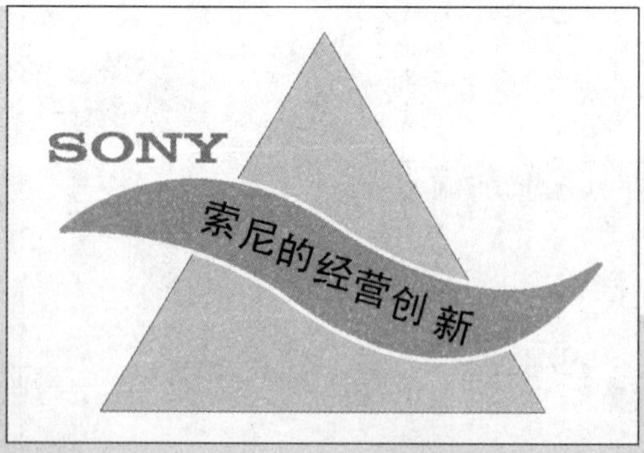

数码摄像机 DV，索尼都拥有着稳定的消费群体。2004 年，索尼推出了纤巧型 HC 系列 Mini 数码摄像机。该系列是索尼最新改良的机型，它以全新的紧凑型机身设计配合多项强化功能受到了广大 DV 迷的认可。它的设计更具人性化，操作更方便，最为突出的是它的全新彩色夜摄功能，即使在漆黑环境下拍摄，影片仍然可以展现自然色彩，此外，在捕捉快速目标时，也能确保不会留下拖曳影像。这是索尼高端技术的代表之一。索尼就这样凭借着其强大的数字核心技术和成像优势牢牢地把握住了 DV 市场的半壁江山。

时至如今，数码的潮流革命会更上一层楼，竞争将会更加激烈，索尼将以一贯的创新作风，深入数码科技，继续它的领先之路。

2.4 多元动力

多元化经营，是指企业发展到一定阶段后，同时经营两个或两个以上的产业或业务，或同时生产、提供两种或两种以上的产品和服务。企业如果采用多元化的经营方式，可以降低业务过于集中所造成的经营风险，同时可实现规模和范围经济性，提高投资收益率。因此，对索尼这种国际型大企业来说，面对全球企业的大型化、集团化趋势，实行多元化经营是一个应对挑战、实现经营创新的重要的方法。

2.4.1 收购爱华

2002 年 2 月，索尼公司决定不惜花费企业重组经费 200 亿～300 亿日元，把音乐播放机行业（随身听）知名品牌爱华公司收购成为索尼 100%资

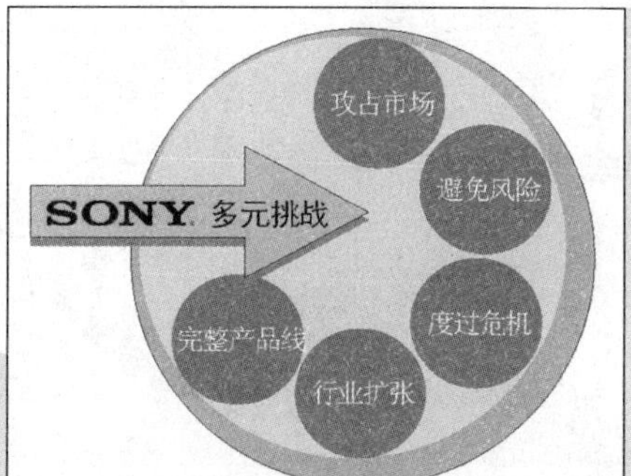

■ 对索尼这种国际型大企业来说，面对全球企业的大型化、集团化趋势，实行多元化经营是一个应对挑战，实现经营创新的重要的方法。

本的子公司。索尼之所以做出将爱华公司完全子公司化的决断，是看中了爱华的品牌价值。爱华公司成立于1964年，索尼占股64.9%，以生产收音机、卡式收录机等中低档音响器材为主，主要目的是用索尼的半导体技术生产中低档产品，占领世界市场。爱华公司1985年之后大规模向海外发展，1995年爱华的事业达到顶峰后迅速跌落下来，主要原因就是没有创新，在从模拟技术向数字技术转型过程中，拿不出任何含有数字技术的产品。

索尼面临三种选择：卖掉爱华、让其破产或收归麾下。索尼最终决定将其收归麾下，这意味着索尼要负责安置5 000多人，解雇5 000多人，要关闭许多工厂，要重新向爱华投入大量的生产新产品的资金、设备和技术。

2004年9月，索尼以爱华品牌推出的两款数码音乐播放器XDM-S500和XDM-S700在中国市场全球首发。这一举动打消了业界关于“索尼爱华同归一家之后将因为品牌的重复而导致爱华名存实亡”的猜测。此举也表明了索尼会在市场上继续发展爱华品牌战略的决心，即索尼与爱华的结合并非吞并关系，而将是共同开拓市场的互助伙伴关系。

2.4.2 涉足娱乐业

从盛田、井深、大贺到出井伸之，索尼的多元化是历届高层领导长期策划的结果，而索尼正是在不同时期领导者的共同坚持下，逐步地走到今天的。虽然索尼的多元化进程和方向时有调整，但是索尼在多元化这条路上始终没有放慢脚步。

起初，索尼是为了应对困境才加入多元化行列。而随着数字技术的革新使世界进入了“多媒体时代”，计算机、通讯、电视等实现了一体化，时代

■ 从盛田、井深、大贺到出井伸之，索尼的多元化是历届高层领导长期策划的结果，而索尼正是在不同时期领导者的共同坚持下，逐步地走到今天的。

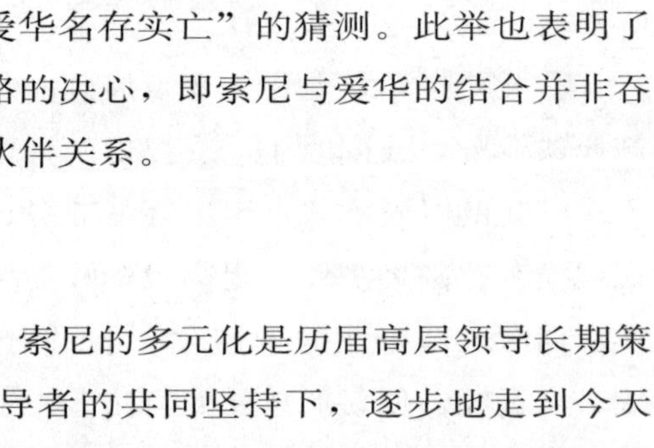

越来越需要硬件与软件的结合。索尼的多元化战略因此占据了主动，它比竞争对手更早抓住这一重要时机。

1988 年索尼收购了美国最大的广播公司 CBS 公司（Colombia Broadcasting Company），将 CBS 更名为索尼唱片公司。但其实早在 1968 年索尼就有了合资的唱片公司，经过多年的实践，积累了大量的经验，在唱片制作方面已具有强大的实力。索尼通过管理运营充分发扬开拓精神，不拘于同业界的习惯，在制造唱片的同时亲手发掘艺人，培养自己旗下的艺术家，并取得一个又一个的成功。这是当时索尼多元化的一个创新发展模式，并且取得了良好的效果。1989 年，索尼又以公开买进的方式收购了美国电影业的巨子——哥伦比亚电影公司。索尼公司通过对这两大娱乐公司的兼并，终于在电影、音乐两个领域拥有了软件资产以及世界性的基础。

2004 年，索尼旗下的索尼音乐娱乐公司和德国媒体巨头贝塔斯曼旗下的 BMG 公司实现了合并，双方各自出资 50%，合并后的公司名字定为“索尼影视”。无论从音乐排行榜来说，还是从市场份额来说，这两个公司加在一起，实力倍增，成为仅次于环球音乐公司的世界第二大音乐公司。在索尼音乐和 BMG 合并前，全球共有五大唱片公司，根据市场份额排名为：环球、百代、索尼音乐、华纳音乐、BMG。索尼音乐和 BMG 的合并意味着即将出现四大唱片公司并存的格局，这四大唱片公司在全球音乐市场将占据超过 75%的份额。

2004 年 9 月底，索尼影视和米高梅公司达成了一项价值 49 亿美元的并购协议。米高梅公司创立于 1924 年，是当今好莱坞八大电影公司中资格最老的一家影视公司。它拥有电影及电视内容资料之多在世界影视界堪称老

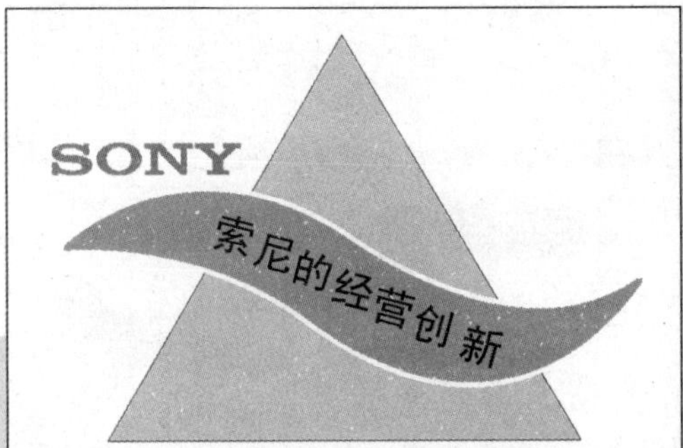

■ 索尼通过管理运营充分发扬开拓精神，不拘于同业界的习惯，在制造唱片的同时亲手发掘艺人，培养自己旗下的艺术家，并取得一个又一个的成功。这是当时索尼多元化的一个创新发展模式，并且取得了良好的效果。

大。对任何影视传媒公司来说，这个电影资料库都是一个用之不竭的“宝藏”，对索尼影视更是如此。

索尼影视与米高梅的合并，将使索尼在与有线电视供应商和DVD销售商的谈判中占尽先机。从长远利益的角度来看，一部电影的DVD的销售和租赁收入可能大大超过其票房收入。在中国，随着政策的调整和文化的开放，本来就拥有着存有近5 000部片源的哥伦比亚电影公司的索尼影视，有了米高梅的加盟，将会在今后的中国影视市场中占据得天独厚的优势。

2.4.3 登陆游戏市场

1993年，索尼公司又着眼于未来广阔的娱乐业，决定登陆游戏市场，在硬件和软件以新的形式结合方面又一次做出挑战。

在开展游戏业务方面，索尼充分利用了索尼集团内部的人才网络，独立地开拓市场，把热心于游戏机开发的各路人才汇集在一起，将硬件技术和软件技术结合，同时开发出能够以计算机的速度处理三维CG（Computer Graphics）的32位游戏机——“PlayStation”。同时，CD-ROM被开创性地用于游戏软件产品。1994年，索尼进入了被任天堂视为根据地的游戏业，这为索尼的多元进程开创了新的篇章。10万台机器在上市第一天便销售一空，接下来不足半年销量突破了100万台，索尼成功地进入了游戏业领域。第二年秋，索尼这个硬件和软件的新产儿，开始登陆美国和欧洲开拓新市场。到2002年，索尼计算机娱乐公司在全世界约120个国家和地区开展了PlayStation业务。PlayStation 2自2000年面市以来，总销量已经超过了6 000万台。PlayStation的全球销量也达到了9 000万台。到2003年，PS和

■ 1993年，索尼公司又着眼于未来广阔的娱乐业，决定登陆游戏市场，在硬件和软件以新的形式结合方面又一次做出挑战。

PS2 游戏软件的全球总销量超过了 13 亿张。索尼的多元化经营在游戏市场上取得了突破性的进展。

2.4.4 尝试传媒事业

1997 年，索尼公司公开表示要参与“数字多频道卫星广播服务”，这算得上是广播行业发生的一件大事。不久，索尼总裁出井伸之与澳大利亚新闻公司的默多克会长、软件银行的孙正义社长、富士电视台的日枝久社长一起正式宣布数字多频道卫星广播服务的成立。这又是索尼的一个新挑战，数字多频道卫星广播利用通信卫星一次可以同时传送 100 多个频道的节目。1997 年末 DirecTV 开始卫星广播，1998 年，数字多频道卫星广播服务计划开始工作，这无疑是索尼首次在转播上面的尝试。

对于索尼加入数字多频道卫星广播服务的目标，出井这样解释：“索尼不仅要发展电子技术，而且还要进行电影、音乐以及电脑娱乐的游戏等多种商业活动。今后索尼还要积极地为数字多频道卫星广播服务做贡献，努力提高索尼集团的综合能力。由于为数字多频道卫星广播服务出资的 4 家主要公司专业领域不同，因此它们将用不同的方式实现广播服务。作为索尼集团，不仅要为其提供软件，而且还将输送管理人才，这对于索尼是个立体式的要求。”

经过一段时期的运作，索尼的子公司爱和公司现任会长卯木肇担任了数字多频道卫星广播服务的新会长，这也让人强烈地感受到了索尼对数字多频道卫星广播服务的信心和执着。随后，数字多频道卫星广播服务又希望能与富士电视公司合作。富士电视公司开办有优秀的节目，而且在地上波（即日

SONY
索尼的经营创新

■ 1997 年，索尼公司公开表示要参与“数字多频道卫星广播服务”，这算得上是广播行业发生的一件大事。

本无线电视台的数字版本，和BS系统一样，提供超高画质、音质，也提供多机能双向服务系统，甚至于已经有完整的车用收讯系统界面可供使用）广播方面拥有丰富的经验。富士电视也希望能够通过与数字多频道卫星广播服务的合作，将公司发展成为一个能有效灵活运用软件的媒体单位。于是索尼和富士电视公司的想法不谋而合，很快走到了一起。索尼又向多元化迈进了一步，并且愈发地成熟起来。

2.4.5 深入金融

多元化经营中，金融领域也是索尼的目标之一。2001年，索尼银行正式成立，标志着索尼迈进金融领域。索尼银行为网络专业银行，它为客户提供活期存款、定期存款、持卡贷款（card loan）以及投资信托等四项业务。就这样，索尼将创新的技术融入了金融服务之中。

索尼银行的服务特征是向开办户头的顾客提供可以使用资产运用及管理、模拟等功能的Web站点“MONEY Kit”（http：//moneykit. net）。顾客进入该站点后，只要输入银行号码、个人账号及注册口令后就可以使用其中的各种功能。

它在MONEY Kit上准备22种工具，除了存款、查询余额、交易详细说明等普通交易功能之外，如果设定结婚及生小孩等人生重要事件的时间轴，还可以显示将来的存款额及收入支出的平衡的图表、金融商品情报等。另外，在MONEY Kit上还将有可以对顾客的存款计划及目的是否可行的检测功能，同时还提供可以提示适当的资产分配（asset allocation）信息的工具“MONEY Kit建议引擎（advice engine）”。该工具是投资索尼银行的JP

■ 多元化经营中，金融领域也是索尼的目标之一。2001年，索尼银行正式成立，标志着索尼迈进金融领域。

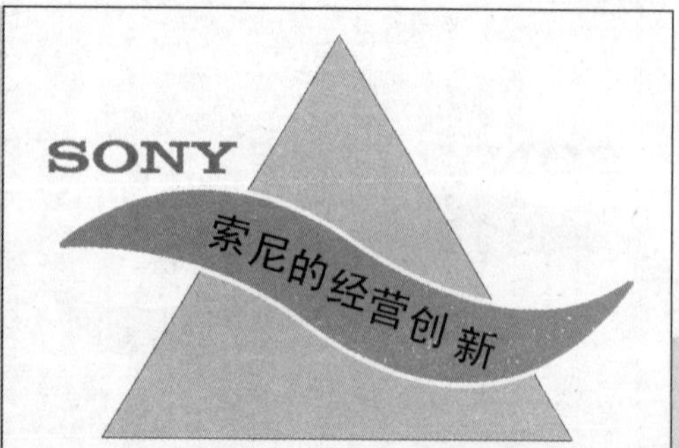

Morgan在美国使用的资产分配系统“Morgan Asset Projection System (MAPS)”，并面向日本用户进行了改良。

为了进一步扩大金融业务，索尼在网络银行的基础上又建立了保险公司。2003年10月，索尼的发展战略会议确定了新的变革方案，它勾勒出索尼未来的多元化发展方向——电子、娱乐、金融。至此，金融正式成为索尼多元化战略的重心之一。2004年，索尼成立了一个金融控股公司。该公司由三家子公司组成：索尼生命保险公司、索尼人寿保险公司以及索尼银行。这也意味着索尼将大步走向金融业。

2.5 矢志革新

企业经营如同逆水行舟，不进则退。任何因循守旧、不思进取的行为，都必然会招致失败。所以说，只有矢志革新、不断超越自己，才能成为真正的赢家，实现可持续发展。

索尼在前进的路上充满了挫折，从20世纪80年代到90年代，全球电子企业竞争日益加剧，索尼的营销也陷入困境。索尼公司首席执行官兼董事长大贺典雄把公司大权交给了出井伸之。临危受命的出井伸之在出任总裁之前已经在索尼工作了35年，丰富的工作经验使他对索尼在经营和产品方面的弊端认识得非常清楚，他认为索尼最需要的就是变革。

在出井伸之的带动下，索尼开始了一轮强劲的改革。索尼不再仅仅满足于传统家电产品的优势地位，而为成为数字化时代技术规则的制订者努力着。

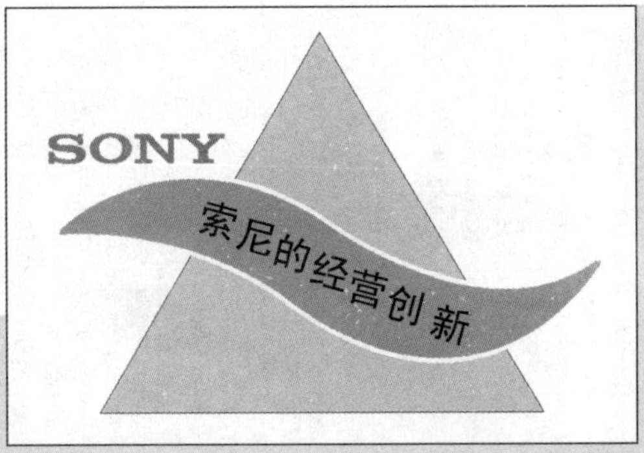

■ 在出井伸之的带动下，索尼开始了一轮强劲的改革。索尼不再仅仅满足于传统家电产品的优势地位，而为成为数字化时代技术规则的制订者努力着。

出井敏锐地认识到，家电和计算机技术会与娱乐业的电影和音乐融为一体，形成一个全新的行业。索尼公司未来的产品实际上都将成为计算机外围设备，用户可以把这些超级设备精心组合成为由个人计算机控制的家庭媒体系统。在这种思想的倡导下，索尼准备开发一种只要借助一个盒子，就可以控制电视、音响系统、家庭保安装置、空调和其他许多装置的给人以充分综合享受的产品。出井伸之说："索尼公司优先考虑的重要任务就是赶快跳入这条河流，想办法与别人齐头并进，或比别人游得更快。"索尼为此采取的第一个步骤就是推出了个人计算机系列，为 CD 音频重放和电视接收规定了值得注意的标准性能。此外，索尼还推出了一系列的具有数字时代特征的产品，如深受消费者欢迎的采用了数字化技术的 Mavica 摄像机，而采用 CD-MA 技术的便携式高保真立体声系统 Netman 具有网络功能，可以像当年的"随身听"一样为索尼带来前景极为诱人的商机。

为了保证其在产品经营上的优势，出井宣布了针对公司产品和经营方面的调整计划，目的在于做好准备迎接即将到来的因特网世纪，推出富有发展前景的新产品，并向新的领域进军。根据这个计划，索尼将电话和便携式摄像机的生产包含进公司原有的 VAIO 个人电脑部门，希望这样可以将公司现有的在摄像、电脑以及网络方面的技术有机地结合在一起，从而创造出具有索尼公司特色的崭新的个人信息技术产业，并在这个行业中占据领先地位。

继亚马逊公司网上销售火爆之后，越来越多的公司先后开展了网上销售。在这种情况下，索尼也日益感到有必要早日加入网上销售这一市场巨大、利润丰厚的新兴行业中。为此，它建立了专门负责网上销售和服务的部门，并准备加大其在公司业务中所占的比重。索尼还在加紧进行宽带因特网

■ 索尼公司未来的产品实际上都将成为计算机外围设备，用户可以把这些超级设备精心组合成为由个人计算机控制的家庭媒体系统。

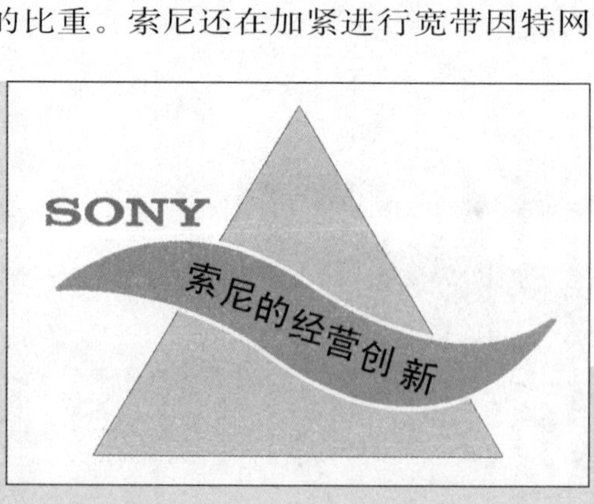

的研究开发工作。它认为这对于影视产品的销售将起到很大的促进作用，因为发展宽带有助于增强因特网传输图像和声音的能力，可以通过因特网使图像和声音能以正常的速率展现在使用者眼前。

索尼的企业形象也在经营理念的变革指导下不断地创新。1997 年，索尼开始在全球大做形象广告。它改变了过去在各地市场借助当地的广告商，塑造适合当地市场广告的做法，取而代之以统一的画面，统一的广告词，在全球市场上树立索尼公司年轻、充满活力的新形象。为了能够抓住年轻的消费群，索尼不仅在 MTV 台大做广告，更在全球各地以年轻人为对象的电视节目中频频露脸。事实证明，索尼的广告策略是成功的，因为它所提出的“数码梦想小子”的新形象已深深扎根于消费者心中。

国际市场上，在出井伸之带领下的勇于求新求变的索尼公司越来越表现出它的生机与活力。即使是在 1997 年亚洲经济低迷的时候，索尼公司仍凭借出色的经营理念，创造了 500 亿美元的销售额和 12 亿美元的利润。在许多公司股票纷纷下跌的情况下，索尼公司的股票却上扬了 44%。1998 年，在《商业周刊》评出的全球 1 000 家最有价值企业中索尼公司名列第 103 位。

专题：多元化经营的运行条件

企业多元化经营的核心是资源共享和风险分散。通常，进行多元化经营，除了应具备人、财、物、信息等经营必需的基础资源外，还需具备技术、市场、管理等方面的运行条件。

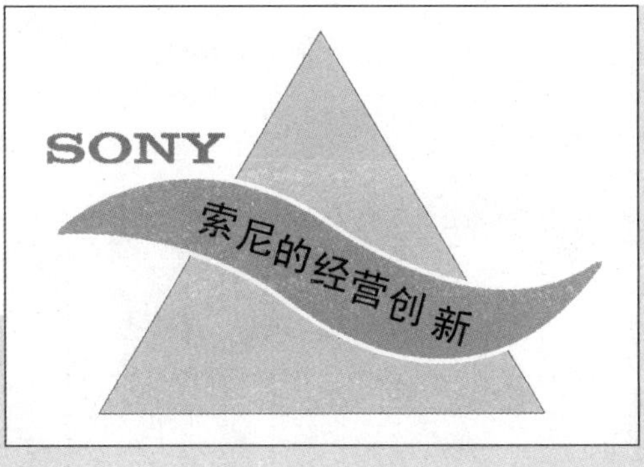

■ 索尼的企业形象也在经营理念的变革指导下不断地创新。1997 年，索尼开始在全球大做形象广告。

1. 需具备关联度高、协同性强的生产技术

企业进行多元化经营首先要考虑的是，新开辟的行业与本行业或主导产品的各项技术或生产技术紧密关联，具有一定的相似性。这样，以此为基础，利用原材料的共同性、设备的类似性，来开发异质产品，拓展异质市场，就可以取得技术上的乘数效应，因而有利于大批量生产，形成规模经济效益，进而取得产品质量、生产成本方面的竞争优势。

技术条件的另外一个方面，就是协同性，即多元化经营的各种产品的设计技术、产品开发技术和企业已有的技术之间应有一定的协同作用。也就是说各项技术之间应有一项或几项核心技术贯彻于经济活动。利用核心技术的统一协调功能，可以大大减少新产品研究的开发费用，并能提高新产品的成功率。

2. 应具备较高的市场支配能力和市场适应能力

市场支配能力是指，如果企业的主业兴旺，具有较高的市场支配能力，那么就可以以主业为依托，积极开展多元化经营。而市场适应能力则是要求新开发的外业产品从投放市场开始，到成长期、成熟期、衰退期，都必须具备适应不同的消费层次、不同的价格战略与不同产品之间的平衡能力、不同的产品差别化能力、不同的销售网络及不同的营销策略等多方位的适应性和组织能力。

■ 企业进行多元化经营首先要考虑的是，新开辟的行业与本行业或主导产品的各项技术或生产技术紧密关联，具有一定的相似性。

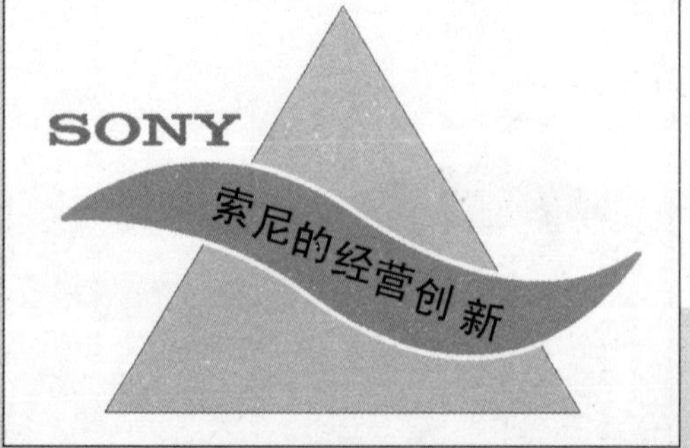

3. 应具有分散风险的产品组合

分散市场经营风险，是推行多元化的主旨，也是多元化经营的基本功能。能否达到分散风险的目标，关键在于能否设计、开发出适应市场需要的产品组合。一般而言，价格波动上呈负相关关系的产品组合，分散风险的能力较强；而高度相关的产品组合，分散风险的能力弱，甚至不利于分散风险。因此，从事多元化经营的企业，就应努力避免高度相关的产品组合，以利于企业降低经营风险。

4. 应具备经营管理上的协同功能

新老产品、新旧市场的生产管理与市场营销、市场与技术等各个领域、诸项要素，如果存在着一定的内在联系，具有一定的资源共享性，就可以把它们有机地结合起来，以产生一定的协同互促效应，使其功效远远大于各要素的独立作用。

5. 分清主外关系，做到产品、技术、市场互补

主业不兴，外业肯定不旺，盲目进入，必然经营失败；不突出主业的主导地位，甚至把主外关系颠倒，其结局必然是主外皆损。因此，多元化经营还必须以企业充分发展和已形成必要的共享性资源储备为条件。只有以产品、技术、市场等方面形成互补效应，互相促进，互为发展为前提，彼此以经营管理为依托，才能节约经营管理费用，增加企业整体优势和竞争能力。

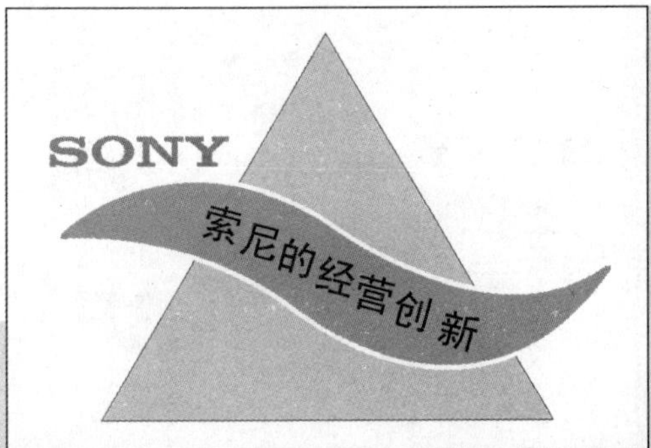

■ 分散市场经营风险，是推行多元化的主旨，也是多元化经营的基本功能。能否达到分散风险的目标，关键在于能否设计、开发出适应市场需要的产品组合。

6. 加强自我约束，科学选择多元化经营模式

在进行多元化决策时，应强调企业的自律性，加强自我约束、自我控制，自觉审视内部自身条件和外部环境条件，并应在科学论证的基础上，选择适合自身情况的具体发展模式。

7. 运用市场机制，正确处理多元化经营中的各种关系

①多元化经营与体制改革的关系。应按照市场经济规律规范和指导多元化经营，应用现代企业制度的基本要求去规范主业与外业的管理关系。

②多元化经营与增长方式转变的关系。企业推行多元化经营，寻求新的经济增长点，一定要符合转变经济增长方式的要求；外业的发展，要充分利用现有的资源优势，尤其是技术、市场、管理优势，使多元化经营走出一条低投入、低消耗、高产出、高效益的集约型增长之路。

③多元化经营与产业结构调整的关系。如果企业所经营的领域属于衰退产业，多元化经营就应选择横向多元化发展模式，开发相关度小的产品以分散经营风险，同时也利于产业结构调整和产品升级换代。

④多元化经营与集团经营的关系。多元化经营与集团化经营是可以交替发展的，即多元化提出了集团化的要求，通过集团化得以实现，集团化又为多元化的发展提供了有效途径和发展模式。

■ 运用市场机制，正确处理多元化经营中的各种关系，包括：①多元化经营与体制改革的关系；②多元化经营与增长方式转变的关系；③多元化经营与产业结构调整的关系；④多元化经营与集团经营的关系。

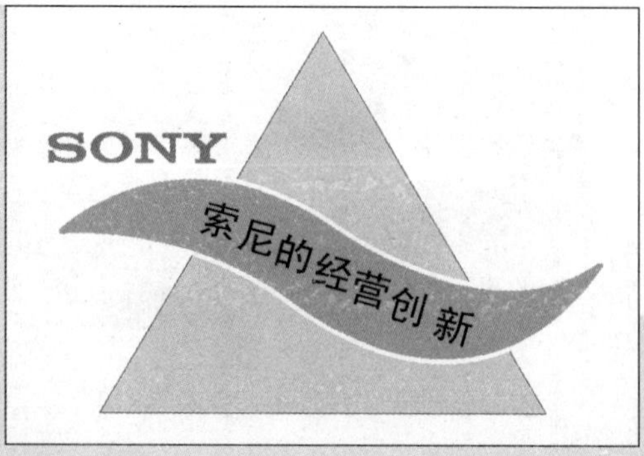

案例：世界著名企业的创新经营

纵观世界各大跨国企业，它们有着各自的特别之处。这些特别之处正是它们成功经验的积累所得。

1. GE 公司：独具特色的人才管理

美国 GE 公司是世界上实力最雄厚的跨国企业。该公司创建于 1918 年，首任总裁科芬建立了一套使该公司不断改革、适应发展的机制。

GE 公司近 20 年之所以能不断发展壮大，这要归功于韦尔奇董事长非凡的领导和经管才能。自 20 世纪 80 年代以来，韦尔奇通过大胆的事业重组，使得 GE 公司成为世界一流的企业，并取得了惊人的业绩。

GE 公司成功的“秘密武器”表现在选拔和培养人才方面。事业开发人才的主要作用是推行广泛意义上的兼并和收购战略，其中包括收购企业、设立合资公司、出售企业中的一些部门，等等。目前，该公司在全世界约有 100 多名事业开发经理，其规模与大型投资银行的部门相比毫不逊色。韦尔奇在各个事业部门都安插了事业开发人才，并且每年都在增加，用这种方式来有意识地建立推进企业并购的体制。

在培养人才方面，“360 度评价”可以称得上是 GE 公司的一大特色。每个员工都要接受上司、同事、下属以及顾客的全方位评价，整个过程由大约 15 个人分 5 个阶段完成。评价的标准是日常工作中是否按照公司的价值观行事。韦尔奇十分强调统一公司价值观，他明确表示：“即使工作成绩出色，

■ GE 公司近 20 年之所以能不断发展壮大，这要归功于韦尔奇董事长非凡的领导和经管才能。自 20 世纪 80 年代以来，韦尔奇通过大胆的事业重组，使得 GE 公司成为世界一流的企业，并取得了惊人的业绩。

如果不能具备公司的价值观，那么这样的人公司也不会要。”

2. 沃尔玛：改革零售业的明星

1950年，山姆·沃尔顿在美国阿肯色州本特维尔开了第一家沃尔顿5元～10元店；1962年他开设了第一家沃尔玛折扣商城；到1980年，他拥有276家分店。沃尔玛改变了零售业的管理模式，它是提供良好的客户服务、善待雇员和参与社区活动的典型代表。

在1997年年底，沃尔玛接管了德国的魏克特考夫连锁店，从此便极力向欧洲市场推进。在英国，沃尔玛同样兼并了阿斯达229家超级市场连锁店。跨国兼并没有影响该公司的收益增长率，在2000年4月出版的美国《财富》杂志公布的1999年美国500家大公司排行榜上，沃尔玛百货公司从第3位上升到第2位。沃尔玛成功的秘诀与有效利用顾客数据和把库存减到最小限度有着密切的关系。它成功地建立了“现代的数据加工系统”，这个系统使它有可能对分店供货作出最佳安排，从而使成本低于竞争对手。另外，经过仔细评价顾客行为，便可以相应提高顾客需求较多的商品的库存，减少周转频率较低的商品库存。沃尔玛的领导者声称，它的仓库保管软件的效率比竞争对手占有更大优势，服务和商品供应比竞争对手更符合顾客口味。

在美国市场上，沃尔玛有三种不同的商店型式来准确满足不同顾客群的需要。第一是传统意义上的巨型食品超市；第二是超级中心，在传统的品种之外供应像服装、电器、书籍等不同的商品，这些超级中心目前是美国最大的经济增长点；第三是按照公司创办人命名的山姆俱乐部百货公司。截至

■ 沃尔玛成功的秘诀与有效利用顾客数据和把库存减到最小限度有着密切的关系。它成功地建立了“现代的数据加工系统”，这个系统使它有可能对分店供货作出最佳安排，从而使成本低于竞争对手。

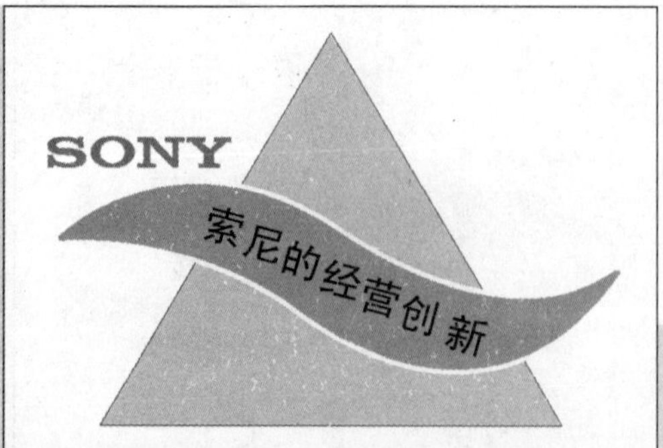

1999 年，属于这家零售康采恩的百货公司有 1 835 家，超级中心 622 家，山姆俱乐部 453 个。在国外市场上，沃尔玛经营着 965 个商店。公司还计划，今后要用所谓的邻里商店实现沃尔玛的经营思路。人们预料，该公司为了开展邻里商店的业务，将瞄准新的超级市场连锁店并将其作为兼并对象。

3. 微软公司：技术跟随战略

微软公司有意识地采取“技术跟随”的战略：紧盯着市场上一切新的技术动向，密切观察新技术对市场的潜在影响力，分析新技术与微软现有产品技术相结合可能产生的制高控制力。当少数新技术生存下来并被证实具备巨大的潜在价值时，微软就毫不迟疑地跟随，并在很短的时间内开发出产品，或者干脆把原创者购买过来，迅速占领市场。

“技术跟随”战略的好处是，省去了大量开发经费、人力、时间，最有效地利用全行业创造的智慧，避免了投资失误。事实上，创新注定是要失败很多次才能有一次成功的，企业要想得到巨大的利益，必须具备几个条件：有兼备先知先觉和后知后觉能力的技术人才；有雄厚的资本支撑；有观察市场的眼光和魄力。

微软的营销战略也非常成功，它站在营销渠道的各个制高点，准确把握市场、客户和竞争对手，以最少的直接资源为杠杆去控制和影响最大的市场。微软的 100% 渠道营销战略成功持续了十几年，被同行称为“无法效仿”，因为微软同时具备以下优势：产品相对独立，简单开放；占有市场份额的绝对优势；以成功的市场运作保持客户对产品期待的热情；保证产品一出世就能在渠道中顺畅流通。

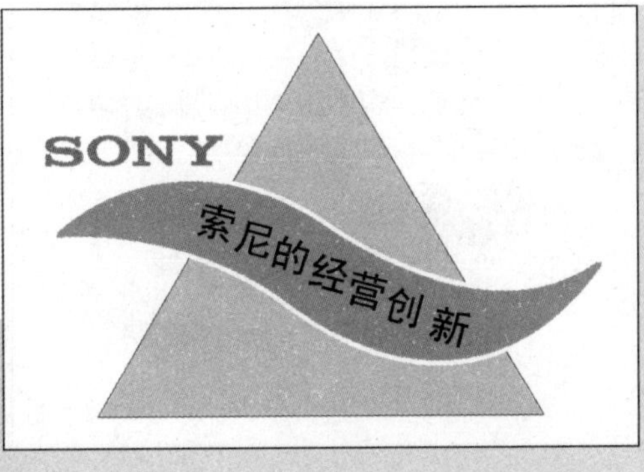

■ 微软公司有意识地采取“技术跟随”的战略：紧盯着市场上一切新的技术动向，密切观察新技术对市场的潜在影响力，分析新技术与微软现有产品技术相结合可能产生的制高控制力。

4. 福特公司：延伸汽车行业的价值链

亨利·福特在20世纪的商业史上干了三件最惊天动地的事情：第一，他创造了生产流水线，这成了20世纪大部分规模生产的基础；第二，他宣布愿意支付工厂工人每天1美元，远远高于当时的平均工资水平；第三，他普及了汽车。1908年推出的“T”型车是为美国中产阶层生产的第一辆车，它彻底改变了美国的社会生活。

如今，在首席执行官雅克·纳赛尔的领导下，福特公司正在积极筹划扩大汽车制造以外的与汽车相关的服务。虽然汽车制造仍将是福特公司的主要收入来源，但是它将增加业务覆盖范围，涉及整个汽车使用期——从组装到销毁。作为整体战略的一部分，福特公司已经在大西洋两岸购并了不少非制造性质的企业。

除此以外，福特公司将附属于它的零部件供应商分离出去，成为独立的分部。这些行动表明福特决心更好地利用汽车行业的价值链来改进公司。自1999年初以来，首席执行官雅克·纳赛尔就尝试着重新塑造福特公司，使之从传统的汽车制造商——仅仅将汽车零件组装起来，然后销售，转变成一个适应消费者需求的公司。这一战略被称为“消费者耳机”。福特公司认为经营战略不是由公司总部决定的，而是由消费者的需求决定的。如果福特公司不能为消费者提供他们喜欢的产品和服务，那么它就不能盈利。

■ 如今，在首席执行官雅克·纳赛尔的领导下，福特公司正在积极筹划扩大汽车制造以外的与汽车相关的服务。

SONY 索尼的经营创新

第三章

索尼的品牌创新

正如现代市场营销理论中关于品牌的定义：以某种独特的品质属性为特征的事务的集合。事实上，品牌不仅仅是一个商品的名称，它是一个含义丰富的概念，有着无与伦比的魅力，是所有经典市场营销学家手中必备的杀手锏。

好的品牌已经成为世界许多著名公司的一项重要资产，所以现代企业越来越注重品牌的作用。作为国际电子帝国的索尼公司，其品牌是伴随着公司的成长而逐步发展起来的，这其中也包含着无数索尼人的辛劳、智慧以及他们素有的创新精神。

3.1 独立品牌

索尼品牌的建立阶段可以分两个部分来讲，最初一部分，是一个产品形象的建立过程。通过索尼的产品来直接创立索尼的国际品牌形象，让索尼品牌深入人心。另一个部分是引入企业标志作为企业形象推广的代言人，让人人都知道 SONY。这两部分都是围绕着索尼的创新精神这个核心进行的。而在这个过程中，索尼的经营者们把他们的努力和才干发挥到了极致。

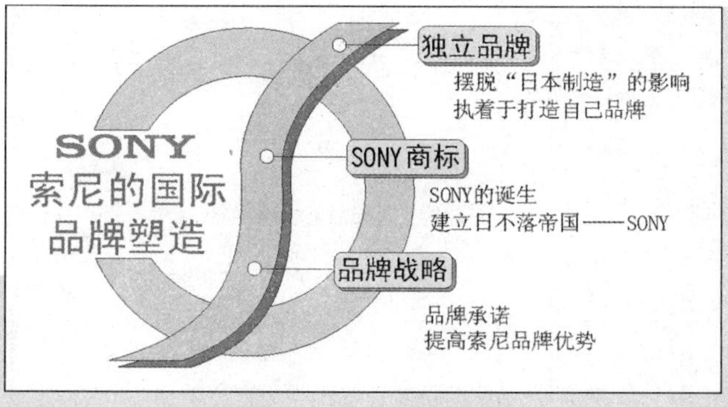

■ 作为国际电子帝国的索尼公司，其品牌是伴随着公司的成长而逐步发展起来的，这其中也包含着无数索尼人的辛劳、智慧以及他们素有的创新精神。

3.1.1 摆脱“日本制造”的影响

20 世纪 50 年代末期，一名日本周报的记者把索尼描述成一只实验鼠，暗指索尼虽然会在技术创新上有所突破，但是终究会被别的公司当成踏板。这个记者写道，一旦用索尼做过试验，证明项目可行，大企业就会强占这些项目，并把它做得更好。

当时井深和他的工程师们都很不喜欢这个记者的比喻。不过，后来井深变得很喜欢这个比喻了，他还把它作为索尼公司创新的象征。他说：“用这种实验鼠方法向产品进军，总会有新东西挑战我们。”

就像人们现在会把廉价的娃娃、低档次的电子产品与日本的东南亚邻国及前几年的中国东南沿海联系在一起那样，第二次世界大战前的几年中，“日本制造”这个标签对于世界其他地区来说，就意味着廉价仿制品。战前，由于日本的劳动力低廉，它成了分包基本制造过程的宝地，成了美国和欧洲公司的制造车间，即按西方公司的设计大批量低成本地生产产品，把它们卖往国外，钱就这样赚来了。这种轻松的赚钱方式也使日本商品制造商得到了只会抄袭的恶名。

如果索尼总是处于这一环境中，根本无法突出自己的产品特色，更不可能建立什么品牌。所以，索尼很想从那个阵营中脱离出来，改变套路，建立自己的品牌。好在索尼是一家具有执着精神的企业，它的可贵之处就在于，虽然当时只有 8 名员工，而且作为一家刚刚起步的小公司，它不可能忽视对利润的追求，但是它同时也认准了公司的出路，就是走自己的路，成为高级品牌，让创新成为企业最重要的经营理念。

■ 索尼是一家具有执着精神的企业，它的可贵之处就在于，虽然当时只有 8 名员工，而且作为一家刚刚起步的小公司，它不可能忽视对利润的追求，但是它同时也认准了公司的出路，就是走自己的路，成为高级品牌，让创新成为企业最重要的经营理念。

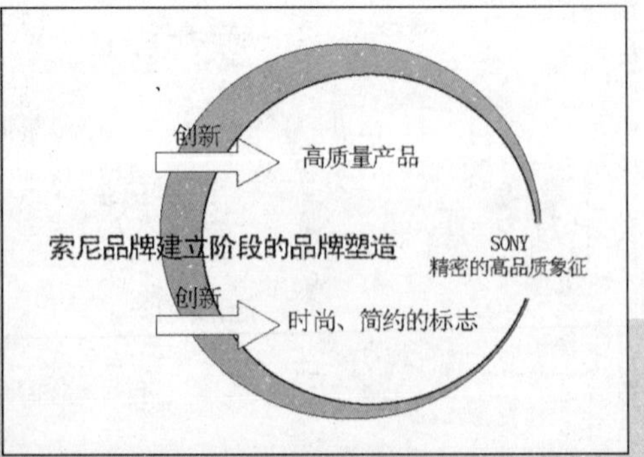

或许由于创始人们是技术专业出身，最初的索尼在盛田和井深的带领下，就有着一股大企业的个性。但是，要创新，要建立自己的品牌，这一信念在当时的条件下是难以实现的，而且有可能会影响到索尼的生存。而事实证明，他们的确选择了一条正确的路。如果没有当时的品牌思想，索尼的产品不会成为今天人们公认的高品质的产品。

3.1.2　执着于打造自己品牌

20 世纪 50 年代后期，正是美国经济的高涨时期，新事物、新产品很容易被当时的美国人接受。为了开辟美国市场，打响索尼招牌，盛田携带刚刚研制出的晶体管收音机独自来到纽约，开始亲自向零售店进行推销。在这一过程中，盛田特别注重用自己的品牌打开局面。

盛田刚到纽约推销时，曾有一家在美国颇有势力的代销机构“宝路华公司”愿意订购，它初次订货就是 10 万台，这相当于当时索尼公司总资本的好几倍，可是它提出的条件是在索尼产品上印上“OEM”（Original Equipment Manufacturer，原始设备生产商。如将之引申到 IT 领域的话，则表示那些进行代工的生产商）的名字。这一合同极具诱惑力，连东京公司的经理们都主张可以一试，可是盛田认为索尼公司要依靠自己的力量打出“SONY”的名声，而不应成为其他公司的原件制造者，沦为对方的加工企业。所以盛田坚决地回绝了对方。他表示，在 50 年前，对方的牌子也和索尼今天一样鲜为人知，他带着新产品来，就是为索尼公司以后的 50 年跨出第一步。“我可以向你们保证，50 年后，索尼公司会像他们公司一样出名。”那时的盛田信心十足，他的拒绝使一向沉着冷静的井深大也感到迷惑，更使得

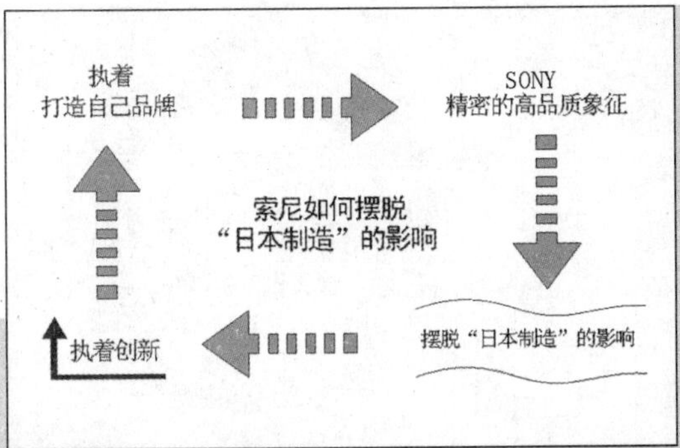

■ 盛田认为索尼公司要依靠自己的力量打出“SONY”的名声，而不应成为其他公司的原件制造者，沦为对方的加工企业。

美国代销商惊讶不已。而盛田自己却认为这是他一生中做出的最好、最明智的决定。后来的事实证明了这确实是一个正确的决定。当然，盛田当时的预言也有一点是错误的，那就是索尼的出名远远用不着等上 50 年。

仅仅几年以后，美国人就被索尼收音机极高的性能和简洁的设计所征服，索尼品牌很快便在美国市场上站稳了脚跟。在美国人眼里，“SONY”成了精密的高品质象征。盛田昭夫赋予了“日本制造”全新的意义，使美国人一改往日对日本产品的轻蔑态度。几年后，当带有“SONY”商标的收音机、电视机、录像机充斥美国市场时，人们才不得不佩服盛田当年的做法。美国“增你智”公司董事长约翰·尼温对此更是赞叹不已，说：“如果他接受了那个条件，索尼这个名字在美国就无人知晓了。”

索尼这一为维护自己的品牌而拒绝利润的举动给了购买索尼产品的消费者以信心，而且已经成为索尼历史上的一段佳话。人们因此而认为索尼是一个对消费者负责的公司，值得信赖。

3.2 SONY 商标

在“日本制造”同等于低质廉价货的时代，虽然在日本国内有许多出类拔萃、充满热情的天才技术人员，可是他们缺乏足够的技术条件和资本积累。此外，国内疲软的购买力也促使索尼把销售的目光放在了拓展海外市场上。海外策略在当时是个高瞻远瞩的想法，但是要把索尼这个品牌推广到海外，最棘手的问题就是如何把原来非常绕口的日本式公司名字改得西化一些。这种想法在当时无论如何都属于勇敢之举，足以令其他公司瞠目。

■ 索尼这一为维护自己的品牌而拒绝利润的举动给了购买索尼产品的消费者以信心，而且已经成为索尼历史上的一段佳话。人们因此而认为索尼是一个对消费者负责的公司，值得信赖。

索尼的
SONY
品牌创新

经过 40 多年的努力，S—O—N—Y 这四个字母已经成为全球最知名的品牌之一，正如索尼创始人最初期待的那样，SONY 是对其产品最好的诠释。今天，在全球各个国家和地区都可以看到索尼产品和众多喜爱索尼产品的人们。索尼创造的全新生活娱乐方式的影响也遍及世界的各个角落。现在这个充满创意的 SONY，已经成为这家公司最重要的资产之一，它将始终伴随着索尼不断地成长。

3.2.1 SONY 的诞生

作为索尼的创始人，盛田昭夫一直希望为公司取一个世界上任何一个国家的人都能容易地读出和记住的名字，让这个名字成为对产品负责、让消费者信任的同义词。

那时盛田和井深意识到一件事：公司的全称“东京通信工业公司”很拗口，不适合标在商品上，一个外国人很难记住这样的名字，人们不得不简称它为“东通工”，而这个招牌也很难给人们留下鲜明的印象。所以，盛田和井深决定要给公司改个名字。他们起初想到的一个名字是东京电信（Teletech），但后来得知，美国一家公司也叫这个名字，所以不得不放弃了。不过盛田又有了一个创意，认为以后所起的名字一定要起到双重功效，既是公司的名称又是品牌的名称，这样，就节省了广告方面的开销，让公司和品牌都能出名。这也是索尼发展过程中的一个创举。

后来盛田和井深还琢磨着要设计一个公司的象征，那是个倒立的棱锥里有一个细环，从棱锥的边上插入几个小楔子，组成一个字母“T”的样子。但他们对此仍然不满意，他们在找一种特别的东西。为了当时正在制造的晶

■ 作为索尼的创始人，盛田昭夫一直希望为公司取一个世界上任何一个国家的人都能容易地读出和记住的名字，让这个名字成为对产品负责、让消费者信任的同义词。

体管技术的收音机，他们希望能够拥有一个适合的名字。这个新名字应该让每个人都能记得住，因为晶体管收音机是第一个就要贴上这个牌子的产品。

当时，不像日本的公司那样，许多美国公司用的是三个字母的标志而非全名，例如ABC、NBC、RCA和AT&T，这个现象被当时在美国的盛田敏锐地捕捉到了。盛田很喜欢美国公司的这种想法。他感到他们确实需要一个好记又有意义的名字传达信息。在与井深大商量后，他们决定公司的新名称必须简短，不能超过4～5个字母，且要在世界各地均能为人们所识别。而他们更进一步的想法是要让世界各地的人们都认得出这个新名字，而在各种语言里，这个名字都要发音相同。他们翻遍了字典，偶然看到了拉丁词sonus，意为“声音”，这是一个响亮的名字。而且晶体管收音机是声音设备，sonus好像正合适他们的目标，恰好是他们要找的词。所以他们就锁定了这个拉丁词。

盛田又看中了拉丁文“sonny”这个词被翻译为“聪明可爱的男孩”，虽然与公司从事的行业无关，但盛田与井深都很喜欢，只是该词与日文发音solm-nee谐音，而solm-nee的意思却是“赔钱”。这对于一个刚刚起步，要努力树立牢固声誉的公司来说不是好名字。

一天，盛田灵光一现，突然想到了一个办法来解决这个特殊的问题：他决定去掉一个字母，就叫“SONY”。这个新名字的优势是没有任何含义，却又包含着他所想要的含义，用任何语言读起来都很响亮，又很容易被记住，还带有“声音”的内涵。此外，由于它用罗马字母拼写，西方人会认为这是出自他们自己的语言，因而容易产生亲近感，这对于把东京通信工业公司这个中小企业办成国际化企业显然大有益处，而这正是盛田想要获得的效

■ 这个新名字的优势是没有任何含义，却又包含着他所想要的含义，用任何语言读起来都很响亮，又很容易被记住，还带有“声音”的内涵。

索尼的 SONY 品牌创新

果。于是，这个后来成为日本消费性电子巨头的名字就这样被决定了。

当然，现在看来索尼这个当时的独创已经成为世界范围内的广泛标志了，它在主张索尼形象的统一性时也起了很大作用。现在根据“SONY”这四个字母标牌，马上就能知道它是索尼制造的产品。即使是设计平平的商品，一旦附上索尼的商标，看上去也像高档商品一样。

3.2.2 建立日不落帝国——SONY

SONY的出现，为索尼在海外的放手一搏创造了条件。但是在欣喜之余，如何将这个富于创意的品牌推广出去却成为了一个棘手的问题。

在把SONY推向世界的过程中，索尼的又一个传奇人物大贺典雄在其中做出了巨大的贡献。大贺典雄是在柏林国立艺术大学以首席演唱家身份毕业的，他在索尼是个重量级的人物。他很早就提出，如果没有树立一个高级商品的形象，索尼绝对不能成为一流的公司，公司产品也无法拓展销路。因此，索尼要成为一流公司，首先要做的是树立索尼的形象。而索尼要想成为国际性公司，其商标就不能不成为世界共知的商标。大贺提出，“SONY”四个字母的标牌必须改用更加干练的设计，商品的外形设计要变得更流畅。这种简约时尚的思想是作为一位艺术家的大贺对流行趋势的特殊敏感。

大贺开始积极倡导索尼品牌的推广计划，他制定了一系列的形象推广原则，并且对之前不合理的方法给予更改。大贺希望能使SONY深入人心，变成一个国际知名的品牌，让世界每一个角落都能认识到SONY，了解它的品牌内涵。大贺的“野心”是让SONY成为一个日不落帝国的标志，飘扬在世界消费者的眼前。在这件事情的决策上大贺显示了卓越的眼光，现在看

■ 大贺希望能使SONY深入人心，变成一个国际知名的品牌，让世界每一个角落都能认识到SONY，了解它的品牌内涵。

来，这个决定为索尼品牌在全世界的打响起了不可磨灭的重要作用。

为了摆脱旧形象，大贺采取了一系列的行动。首先，他把搁在索尼商店前的“爱娃娃形象”一个一个撤掉。当时索尼一直使用冈部冬彦的漫画符号“爱娃娃”作为广告形象，由东通工转名为索尼后，它曾使索尼在大街上广为人知。大贺虽然也承认它有很明显的宣传效果，但索尼如果想成为国际性的公司，就不能够让“爱娃娃”作为广告标志继续使用。索尼需要摆脱“爱娃娃”的形象，创作出世界范围内通用的广告图画。如果有了令自己自豪的SONY而不去更好地利用的话，索尼不可能在世界市场腾飞。事实上SONY正如当初设计时所期待的那样，比“爱娃娃”更加国际化，也更加现代化。大贺认为，进一步加大宣传效果是更重要的，必须展开真正的CI（企业形象同一识别战略）活动。

接着，索尼要做的就是提高宣传效率。盛田在公司开始全面宣传时提出：“全部自己干。”因为他认识到广告代理商对索尼的宣传有时候会起副作用。那时大贺认为不管是报纸广告、整版广告还是全时段广告，广告前面的复印部分和外面的设计应全部统一起来。也就是说，无论出现在什么样的报纸上，也无论出现在哪一页，索尼广告设计都必须相同。这时大贺已经总结出一套经验，而且非常有效。这种统一的企业形象宣传办法可以高效迅速地推广索尼，使人们可以看到一个统一的、有丰富内涵的“SONY”，从而使“SONY”的标志真正被人们所认识并逐渐熟知。

在当时，哪一页报纸的广告价格都一样，索尼利用这一点，坚持集中买断社会版的对版、广播电视节目表下面这两个版面的全时段。社会版或广播电视节目表都是很重要的位置，是只要拿报纸的人就一定会打开阅读的地

■ 这种统一的企业形象宣传办法可以高效迅速地推广索尼，使人们可以看到一个统一的，有丰富内涵的“SONY”，从而使“SONY”的标志真正被人们所认识并逐渐熟知。

索尼的
SONY
品牌创新

方。根据日本的习惯，繁忙的上班族们，早上只浏览一下社会版便到公司上班。而另一方面，节目表下面的内容，上班族的太太们则会从早到晚都放在眼前晃动。索尼认识到别的地方没有什么价值，如果决定要打广告的话，只能是社会版对面、节目表下面。因此，当时索尼有些霸道地决定只买这两处版面。当时的许多报社都为此大为不满。广告代理商说，如果那样预订的话，不合规矩。但是作为负责人的大贺始终坚持自己的看法，拒绝改变。

在索尼品牌的推广中，关于索尼的标牌——SONY 的设计是一个最直观的传播器。大贺认识到，首先“SONY”要使人们能一眼就识别出，而且容易被人接受，吸引人。所以，这些字必须一个一个地集中起来，“SONY”这四个字母作为一个连续的整体必须体现美感。而后，必须从这短短的四个字母中体现出索尼的文化理念，而且要够时尚、够现代化，它一定得是索尼品牌宣传的利器。

当时没有专门的标志设计公司，设计这四个字母，耗费了索尼人的很多心血。大贺在自己兼任部长的设计部中，组成“标牌委员会”，为了完成高质量的标牌设计而不断努力。

高质量的标牌、好的设计关键在于平衡，标牌的每一个文字，笔画的粗细、曲线的弯曲度、字的歪斜度等，都力争做到最完美，这可能更多的要从美术的角度考虑。如果那时有设计公司的话恐怕索尼也未必会真的去用，毕竟只有自己设计才能真正地把自己对于品牌内涵的理解倾注在里面。

以前的标牌被认为不太适合作为霓虹灯招牌。但是“SONY”出现之后，大贺马上找到中国香港的最好地段，成为首次在中国香港升起霓虹灯招牌的日本企业，并借此时机开始进行了标牌的变更。但是，像中国香港这样

索尼的 SONY 品牌创新

■ 在索尼品牌的推广中，关于索尼的标牌——SONY 的设计是一个最直观的传播器。大贺认识到，首先“SONY”要使人们能一眼就识别出，而且容易被人接受，吸引人。

多雾的城市，用多粗的字体才能看得清楚呢？这个特殊的问题使索尼公司工作人员为此忙活了好一阵。他们认真地在雾中实地进行实验，做了几种招牌，进行比较。

大贺认为，既然花钱树起霓虹灯招牌，就要尽可能让更多的人在雾中认识索尼。当周围的景物最后都被浓雾吞没，索尼的霓虹灯必须还在那儿闪耀，即使其他的建筑消失得无影无踪，索尼的标志哪怕只是多留一分钟也是种胜利。抱着这样的想法，大贺一遍又一遍地改进着，直到自己认可为止。由此，足见索尼公司当时对索尼品牌的重视程度。现在，中国香港的那个霓虹灯已经不存在了。事实上，它立起来没多久，就依据索尼的指示，被摘下来了。因为索尼在很短的时间内就已经成了知名的品牌，霓虹灯的使命完成了。

索尼如此不惜花费人力、物力、财力，以便更好地推广自己的 SONY 标志。这里面的努力有一些肯定与索尼的信仰有很大关系，创新，突破，克服一个个困难，这些也写入了索尼这个品牌的内涵中。更主要的是索尼有把自身打造成世界知名品牌的决心。盛田曾说："大贺，即使花 20 亿日元，能使'SONY'扬名世界也是值得的。"这种招牌心理，是朝着著名企业的方向发展的表现。为了让企业名称在社会上广为人知，企业形象固定，即使花费巨资也应该去做。这是一个现代品牌理念。

3.3 品牌战略

品牌是企业的无形资产，是企业发展壮大的宝贵财富，它在人们的心目

■ 索尼如此不惜花费人力、物力、财力，以此更好地推广自己的 SONY 标志。这里面的努力有一些肯定与索尼的信仰有很大关系，创新，突破，克服一个个困难，这些也写入了索尼这个品牌的内涵中。

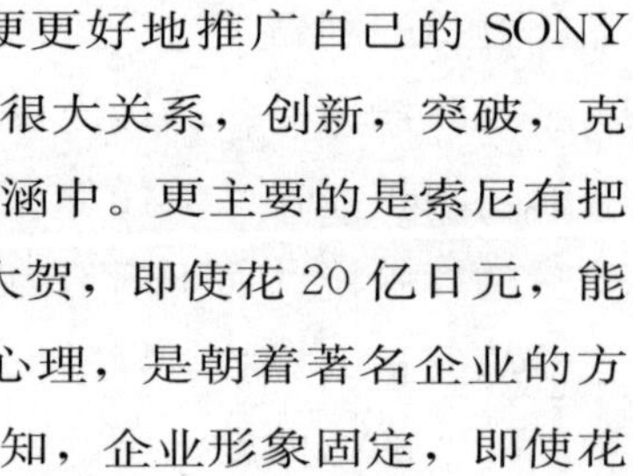

中就是企业品质的代表。企业的品牌战略就是将品牌作为企业独立的资源和资本参与到营运之中，从而促进销售，有利于企业的市场扩张。

现在的索尼，在各个方面已经走向成熟，不会再像刚刚起步时那般懵懂。索尼公司有着一套自己的品牌战略，它已经把自己的品牌做得十分完美。索尼的品牌模式已经深入人心，不只是消费者把索尼的产品奉为至尊，而索尼品牌的理论经营方式也使得许许多多的同行业企业纷纷表示要做本国的索尼。从专业的角度来讲，索尼目前的品牌战略是科学的、独特的品牌策略。

与以往相比，现在的索尼品牌是在科学的品牌观的基础上建立的。如果说索尼的策略是独特的，这一点不奇怪。它深知，只有找到一条适合自己发展的道路才能真正找到出路，如同刚刚起步时那样，索尼一如既往地“一切自己干”，这也是在真正围绕着他们自己的创新突破的核心理念。

3.3.1　品牌承诺

有了品牌就要培育品牌，而为了培育品牌，理解如何经营品牌是相当重要的。索尼认为品牌运营与商业运作大相径庭，就如同一个人上班与休息之间的差异一样。与通常的商业运作相比，品牌运作要求独特的视角和方法，这种方法的关键就在于索尼的品牌承诺。

比创建索尼这个品牌更进一步的措施，就是要培育索尼这个品牌。毋庸置疑，品牌承诺在这一过程中是十分重要的。索尼把品牌承诺解释成：索尼给予为顾客提供的产品或者服务的一种保证。这也是索尼能够卓尔不群的关键。索尼的品牌承诺主要包含三个方面的特性。首先，要承诺给消费者最好

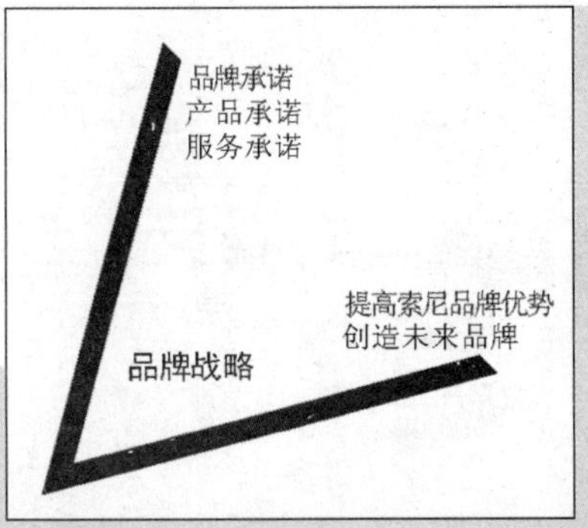

■ 索尼把品牌承诺解释成：索尼给予为顾客提供的产品或者服务的一种保证。这也是索尼能够卓尔不群的关键。

的；其次，要体现索尼对品质的保证；最后，要对公司的内涵和前景进行诠释。

索尼的品牌承诺运作沿袭着这样的步骤：

（1）让消费者知道索尼的产品是最时尚、最具有创新精神和最有吸引力的；

（2）让消费者使用了索尼的商品后，能感觉到一种优秀的品质，高雅的享受，也从感情上完全认可索尼；

（3）以独特的产品特性，区别于其他的品牌而具有特别的吸引之处，这往往也是最应该为索尼的消费者所承诺的；

（4）提供愉快、及时和周到的服务。

经过这一连串的品牌承诺，消费者会很快被索尼的品牌吸引。就像消费者购买随身听时，看见索尼的品牌很自然就会想到这是为他们量身订做的。索尼用品牌承诺牢牢抓住了消费者的心。

索尼认为，承诺了而不去做，这对企业来说是一个毁灭性的打击。索尼不仅要承诺而且还要履行承诺，只有这样，一个品牌承诺作为品牌战略的一部分才能算是完成了。索尼公司知道“轻诺必寡信”的道理，所以他们在努力地为消费者创造惊喜的同时更注重他们的能力。要有突破就不应该拿品牌承诺开玩笑，这也体现了索尼的责任心。

可以说，索尼的品牌承诺是和索尼的企业文化紧密地联系在一起的，它融入并扩展了企业文化。所以说索尼的品牌承诺不是为广告所设计的，而是索尼品牌战略的基础。

■ 索尼认为，承诺了而不去做，这对企业来说是一个毁灭性的打击。索尼不仅要承诺而且还要履行承诺，只有这样，一个品牌承诺作为品牌战略的一部分才能算是完成了。

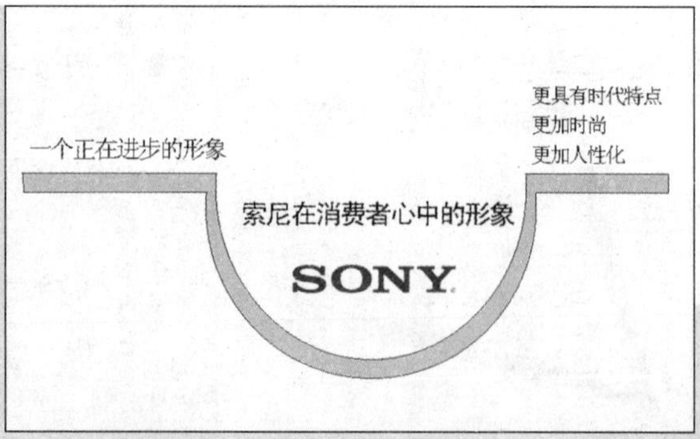

3.3.2　提高索尼品牌优势

为了让品牌保持常青，索尼采用了一系列的手段创造自己的品牌优势，其中最重要的一项策略就是创造未来品牌，提高品牌优势。在过去的几年里，索尼一直都在进行重大的结构调整。在新技术的应用、经济全球化以及其他环境的改变等共同作用下，索尼经过慎重的考虑，最终决定用创造未来品牌的策略来保持其品牌的活力。

现在的索尼和几十年前的索尼完全不同，它有着更深刻的内涵，它给消费者呈现的是一个正在进步的形象。在这个理念的贯彻下，今天的索尼更具有时代的特点，也更加时尚更加人性化。品牌营销是持续不断的沟通流，并不是想起来就进行的散打战役。

为了提高品牌优势，索尼还使用了一些其他的方法。比如，索尼高瞻远瞩的一项行动——与爱立信公司合作生产手机。索尼和爱立信的品牌在手机市场上合并到一起，组成互利互惠的合作关系以发挥品牌群体的竞争优势，提升企业品牌资产，并利用杠杆作用使索尼品牌资产在手机领域最大化。这次联盟超越了索尼自身的局限性，所以被称为品牌联盟。索尼正是要运用它与爱立信手机品牌的联合，建立一种全新的模式以考虑顾客的需求，为顾客提供更多的解决方案。

起初，与爱立信建立品牌联盟是存在风险的，但是索尼果断地认识到品牌联盟在长期看来对于索尼是有利的。事实也是如此，在与爱立信合作进入手机市场后，索尼这个品牌在手机市场的信誉度立即提高。它在开发新产品或者服务项目方面的风险降低了，分销的速度加快了，它不仅成功地整合了

■ 为了让品牌保持常青，索尼采用了一系列的手段创造自己的品牌优势，其中最重要的一项策略就是创造未来品牌，提高品牌优势。

资源，也创造了索尼单个品牌无法实现的效益。

经过数十年的执着努力加上变革的思想和特有的创造力，索尼这个品牌已经屹立于全世界的各个角落。索尼品牌已经是一项最有优势的资产，它甚至可以自豪地宣称，一把火烧掉索尼公司，索尼仍然可以凭借“SONY”这个品牌很快重建起来。

■ 经过数十年的执着努力加上变革的思想和特有的创造力，索尼这个品牌已经屹立于全世界的各个角落。索尼品牌已经是一项最有优势的资产，它甚至可以自豪地宣称，一把火烧掉索尼公司，索尼仍然可以凭借“SONY”这个品牌很快重建起来。

索尼的
SONY
品牌创新

第四章

索尼的营销新范式

现代企业越来越重视营销。对于企业而言，能生产出优质的产品固然重要，然而，在如今以买方市场为主的发展势态之下，企业最大的优势在于能用令消费者满意的方式把产品卖出去。面对不断变化的环境以及消费者不断变化的需求，企业应该做出正确的反应，开展与之相适应的营销方式，满足消费者需求，才能顺利实现企业目标。

成功的企业在营销方面都有一套成熟的做法，索尼也不例外。随着时代的变迁，索尼将创新与营销相结合，通过不同的营销方式将自己展示在人们的面前，扩大影响，不断培养更广阔的客户群体，不仅让世界更了解索尼，也让索尼得到了发展的动力。

4.1　形象营销

形象营销是指企业借助整体形象的强化，借助自身美好形象与消费者进行沟通，把有关企业、产品和服务特色的信息传递给消费者，让消费者对企业、产品和服务有更多的了解、认识和喜爱，利用企业的形象力全面提高企业的市场竞争力。

■ 随着时代的变迁，索尼将创新与营销相结合，通过不同的营销方式将自己展示在人们的面前，扩大影响，不断培养更广阔的客户群体，不仅让世界更了解索尼，也让索尼得到了发展的动力。

形象营销已成为一种很重要的营销方式。在日本就算是普通杂货店，也会相当注意这个方面。物品的摆放方式都极具视觉吸引力，产品的包装细致精巧，很多包装还很幽默、很感性或具有让人大吃一惊的效果。谁都会为其精致的细节和精巧的展示方式而感叹不已。鲜鱼被整整齐齐地摆放在削过的冰块上；每样水果都一尘不染。有时候，小甜饼的包装上会印上著名人物的形象，并配上一个小故事。

索尼公司十分注重塑造自己的形象。它不仅注重产品外观上的细节，还注重产品包装盒上的细枝末节。和日本许多企业一样，索尼认为产品展示也是一种艺术，最简单的产品包装盒上甚至会显示产品全部的象征和意义。

在产品外观包装设计的一致性上，索尼有着特别的做法。它根据产品类型的不同，来决定是否保持外观的一致。比方说，索尼的随身听和 VAIO，它们的外观有时候朴素而含蓄，有时候可能会使用带有夸张的重金属字迹的华美涂层，让整体效果光彩照人。这类索尼产品的包装设计风格多样，不一而足。没有一款风格能代表它们的广度。

由于消费者在购买这类产品的时候，对索尼这个牌子已经很熟悉了，当他们到商店去购买之前，可能早就决定要买索尼牌的东西了。所以，这类产品的美工设计和包装就像衣服一样可以天天换。因为即使改变了某个特定的包装，也并不意味着能改变整个品牌的形象。索尼更重视这类产品在技术质量、形状型号设计方面的情况，这远比其包装设计所面临的压力大得多。

然而，如果是另一类产品，索尼可能会尽量保持它外观的一致性，以确保更好效果的形象营销。就像磁带和迷你磁盘，它们的包装设计对索尼来说曾是一个严峻的挑战。因为所有的空白载体在消费者心目中都是一个样子，

■ 索尼公司十分注重塑造自己的形象。它不仅注重产品外观上的细节，还注重产品包装盒上的细枝末节。和日本许多企业一样，索尼认为产品展示也是一种艺术，最简单的产品包装盒上甚至会显示产品全部的象征和意义。

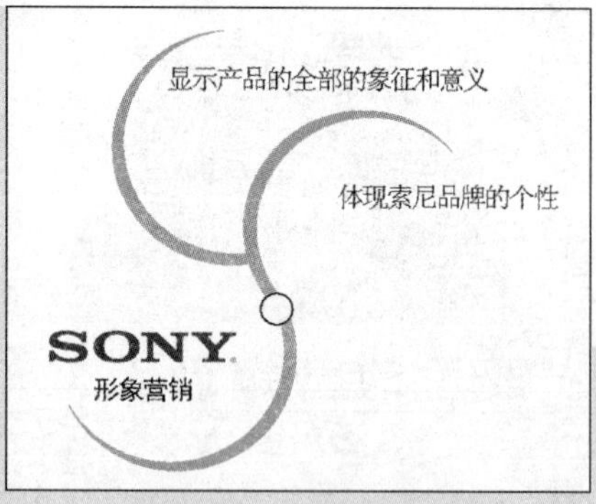

所以索尼品牌的个性，产品的介绍和醒目的颜色就成了消费者挑选的重中之重。消费者为什么要买下你生产的空白带而不选其他品牌的产品呢？为此，索尼公司挖空心思地为它这项媒介产品的包装设计合适的款式和颜色。

20 世纪 80 年代晚期，索尼面对的竞争开始加剧，公司设计人员决定，要让所有录像载体的外观设计保持一致，这在当时是一个创举。通过几周的调查考证之后，他们认为全球市场上最受欢迎的颜色是一种黄色。他们通过参照几种磁带产品的外观设计方案，从中挑选索尼满意的设计。这个设计过程一直很顺利，但是，当时的公司总裁大贺典雄发现，索尼黄和享誉全球的胶卷包装盒上的“柯达黄”太像了，因此大贺建议索尼在全球范围内都使用醒目的深红色以避免顾客混淆。

市场调查表明，美国人更喜欢蓝色而不是红色，所以本想让美国的销售商也采取这种红色战略的索尼有些失望了。美国的执行官们也想把包括电脑软盘和电池在内的所有消费者媒介产品的包装都统一成一种颜色，那当然就是蓝色了。可是，大贺却想让全球的索尼产品都呈现出相同的颜色。他希望无论走进全球的哪家商店，都能凭着红色的包装在竞争对手的产品中找到索尼的品牌。而这个想法遭到美国销售商们的反对。这件事情于是不了了之。

大贺由总裁升至全球董事长后，他就把这个问题留给了接替他的出井伸之。出井接受了来自美国本土的建议，如今，索尼在美国的蓝色战略已经大获成功。

Marketing
索尼的营销新范式
SONY

■ 20 世纪 80 年代晚期，索尼面对的竞争开始加剧，公司设计人员们决定，要让所有录像载体的外观设计保持一致，这在当时是一个创举。

4.2 体验营销

体验营销，作为近年来IT电子行业营销领域的新兴名词，它的出现可以说是对传统营销模式的突破。它是在整个营销行为的过程中，充分利用感性信息的能力，通过影响消费者的更多的感官感受来介入其行为过程，从而达到影响消费者决策的目的。体验营销实际上把个性消费提高到新的层次，它能够为企业带来巨大的效益。索尼在这方面就做得相当成功，它将“体验”的魅力演绎得淋漓尽致。

事实上，早在索尼生产出第一代随身听（Walkman）时就已经运用了体验营销的这一理念。当时，记者们和一些消费者从索尼那里接到“发表新产品”的通知，汇聚到了位于银座的索尼大厦。他们每人领取到了一个带有耳机、类似于小型磁带录音机的新产品。在索尼代表进行了一段简单的介绍之后，来宾们接到了“请按一下手中机器的放音键”的通知，从耳机中伴随着音乐传出来的正是有关新产品“随身听”的立体声产品说明。

在这些全神贯注听耳机的人们前面，身穿印有“Walkman”字样统一T恤的宣传员和打工的男女学生一边欣赏随身听，一边不断进行各种表演活动。耳机里此时又发出通知：“请看，两个年轻人正骑着双座自行车欣赏随身听呢!”他们抬头一看，果然在前面的草坪上，两个青年男女正在一边欢快地欣赏随身听，一边骑着双座自行车。

不用说，记者和观众们都很惊奇于这种推销模式，因为他们不仅了解了新产品的概况，还亲身体验了它的音质，而且亲眼进行了确认。

■ 体验营销实际上把个性消费提高到新的层次，它能够为企业带来巨大的效益。索尼在这方面就做得相当成功，它将“体验”的魅力演绎得淋漓尽致。

发布会结束后，索尼的年轻员工们身上带着随身听，向身边经过的人们发出邀请：“请试听一下！”索尼还雇了一群年轻人，星期天来往于繁华的东京银座“步行者天国”，他们每人头戴耳机，向人们炫耀着陶醉在美妙音乐中的感受。索尼公司虽然没有在电视上进行大力宣传，但是这些独具匠心的广告以及宣传活动起到了意想不到的作用。随身听就这样以口头宣传的方式不断得到了人们的认可。首批 3 万台产品在当年的 8 月份销售一空，甚至出现脱销，公司只得不断地增产。商店频频出现的脱销状况持续了 6 个多月。

如今，索尼的体验营销方式已被许多企业所效仿，并且已经成为潮流。但是，很多号称体验营销的企业，不过是提供一些样机，以供顾客试用，如果有不懂的地方，会有一些销售人员帮助解答而已。他们对顾客体验的场所也不会进行什么特别的布置。单单这样的体验显然不足以调动消费者的热情，企业的体验营销必然达不到预定的效果。

相对于这种情况，索尼对客户发出的“体验”则是与众不同的。就拿它在中国的 VAIO 专卖店来说，顾客在那里最大的感受就是这里不仅是一个琳琅满目的电脑产品专卖店，更是别具一格的数码生活体验空间。顾客可以第一时间接触到各类 VAIO 产品，通过连接方案（如 VAIO＋DV/DC），再结合软件、游戏平台等，得到更全面、真实的体验，充分领略 VAIO 的视听感受。与传统的橱窗式产品陈列方式不同，这个专卖店采用了“体验式”互动陈列，将造型冷酷的高科技产品从橱窗中摆到顾客身边，大大缩小了社会公众与尖端产品之间的距离。店内工作人员随时为体验产品的顾客做详细的产品说明和使用技巧介绍。与此同时，VAIO 专卖店秉承了时尚典雅的设计风格，通过新颖别致的室内布置和产品陈列方式将高科技产品与幽雅的环境融

■ 顾客可以第一时间接触到各类 VAIO 产品，通过连接方案（如 VAIO＋DV/DC），再结合软件、游戏平台等，得到更全面、真实的体验，充分领略 VAIO 的视听感受。

为一体，为顾客营造出舒适惬意的体验空间。

尤其值得一提的是，VAIO专卖店还对后期销售有一系列的框架完整的互动管理，建立了完善的会员管理制度，会员除了享受优惠价格和定期的产品培训以外，还有丰富多彩的会员交流活动为志趣相投的数码爱好者提供交流平台。这一切无不体现了索尼体验营销的特色。

4.3 网络营销

网络营销是指企业借助于互联网络、电脑通信技术和数字交互式媒体，通过对市场的循环营销传播，达到满足消费者需求和商家诉求的过程。

信息技术的发展，特别是通讯技术的发展，促使互联网络形成一个辐射面更广、交互性更强的新型媒体，它不再局限于传统的广播电视等媒体的单向性传播，而且还可以与媒体的接受者进行实时的交互式沟通和联系。因此，企业如何在如此潜力巨大的市场上开展网络营销、占领新兴市场，对企业来说既是机遇又是挑战。

索尼接受网络这个概念，比其他的对手要迅速得多。尤其是在迈入网络时代的初期，索尼率先在网络上安置了自己的宣传网页，并且以网页为基地，与消费者互动，并且为消费者提供立体化的服务。

索尼在中国开设的Sony Style网站，就是它在网络上经销的最佳平台。这个网站是索尼的娱乐综合性网站。在这里，索尼的消费者可以查看各种产品的详细资讯，逼真的产品实物照片。有时候索尼会在这里为客户提供一些随产品附送的精美礼品及丰富多彩的促销优惠活动。

■ 信息技术的发展，特别是通讯技术的发展，促使互联网络形成一个辐射面更广、交互性更强的新型媒体，它不再局限于传统的广播电视等媒体的单向性传播，而且还可以与媒体的接受者进行实时的交互式沟通和联系。

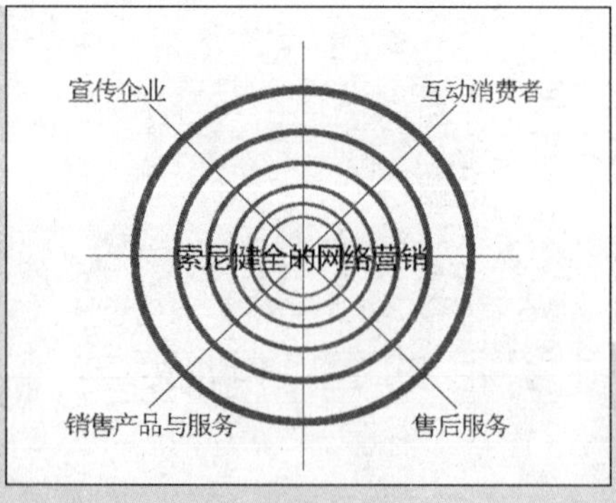

索尼同样把安全及时的送货方式和贴心周到的售后服务搬上了网络，使任何想使用索尼产品的客户都可以随时拨打网上购物服务热线和他们联系，进行咨询或通过电话订购产品。目前，Sony Style 还推出货到付款、银行电汇以及邮政汇款三种支付方式供客户选择，消费者无须花费更多的时间，从浏览到支付，点击鼠标或拨个电话，就能实现他们的购物梦想。

在网上购物服务的基础上，索尼进一步推出了在线电影和在线音乐的服务。消费者们可以从 Morpheus 和原来的 Napster 上下载音乐和电影。然而，如何反盗版，又成了索尼在提供这项服务时所遇到的最头疼的问题。数以百万的美元正通过没经过认可的复制品白白溜走。如今在数码版权管理系统上，还没有人能够提出一个健全的方案，所以，索尼只有去创造新的商业模式，而这正是索尼所最为擅长的，他们的计划充满了未知性与不确定性。网上营销还将有一段更长更远的路要走。

4.4 未来营销

未来总是存在着许多不确定性风险，企业从事任何经济活动都应着眼于未来，以保持自己的实力，获得更大的成功。对于企业营销活动而言，定位未来显得尤为重要。

索尼以未来为出发点，展开营销活动，将自己的创新理念传达给现在的消费者，带动他们关注索尼未来的发展动向，培养潜在的客户群，这就是索尼独具特色的未来营销。

以中国为例，索尼本着普及科学知识和奉献爱心的宣传理念，在中国北

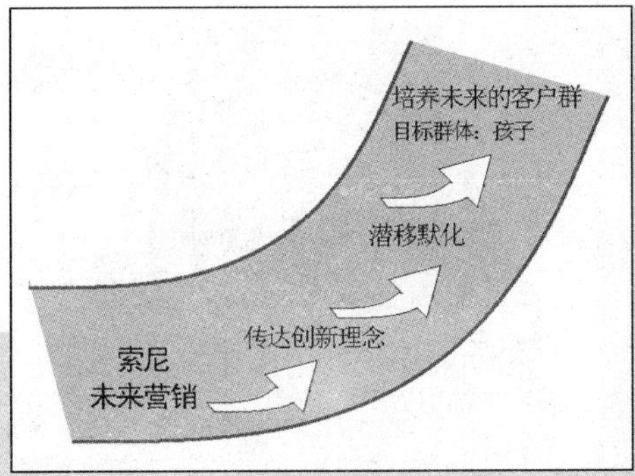

■ 索尼以未来为出发点，展开营销活动，将自己的创新理念传达给现在的消费者，带动他们关注索尼未来的发展动向，培养潜在的客户群，这就是索尼独具特色的未来营销。

京东方广场新天地商场内设立了一个“索尼探梦”展馆。它正是索尼未来营销的一个成功经验。

“索尼探梦”展馆是一个由索尼公司提供全面技术支持，以“科学与技术的和谐”为主题的全新科学教育设施。它可以让中国的少年儿童在充满趣味的环境中亲身体验科学与数码技术展现的无限未来。作为最新型的科学博物馆，“索尼探梦”展馆既可以从知识的角度帮助少年儿童理解科学的神奇与奥妙，还可以让参观者通过视觉、听觉、触觉等直观感受，在惊喜与感动中亲身体验科技的无穷魅力，培养自己对于知识的渴望。

展馆应用索尼独有的尖端技术和旧金山“ExPloratorium”精选的展示，以“错觉”、“折射”、“光·色”及“声音”四种组合形式分布，在各自的主题下共同构筑神奇而真实的体验世界。此外，索尼和旧金山“ExPloratorium”共同举办的现场表演，以及采用索尼 VAIO 电脑的数码工作室等现场活动，还为参观者提供亲自实践接触最新科学领域的机会，激发人们对于科学的兴趣。

参观者在馆内的“通行证”也颇具特色，它是一种名叫“赛博码”的电子卡。经过各展区的摄像头对“通行证”进行识别，它可将每个人的资料数码化，并且可以使参观者在屏幕上看到相应展区展品的详细说明。

此外，各种“视觉、错觉”展示能让人体验神奇而“真实”的感觉。参观者还可以在充满趣味的过程中了解声音的特性，任何声音信息都可以转化成可视的图像。参观者在“折射、反射”中可以通过自由组合各种基本信息，创造出独有的全新生命体，并且可借此学到数码技术的基础知识。

在“光色”主题区，人的身体可以作为一种输入设备，孩子们可以在趣

■“索尼探梦”展馆是一个由索尼公司提供全面技术支持，以“科学与技术的和谐”为主题的全新科学教育设施。它可以让中国的少年儿童在充满趣味的环境中亲身体验科学与数码技术展现的无限未来。

味盎然的表演中轻松地与光和色对话。现场表演则是一个将数码技术和全新的娱乐方式相结合的表演空间。

最后，在数码工作室中可以体验数码技术带给人们的“未来生活方式”，还可以通过因特网了解网络世界。

通过这个科普的园地，索尼在中国的营销上就取得了两点胜利。其一，他们举办的有特色的科普展览，很符合中国要科教兴国的主张，博得了中国政府和民众的一致好感。许多家长都愿意带自己的孩子来到这里感受一下高科技的魅力。索尼就此把自己的技术理念传播出去，就连孩子们的家长也很喜欢这种形式。其二，索尼进行的这一系列活动正是瞄准了下一代的目标群体，培养自己的忠实客户，在潜移默化中，索尼已经赢得了孩子们的心。

4.5 推行环保政策

保护全球环境是21世纪人类面临的最重大挑战之一。良好的生态环境和经济发展是相辅相成的。企业是否重视环保问题，不仅关系到自己的可持续发展，还将影响人们对其形象的评价。索尼通过坚持不懈地追求全新的技术和独树一帜的设计风格，不断求新、创异，创造新的生活方式，实现了人们的梦想，并为建设一个环境优良的社会而不懈努力。

通过不断的技术创新和新产品开发，索尼为实现环境的可持续发展做出了积极贡献，并把环境保护作为企业管理的重要内容之一。索尼为提高生态效应做出了中长期规划，同时加强了环保产品开发，注意运用环保能源，并积极参与多项环保活动，切实把环保理念融入索尼生产及业务活动中，合理

■ 索尼通过坚持不懈地追求全新的技术和独树一帜的设计风格，不断求新、创异，创造新的生活方式，实现了人们的梦想，并为建设一个环境优良的社会而不懈努力。

保护及利用地球上有限的资源。

环境管理系统是索尼为进行有效、健康及安全的环保工作所设立的基础系统。索尼通过持续的土壤及水质监测、生产场所监测及内部审核进行了有关环境、健康和安全的预防性危机管理，以杜绝环境事故。它通过多种方式的环保努力，履行自己作为优秀企业公民的责任，为实现环境的可持续发展而不懈努力。截至 2002 年，索尼已总共利用“绿色能源”达 200 万千瓦时。

在产品开发生产过程中，索尼也积极推行环保政策，采取的主要措施包括节约能源、减少使用污染环境的材料和改良包装材料以及产品的再利用等。

例如，2000 年 2 月，索尼在日本发售的彩色电视机采用了不含卤族难燃原料的印刷配线板，同时也成功地使彩电遥控器待机耗电量降低到 0.1 瓦。另外，这款彩电还首次使用可回收纸而非传统的泡沫聚苯乙烯制作缓冲材料，其包装设计也充分考虑到环保问题。关于产品的再利用方面，索尼在世界各地的彩管工厂对生产过程中产生的玻璃实行再利用。并且，索尼在位于德国的欧洲环境中心及日本爱知县的家庭网络产品分公司再利用研究室中正在积极开发再利用技术；在中国，索尼在产品再利用设备方面也进行了积极的配备。

在环保技术的开发方面，索尼也取得了骄人的成就。它开发完成了塑料识别系统。此系统通过使用反射型中红外分光技术与独立软件，对黑色塑料及难燃剂的识别率可以达到 99％以上。这种技术能够识别出以往难于分辨的黑色塑料材质及内含塑料的难燃剂。此项技术拓宽了家电产品中塑料回收再利用的范围，受到各方瞩目。此系统由索尼公司欧洲环境中心开发完成，

■ 索尼为提高生态效应做出了中长期规划，同时加强了环保产品开发，注意运用环保能源，并积极参与多项环保活动，切实把环保理念融入索尼生产及业务活动中，合理保护及利用地球上有限的资源。

Mar keting
索尼的营销新范式
SONY

目前正在家庭网络产品分公司再利用研究中心进行实用性验证。

全体员工的参与是索尼推进环保活动的基础。索尼尽最大可能使其在世界各地的分支机构都开展许多可持续性的环保活动，它在公司内积极推行能够将环保意识转化为实际行动的环保教育，并成为当地的环保先锋。

索尼的这些积极的环保措施使它在国内外赢得了多项荣誉。索尼磁性产品（泰国）有限公司对碱性电池制造中采取的环保措施进行委托评估，成为泰国碱性电池生产领域内首家获得 Green Label 认证的公司。而且该公司还以红树林工程为主，积极推进地区环保事业。这些灵活运用环境管理系统的努力取得了巨大成果，并于 1998 年荣获泰国总理大臣奖及该年度太平洋盆地经济委员会环境表彰奖。在日本国内，索尼 1999 财年发布的环保活动报告书，在继 1997 年的第二版之后又一次获得了日本环境厅颁发的“环境报告大奖”。

专题 1：形象营销的实施步骤

形象营销包括三个核心要素——企业形象、品牌形象和产品形象，这三大核心要素也是形象营销实施步骤中的重要因素。具体来说，形象营销的实施步骤如下：

1. 为企业定位：战略定位和形象定位

有效的形象营销是建立在准确的形象定位的基础之上的，而准确的形象定位又是以准确的战略定位为前提的。如果说战略定位是“皮”，那么形象

Marketing
索尼的营销新范式
SONY

■ 全体员工的参与是索尼推进环保活动的基础。索尼尽最大可能使其在世界各地的分支机构都开展许多可持续性的环保活动，它在公司内积极推行能够将环保意识转化为实际行动的环保教育，并成为当地的环保先锋。

定位就是“毛”。只有企业的自我认知清楚，战略定位明晰，才能确立准确的形象定位。

作为一个企业，必须清楚自己的优势、重点在哪里，然后把企业资源专注于培养核心竞争力、开发核心产品上，发展自己的流程和技术，把品质标准提升到世界先进水准，以适应国际竞争。例如一家德国企业，它的创始人在 1948 年发明了世界上第一枚用高级尼龙制成的锚栓，开创了建筑锚技术的新时代。半个世纪以来，企业不断革新进取，在完善锚栓安全性的同时，逐渐适应各种建筑固定技术的不同要求，共开发出了5 000多种产品，形成三大系列，即尼龙锚栓、金属锚栓和化学锚栓系列，从而在市场上形成鲜明、独特的企业形象。

2. 为产品打造光环：竞争力＝产品＋光环

美国的变革大师，佐治亚州大学教授罗伯特·戈连比耶夫斯基说：“企业革新关键在于价值观重塑。”因此，要想成功打造光环，必先从革新意识做起。树立革新意识要从以下四方面做起：

树立“形象营销”的观念。在市场经济条件形成的买方市场中，消费者购买的不再仅仅只是商品，还包括商品和企业所具有的形象，即以产品为核心的系统。

不断输入新的竞争意识。在不同的市场发展阶段，企业竞争的手段和形式也不一样。在市场经济条件下的买方市场中，仅仅有好的产品是远远不够的，形象营销的生命力就在于，通过为产品打造光环，来提高产品及企业的竞争力，即竞争力＝产品＋光环。

■ 形象营销包括三个核心要素——企业形象、品牌形象和产品形象，这三大核心要素也是形象营销实施步骤中的重要因素。

Marketing
索尼的营销新范式
SONY

明确“光环不等于广告”。在打造光环的过程中，一定的广告投入是十分必要的，但是做广告并不是打造光环的唯一途径，事实上，营销的每一个环节都是打造光环的过程。光环本身就是通过包括广告在内的各种营销手段在营销的各个环节中逐步累积而成的综合效应。

认识光环效应是动态的而不是静态的，且是可以叠加和放大的。营销的过程应该是光环效应累积的过程。企业可以通过形象营销，将产品营销进一步提升为品牌营销，将单品营销发展为系列营销，将产品形象营销提升为企业形象营销，进而以企业形象营销带动产品营销，最终提高企业的市场竞争力。

3. 为品牌寻找捷径：“三位一体”的战略

“三位一体”战略是指将企业、品牌、商标三者名称合而为一，以获得单一名称的张力，便于形成集中统一的形象，以增强名称的传递力。它的优点在于易于被大众识别和接受，易于传播且费用较低。

从企业、品牌、商标三者形象的互动关系的角度来看，“三位一体”战略的实现途径主要有三种。第一种是“商标、品牌形象主导型”，即企业可以将企业、商标和品牌三者的名称统一起来，以商标在消费者心目中的形象来带动企业形象和品牌形象的提升。第二种是“企业形象主导型”，即若一个企业具有较高的知名度时，可以在品牌和商标上应用企业名称，以此带动品牌及商标形象的提升。第三种是“同步培育型”，即一些专业化经营的新公司可以在公司成立伊始，便将企业、品牌和商标三者统一起来，同步培养，共同提升。

■“三位一体”战略是指将企业、品牌、商标三者名称合而为一，以获得单一名称的张力，便于形成集中统一的形象，以增强名称的传递力。

专题 2：如何实施体验营销

体验营销在方式上是一个大胆的创举，因其具有的优越性而越来越被广泛关注。它作为企业用以拉近同消费者距离的一种重要的经营手段，正在成为企业获得竞争优势的新武器。

1. 适用范围

适合实施体验式营销的行业、产品或服务要满足下述两点要求：

（1）产品的不可察知性

所谓的产品可察知性是指通过人们的外部感官，如视觉、触觉等即可获得的产品认知，如颜色、外观、光洁度等，这种品质的产品一般不需要经过体验，消费者即可辨别其优劣。而具有不可察知性的产品则必须经过体验才能分辨其优劣。

（2）产品品质的后知性

即经使用才能判定产品的品质的或服务的质量，如饭菜的好坏要品尝后才能知道，汽车的稳定性、灵活性要试驾才能知道。所以实施体验式营销对美容美发业、饮食业、音视行业、汽车业等具有非常重要的意义。

2. 操作步骤

（1）挖掘目标顾客

挖掘目标顾客就是要对目标顾客进行细分，对不同类型的顾客提供不同

■ 体验营销在方式上是一个大胆的创举，因其具有的优越性而越来越被广泛关注。它作为企业用以拉近同消费者距离的一种重要的经营手段，正在成为企业获得竞争优势的新武器。

方式、不同水平的体验。在运作方法上要注意信息传递的由内向外的拓展性。例如，企业可以把同外部顾客接触的内部员工作为目标顾客，使其先体验产品，这样在向外部顾客解释产品时，所传递的信息就会更有效，更有说服力。

（2）了解目标顾客

要深入了解目标顾客有什么特点，需求点是什么，他们的担心、顾虑是什么。企业要做到这些，就须通过市场调查来获取有关信息，并对信息进行筛选、分析，真正了解顾客的需求与顾虑，以便有针对性地提供相应的体验手段，来满足他们的需求，打消他们的顾虑。

（3）有针对性地提供体验

要清楚顾客的利益点和顾虑点在什么地方，根据其利益点和顾虑点决定在体验式销售过程中重点展示哪些部分。

（4）请目标对象进行体验

预先准备好让顾客体验的产品或设计好让顾客体验的服务，并确定好便于到达目标对象的渠道，以便于目标对象进行体验活动。

（5）做好体验活动的评价与控制

评估总结要从这几方面入手：效果如何？顾客是否满意？是否让顾客的风险得到了提前释放？风险释放后是否转移到了企业自身？转移了多少？企业能否承受？通过这些方面的审查和判断，企业可以了解前期的执行情况，并可重新修正运作的方式与流程，以便进入下一轮的运作。

■ 挖掘目标顾客就是要对目标顾客进行细分，对不同类型的顾客提供不同方式、不同水平的体验。在运作方法上要注意信息传递的由内向外的拓展性。

专题 3：网络营销的成功操作

网络营销是伴随信息技术的发展而发展的。目前，信息技术的发展，特别是通讯技术的发展，促使网络成为一个辐射面更广、交互性更强的新型媒体。它不再局限于传统的广播、报纸、电视等媒体的单向性传播，而是可以与媒体的接受者进行交互式沟通和联系。

1. 网络营销的内容

（1）网上市场调查

网上市场调查主要是利用 Internet 的交互式信息沟通渠道来实施调查活动。它可以直接在网上通过问卷进行调查，也可以通过网络来收集市场调查中需要的一些二手资料。

（2）网上消费者行为分析

Internet 作为当代信息沟通最重要的交流工具，正成为许多兴趣、爱好趋同的群体聚集交流的地方，并且形成一个个个性鲜明的网上虚拟社区，了解这些虚拟社区的群体特征和偏好是对网上消费者进行行为分析的关键。

（3）网络营销策略制定

虽然网络营销是非常有效的营销工具，但是不同的企业在市场中所占的地位是不一样的，风险也总是存在的，所以企业在采取网络营销，实现企业营销目标时，应该采取与企业相适应的营销策略。

（4）网上产品和服务策略

■ 网络营销是伴随信息技术的发展而发展的。目前，信息技术的发展，特别是通讯技术的发展，促使网络成为一个辐射面更广、交互性更强的新型媒体。

Marketing
索尼的营销新范式
SONY

网络作为信息沟通的有效渠道，它能够成为一些无形产品如软件和远程服务的载体，改变了顾客对传统渠道的选择。因此，企业应该结合网络的特点重新整合产品的设计、开发、包装和品牌的传统产品策略。

（5）网上价格营销策略

网络作为信息交流和传播工具，企业在制定网上价格营销策略时，应当考虑到 Internet 对企业定价的影响和 Internet 本身独特的免费思想。

（6）网上渠道选择与直销

Internet 是企业营销渠道影响最大的因素之一，所以企业在建立自己的网上直销渠道时必须舍得投入，同时还要对传统的经营管理模式进行调整。

（7）网上营销与网络广告

网上营销活动也是企业最有效的沟通渠道之一，而网络广告作为最重要的营销工具，主要仰赖 Internet 的第四媒体的功能。网络广告作为在第四类媒体发布的广告，具有传统的报纸杂志、无线广播和电视等媒体广告无可比拟的优势，即网络广告具有的交互性和直接性。

（8）网络营销管理与控制

网络营销作为在 Internet 上开展的营销活动，问题自然不少，所以实施网络营销的企业对此必须重视和进行有效控制，否则网络营销效果有可能适得其反，对企业本身产生很大的负面效应。

2. 网络营销的必备条件

（1）企业网络营销的外部运作条件

①信息高速公路的建设要跟得上网络用户的发展速度。

■ 网络作为信息沟通的有效渠道，它能够成为一些无形产品如软件和远程服务的载体，改变了顾客对传统渠道的选择。因此，企业应该结合网络的特点重新整合产品的设计、开发、包装和品牌的传统产品策略。

②国家要在宏观上为网络营销的发展提供政策优惠。

③国家应制订相应的法律法规，使各网站在公平竞争的条件下进行操作。

④电信部门和提供服务的互联网站应降低收费标准，使更多的企业和个人承担得起上网费和各种服务费。

⑤普及计算机教育，改变顾客传统的消费观念。

（2）企业网络营销的内部运作条件

①企业必须有相应的计算机设备和人才，包括硬件人才和软件人才。

②企业必须有一个内容充实且具有高度“注意力”和富于视觉冲击力的网页设计，或者选择知名度较高的网站作为传播本企业信息的媒介。

③在线进行实物销售的企业，必须建立一定区域内的配送中心或服务中心。

④对于完全采用虚拟店铺的网络营销，无论是有形商品，还是无形商品或服务，要达到开拓市场、扩大销售的目的，就必须满足这四个条件：

产品定位和客户（目标市场）定位要明确；

商品形态和劳务方式要具体；

商品目录要定期更新，商品价格和劳务收费要随行就市；

营销策略要切实可行。

3. 网络营销的实施程序

（1）确定网络营销对象

确定网络营销对象是网络营销的最基本前提。网络营销对象是那些可能

■ 企业必须有一个内容充实且具有高度“注意力”和富于视觉冲击力的网页设计，或者选择知名度较高的网站作为传播本企业信息的媒介。

在网络虚拟市场上产生购买行为的消费者群体。这一群体主要包括产品的使用者、产品购买的决策者和产品购买的影响者。

（2）确定网络营销内容

网络营销的最终目标是引起购买。而消费者的购买过程又是一个复杂的多阶段的过程，所以，营销内容应当根据购买者目前所处的购买决策过程的不同阶段和产品所处的寿命周期的不同阶段来决定。

（3）组合网络营销方式

企业应该根据网络广告营销和网络站点营销两种方法各自的特点和优势，结合自己产品的市场情况和顾客情况，扬长避短，合理组合，以达到最佳的营销效果。

（4）制订网络营销预算方案

如果要用有限的精力和有限的资金收到尽可能好的效果，做到事半功倍，就必须制订极为准确的预算方案，尤其是在变幻莫测的市场经济中。预算一般包括下面几方面的内容：

明确网上营销的方法及组合的办法。

确定网络营销的目标。

需要明确希望影响的是哪个群体，哪个阶层，是国外的还是国内的。

（5）衡量网络营销效果

网络营销的实施过程到了一定的程度，应该对已经执行的营销内容进行评估，衡量一下营销的实际效果是否达到了预期的营销目标。

Mar keting
索尼的营销新范式
SONY

■ 企业应该根据网络广告营销和网络站点营销两种方法各自的特点和优势，结合自己产品的市场情况和顾客情况，扬长避短，合理组合，以达到最佳的营销效果。

第五章

索尼的创新利器

创新是企业的灵魂。一个企业的发展史实际上就是一个由无数个大大小小、连绵不断的创新构成的。因为只有进行了思想上的创新、管理上的创新以及技术上的创新后，企业才有可能持续保持自己的竞争力，才能战胜对手，获取发展的动力。换句话说，任何时候只要企业不断坚持创新，那么它就一定会在市场竞争中保持旺盛的生命力，反之就会徘徊不前，有被对手反超并挤出市场的可能。

在闻名于世的跨国巨头中，索尼向来以强大的创新力而著称。它始终以创新战略作为经营的核心，所有的产品开发、运作都是紧紧围绕着这个核心来做的。在创新战略的指引下索尼创造了一个个人们耳熟能详的产品，如磁带录音机、单管三枪的荧光屏、索尼随身听、特丽珑彩电、新千年的Clie掌上电子记事簿以及AVIO笔记本电脑、最新的airbroard，每一个产品都能给消费者带来无限的新奇，这些都是索尼勇于创新的结晶。

记载索尼公司历史的《源流》这样评价索尼："索尼是最能激发技术人员工作欲望的，同时以科学者的眼光解决制造过程中发现的难题，最后终于取得可喜成果的一个公司。"这本书还意味深长地写道："索尼的创新精神将带给整个公司无限的财富。"

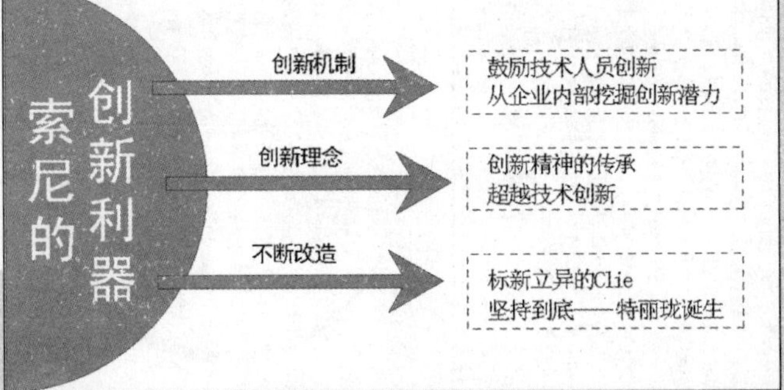

■ 在闻名于世的跨国巨头中，索尼向来以强大的创新力而著称。它始终以创新战略作为经营的核心，所有的产品开发、运作都是紧紧围绕着这个核心来做的。

5.1 创新机制

任何国家、企业，如果要取得进步和发展，都要靠不断的创新。在激烈的市场竞争中，企业前所未有地感受到创新在生存与发展中的重要作用。完善的创新机制是推动企业创新的动力，它能够真正将创新融入企业的方方面面。在世界各大跨国公司中，索尼是典型的创新型企业，其创新机制使创新精神融入了公司的血脉，始终贯穿于公司的发展之中。

人是创新机制的核心，因为一切创新皆是由人去完成的。对于电子行业而言，技术人员在创新方面的作用显得尤为重要。作为电子巨头，索尼深深地明白，技术人员的激情就是创新的基础，因而公司对于创新的渴求，最明显的表现就在对技术人员的鼓励上。电子巨头索尼始终在努力为员工们营造一个创新氛围，确立了能够鼓励创新的机制，让技术人员们以饱满的激情在创新的领域里实现了一次又一次的突破，为公司创造了巨大的价值。

为了鼓舞技术人员，索尼要求管理人员要做到真正了解技术人员的内心。那么该如何了解技术人员的内心呢？

作为索尼创始人之一的井深大在这个方面就做得相当出色。打个比方，有一位技术人员拼命努力、费尽心血完成的作品，不理解技术人员的人会说："如果那样做不是更好吗？为什么没那样做呢？"装作非常内行的样子进行挑剔。这是对拼命努力、惊喜地呈上作品的年轻技术员自信的打击。井深大就不会这样。如果给他看，他肯定会说："真不错。这个，就是这个，是我曾经想要的东西。"对样品的缺点和年轻技术员的局限他只字不提，因为

■ 在世界各大跨国公司中，索尼是典型的创新型企业，其创新机制使创新精神融入了公司的血脉，始终贯穿于公司的发展之中。

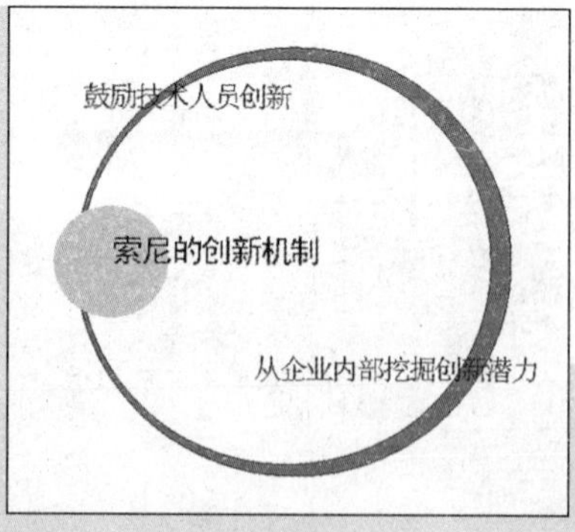

他知道，即使样品很不成熟，技术员也一定会考虑加以改进，比如这儿调整一下，那儿再改变一下等，问题要一步一步地解决。这一点不是轻易就能做到的，正是井深的观点潜移默化地影响了其他管理人员对技术人员培养的观念。

索尼的管理人员不会对部下发火，而是会用欣赏的眼光去看待他们的工作，并不断地鼓励他们。对于索尼的技术人员来说，自己创造出来的东西成为产品被世人享用，是心灵的最大愉悦。哪怕该产品仅仅只有1%的地方与自己的劳动有关，也高兴得不得了。如果产品大受欢迎，那就更是心满意足了。索尼的技术人员就是这样，带着备受鼓舞的心，坚持不懈地去创造，同时自己也从中得到了快乐。

创立以来，索尼总是在鼓励技术人员，不断地开发出更新的产品。如今在索尼的激励下，技术人员们已经不知不觉地在主动开发“索尼特色的商品”，他们已经把创造索尼的产品和创造梦想中的产品合二为一了。

为了对产品进行不断创新，索尼采取了一套独特的选拔人才的创新机制。它别出心裁地经常从企业内部选择人才，这既扩大了企业选拔人才的范围，同时也鼓励了员工，让他们更有激情地投入到企业的生产中去，让他们选择自己喜欢的岗位，使他们能够干得更好。

公司领导人认识到，一个人如果一直干同一种工作将是痛苦的，会渐渐失去兴趣。所以，索尼经常把某一个部门的员工调动到另外一个部门，让该员工认为，到一个适合自己的新环境中也许是个好机会，说不定会使自己的前途发生变化。这样，不断地学习新技术、不断制造出新产品的愿望会在每个员工心中逐渐变得强烈起来。

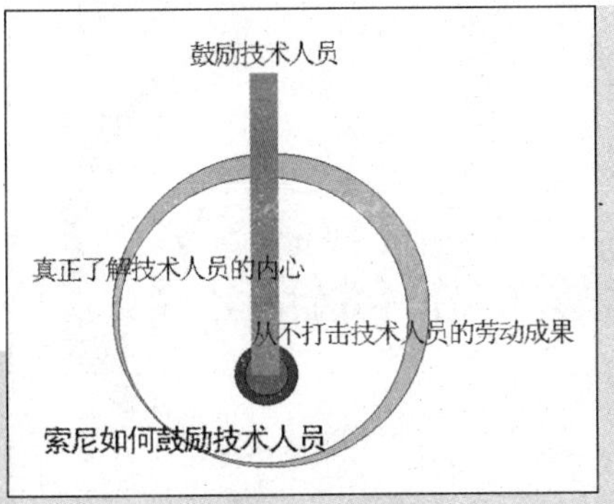

■ 创立以来，索尼总是在鼓励技术人员，不断地开发出更新的产品。如今在索尼的激励下，技术人员们已经不知不觉地在主动开发“索尼特色的商品”，他们已经把创造索尼的产品和创造梦想中的产品合二为一了。

在索尼的内部，从这个部门到那个部门选拔人才相当自由，但这种变动和人事部门没有关系。比如 GA 部的部长和 MD 部的部长关系很好，只要"把你们那儿的李君借我们用一下"这样简单的一句话就行了。因此，有人还属于 GA 部门，却在 MD 部工作。这对别的公司来讲，或许是一件稀奇的事情，但在索尼却是平常不过的事情了。

5.2 创新理念

在激烈竞争中，最终能够生存并不断壮大的企业，都是那些能将创新与变革作为自身的基本经营理念，坚决抛弃僵化和保守，推崇变化和灵活，在创新和变化中寻求和把握机会的企业，它们在创新过程中使员工体验到工作的乐趣和意义。正如"追求卓越"就是 IBM 的三大理念之一；通用电气公司（GE）以"进步是我们最主要的产品"为基本理念……

这些闻名于世的创新理念都把争创一流、永不落后、追求更高更新的技术和业绩作为企业奋斗的目标，并以此来引导企业的组织变革和战略规划。

5.2.1 创新精神的传承

"绝对不模仿、不妥协、不放弃"，这就是赫赫有名的索尼"三不"法则，也是索尼技术人员的创新精神。

索尼特别讨厌模仿别人，因此，如果谁的作品和欧美已有的产品有相似的地方，公司马上就会指出来。起初，技术人员刚进公司时，井深大会以一周一次左右的频率不断地给他们布置任务，要求技术人员花一两天时间把它

■ "绝对不模仿、不妥协、不放弃"，这就是赫赫有名的索尼"三不"法则，也是索尼技术人员的创新精神。

SONY
索尼的创新利器

做出来。结果，他们研制出了连自己都难以置信的为数众多的新产品。

无论是井深还是盛田，都不断地给技术人员提出新的课题。即使对谁的作品的优点加以肯定，一定还会说“不能再做得小些吗？应该还能做得小些……”，毕竟技术是没有尽头的。索尼的产品思路一直是实现小型化、轻型化，降低成本。

从日本第一台磁带录音机 G 型机开始，索尼的创新精神就已初现端倪。在创立之初，索尼的研究生产工作包括：粒粉研究、磁带用纸研究、机械设计、涂抹技术研究等。一号实验机于 1949 年 9 月研制成功，这个日本最早的磁带录音机产品，看起来笨重得就像是学生实验发明的一样。但这个被报界评论为“说话的纸”的磁带录音机具有划时代意义，最后亦奠定了索尼在科技创造中的口碑与气质。

由 G 型机起步，此后半个多世纪的索尼一直在科技实验之路上摸索前进。以至于 20 世纪 50 年代某个时候，《朝日周刊》刊登了一篇震动索尼人的文章。这是评论家大宅壮一的系列文章《日本的企业》，文章评论：“在晶体管方面索尼是顶尖厂家，但现在，东芝的产量占据第一位，是索尼的两倍半。东芝公司的优点在于知道什么盈利就不断地投入资金。这也不是什么奥秘，也就是说索尼公司做了东芝公司的‘实验鼠’。”这个“实验鼠”的比喻尽管令人不快，但井深大非常喜欢这个说法，他把“实验鼠”精神理解为一种好的精神，一种创新精神。他曾说，如果因为这个“实验鼠”，日本的电子产业能够得到发展并给消费者带来便利，那么索尼被称作实验鼠也没什么。

■ 这个“实验鼠”的比喻尽管令人不快，但井深大非常喜欢这个说法，他把“实验鼠”精神理解为一种好的精神，一种创新精神。

5.2.2 超越技术创新

如果索尼的创新仅仅只停在技术层面，也就无所谓索尼的特色了。索尼将创新融入产品理念之中，与技术创新相互融合，真正做到了超越技术创新的范畴，以创新的产品理念深入人们的生活，改变人们现有的生活状态。索尼对人们而言，已不仅仅是一个能够生产无数新式电子产品的企业，而是一个创造美好生活的引领者。它带给人们的不仅仅是一件件的新产品，更是对生活方式新的诠释。

Walkman 就是索尼创新性产品理念的最佳代表。很难想象，如果没有索尼的 Walkman 以及受其启发而诞生的众多“耳机随身听”产品的出现，现在的人们将如何边走边欣赏音乐。至少，有一点是可以确定的，音乐不可能像现在这样深入人们的生活。对于当代音乐尤其是流行音乐的普及，“Walkman”确实做出了很大贡献。

20 多年前，全世界的人们享受音乐的方式被一个口袋大小、重量仅 14 盎司的、“可以发声”的魔术盒般的小机器改变了。它就是索尼公司在 1979 年 7 月 1 日正式推出的世界上第一台 Walkman。从此，人们想听音乐时，不必再特意呆在庞大的唱机或录音机旁，而可以随时随地尽情地享受自己喜爱的音乐。Walkman 可以说是人们心中渴望已久的产品，因此很快成为了可随身享受音乐的代名词。Walkman 给人们带来的欢乐以前没有人能够想象，它成为年轻人追逐潮流时尚的选择，以及伴随很多人度过寂寞旅途的良友。有人说 Walkman 把人们听的方式作了重大改变，但更确切地说，正是人们对这种聆听方式的渴求导致了 Walkman 的发明。

■ 索尼对人们而言，已不仅仅是一个能够生产无数新式电子产品的企业，而是一个创造美好生活的引领者。它带给人们的不仅仅是一件件的新产品，更是对生活方式新的诠释。

SONY
索尼的创新利器

有一次，井深大走进盛田昭夫的办公室，他手中提着一种索尼早期的录音机抱怨说：“我喜欢听音乐，但我不想打搅别人。我不可能整天坐在立体声音响边上，但总带着它真的太重了。”这句抱怨使盛田也想起他的女儿好几次外出回家，常常来不及向母亲问好，就急忙跳上楼先把一个盒式录音带塞进收录机里。他还看到许多人把大型收录机扛在肩上放出音乐来。这些只能说明一个问题——人们离不开音乐。但是人人对音乐的理解和需求是不同的，因此，在听音乐上也是会相互干扰的。

从那个时候起盛田就开始考虑开发个人立体声音响。他授意工程师选取一种可靠、小型的录音机，去掉录音电路和扬声器，用一个立体声放大器取而代之。整个项目中最难的部分是盛田同时提出的要制作轻便耳机的部分。但这一点难不倒索尼的技术人员，很快，新产品出炉了。技术上虽然不必担心，但需要考虑的是“该产品的创意终究能否获得世人的认可？为了得到认可，应该采取什么样的营销策略？”等问题。首先需要给产品命名。这次索尼勇于创造新事物的精神体现在了“Walkman”这个富有创意的名字上，但它的诞生却并不顺利。

“Walkman”这个词是公司里的年轻人在盛田出差时擅自作主起的名字。当盛田提出这不是规范的英文单词时为时已晚，广告及促销品已经全部订好了。年轻员工想出的这个名字符合可以带到室外边走边听、边移动边欣赏的产品创意，但是有人坚决反对，说使用这样一个日本式英语作为名字太不像话了。为此，大家讨论得很激烈。最后，盛田还是尊重了提出这一名字的人的意见，他说：“使用这种产品的是年轻人，既然他们认为这个名字更有创意的话，那就用吧。”

SONY
索尼的创新利器

■ 最后，盛田还是尊重了提出这一名字的人的意见，他说：“使用这种产品的是年轻人，既然他们认为这个名字更有创意的话，那就用吧。”

不过，在出售之前，对 Walkman 持否定、悲观意见的人占了一大半。盛田本人虽然没敢说出肯定畅销的话，但是他还是相信自己的嗅觉和灵感："能够进一步将年轻人与音乐连接到一起的这种随身听，肯定畅销。"他相信自己的这一灵感。

索尼最初将生产台数设定为 3 万台。考虑到当时最畅销的磁带录音机也只不过月产 15 000 台，这的确不是一个小数目。虽然心存不安，但是开发、生产、上市的准备还是得到了切实落实，同时将发售日定在了当年的 7 月 1 日。

很快，Walkman 在日本市场的销售取得了巨大成功。产品未到海外，Walkman 的名字却已广为流传。有很多顾客径直找到日本的经销商问"我什么时候能拥有自己的 Walkman?"像索尼一样，Walkman 逐渐成为了全世界都知晓的名称。就这样，Walkman（随身听）带着一本用九国语言撰写的说明书在全世界范围内扎根发芽。

Walkman 的发明证明了索尼不仅取得了产品开发的巨大成功，而且还创造了一个全新的个人娱乐市场。

Walkman 创造了后来的耳机立体声产品市场，真正成为"被全世界所喜爱的 Walkman"。为了给 Walkman 系列产品发展小而轻的可供选择的部件，索尼还将耳机产品进一步小型化，并不断改进其质量。目前，索尼以至少拥有几十种型号的耳机产品，成为了世界上最大的耳机制造商之一。

Walkman 问世半年多后，其他一些著名的电器厂商看到它如此好销，也跟着做起类似的产品。以后的发展证明，索尼作为第一个开辟者发掘的这个个人娱乐市场有着广阔的发展前景，它刺激了人们在个人娱乐方面的消费

■ 像索尼一样，Walkman 逐渐成为了全世界都知晓的名称。就这样，Walkman（随身听）带着一本用九国语言撰写的说明书在全世界范围内扎根发芽。

SONY
索尼的创新利器

不断更新，给业界创造了无限商机。

索尼这次的创新别有一番不同寻常意义，这个产品的技术创新含量虽然并不高，但是索尼将自己惯有的技术创新的品质融入产品理念之中，从而产生了一个谁也意想不到的销售奇迹。也就是从那时开始，索尼意识到，一个产品的开发不仅仅是技术上的突破，而且还应是一种理念上的创新。

5.3 不断改造

一个企业能够生产出改变人们生活状态的产品，固然应受到世界的瞩目和尊敬，然而，如果它仅仅停留在那一刻的辉煌，陷入自我满足的窠臼，那么它很快就会成为过去，被人们遗忘在历史的尘埃中。企业想要跟随社会的脚步共同前进，就应该在原有的基础上不断改造、不断创新，为自己开辟前进的道路。

素有创新美名的索尼曾经创造了无数的产品，在这之中，真正体现其创造精神的，是它对那一件又一件产品不断改造的过程。

5.3.1 标新立异的 Clie

有时候，成功的设计不一定非得很奇特，但一定要能够在名目繁多的同类产品中独具特色。以 Clie 为例，它属于掌上电子记事簿市场的姗姗来迟者，但由于它具有有别于其他竞争产品的良好性能，很快就脱颖而出，后来居上。

由于无线设备是索尼商业战略中的一个重点，所以，公司必须要进入掌

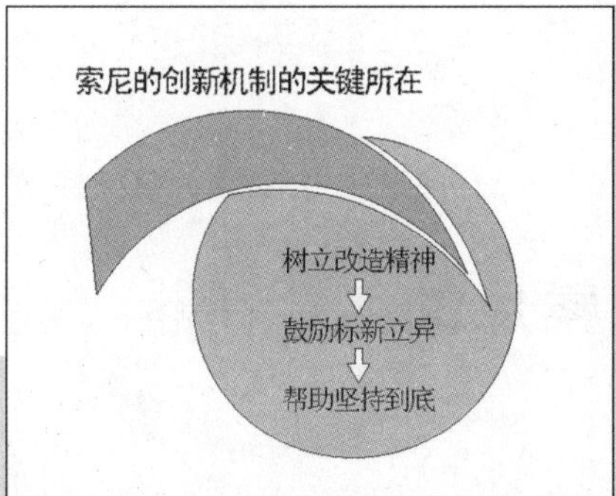

■ 素有创新美名的索尼曾经创造了无数的产品，在这之中，真正体现其创造精神的，是它对那一件又一件产品不断改造的过程。

上电子记事簿市场。在当时，大电脑制造商们生产出来的袖珍个人电脑已经使这个市场近乎饱和了。因此，问题的关键是怎样才能让索尼产品与众不同。索尼决定从不同的角度来设计自己的产品。

Clie 有基本的数据储存功能以及与其他相似设备一样的产品下载、播放等小功能。但是，索尼的设计思路是把消费者的便利和兴趣放在首位，这一点在一款 Clie 产品内置的小键盘上体现得最明显。鉴于有些同类产品的操作系统不能轻易认出手写法输入的内容，索尼就在 Clie 的设备上安装了一个键盘，消费者再也不用为了让手写法输入软件读懂每一个字母而一笔一画地写字了，只要点击掌上电子记事簿，把字母输入进去就可以了。有了这么多精心设计的功能，也难怪 Clie 会迅速在美国掌上电子记事簿市场上称雄一方了，而这个市场现在已成为索尼公司最大的市场。

5.3.2 坚持到底——特丽珑诞生

20 世纪 60 年代，在索尼开始研制彩色电视机时，大多数彩色电视机的显像管使用的都是美国无线电公司（RCA）开发的荫罩式（shadow mask type）三电子枪彩色显像管。这种显像管不仅价格高、不易调节、容易发生故障，而且画面与普通的黑白电视机相比显得更暗，如果在普通亮度的室内观看，颜色不美，经常产生彩色电视信号滑移现象。这些缺点成了阻碍彩色电视机普及原因。

在彩色电视机方面晚了一步的索尼，于 1961 年开始采用美国著名的原子物理学家、诺贝尔奖得主劳莱斯博士发明的栅控彩色显像管技术。1964 年，索尼栅控彩色显像管研制成功并向外界公布，同时在索尼大厦内部还设

■ 索尼的设计思路是把消费者的便利和兴趣放在首位，这一点在一款 Clie 产品内置的小键盘上体现得最明显。

SONY 索尼的创新利器

立了一个栅控彩色显像管展示专柜，受到世人的瞩目。尽管表面风光，但索尼并没有进行批量生产，原因是当时成本过高、故障还比较频繁。如果进一步投入开发经费的话，索尼极有可能与栅控彩色显像管同归于尽。公司高层认为："如果 1966 年仍然找不出达到批量生产的方法，就必须放弃栅控彩色显像管而研制障板彩色显像管。"

彩色显像管的开发人员，实在不想让那些参与栅控彩色显像管研究人员的五年心血就这样付诸东流。于是他们冥思苦想，开始向研发障板彩色显像管这一方向努力。就在这种焦虑不安、无计可施的情况下，有人想出了一个好主意：建议进行一项测试单电子枪内是否能够容入三束电子束的实验。1966 年底，新型电子枪的锥形研制出来了，将它插入当时研制出来的 7 英寸栅控彩色显像管中后，竟然出现了从未有过的清晰画面。其中有人进一步发明了孔径栅格这一做法，即在薄薄的金属板上以照明化学的方式并列打开多个纵向孔径，由于其结构紧绷，所以电子束的传达率可达 20%。与障板彩色显像管相比，亮度增加了 5%。

1968 年 4 月 15 日，索尼大厦举行了"特丽珑"研制成功的新闻发布会。自 1968 年 10 月第一台电视机在日本售出后的 5 年，随着国外需求大增，索尼公司开始组装彩色电视机，显像管工厂也一个接着一个地建设起来。在大力推行生产当地化时，传来了一个令人非常振奋的消息。电视业界最高的荣誉奖埃美奖被授予了因为开发了单枪三束彩色显像管的索尼公司。这个奖相当于电影界的金奖。埃美奖是由美国艺术学院授予电视界最优秀的节目、演员、制片人、电视台以及进行划时代技术开发的人。索尼公司的特丽珑显像管成为第一个获此殊荣的产品。在通过电视向全美国转播的授奖大会上，井

■ 自 1968 年 10 月第一台电视机在日本售出后的 5 年，随着国外需求大增，索尼公司开始组装彩色电视机，显像管工厂也一个接着一个地建设起来。

深双手接过金光闪闪的奖杯时激动不已。从那以后又过了 20 年，以“单枪三束”、“垂直栅条”、“柱状平幕”为代表的特丽珑显像管技术，一直领导着新潮流，并作为视频领域的关键技术支撑着索尼公司的发展。

井深大在特丽珑显像管发明 20 周年纪念会上说：“研制取代显像管的显示设备是从发明电视机时就有的梦想。我们一定要奋发图强，下定决心，以新的思想和开拓精神，使索尼再次在电视工业界掀起一次技术革新浪潮。”索尼公司继承了这种精神，1995 年 6 月在银座的索尼大厦里，索尼公司又一次宣布了新产品——“等离子显示”平面屏幕的开发成功。

索尼现任董事长出井伸之曾说过：“掌握顶尖显示技术的公司才能取得未来多媒体业务的先机。”特丽珑产品正是索尼以技术和产品为核心理念保持市场领先地位的杰出例证。

的确如此，索尼的“特丽珑”技术多年来一直引领显示领域的发展，进入 21 世纪以来，平板电视成为最具商业前景的电视产品，索尼公司已经投入巨大的资金和技术研发力量开发下一代显示技术，如 FED 和 OEL 等，它们在不久的将来将投入规模生产。

与此同时，索尼在当今的平板电视市场上也以“贵翔引擎”的技术优势和独具魅力的设计获得了相当出色的成绩。在一次市场调查中，索尼在日本国内的等离子电视和液晶电视销售业绩市场份额已分别位居第一和第二位；等离子电视在美国和欧洲的销售业绩也都分别取得了第一名的好成绩。

在当今高质量信号源、节目源日益丰富的数码时代，索尼正在把电视变成真正充满魅力的互动工具，在索尼独创的“贵翔引擎”技术的基础上，通过结合数字及高清晰度信号接收、IT、数码及无线等先进的技术，让人们无

■ 索尼现任董事长出井伸之曾说过：“掌握顶尖显示技术的公司才能取得未来多媒体业务的先机。”特丽珑产品正是索尼以技术和产品为核心理念保持市场领先地位的杰出例证。

SONY
索尼的创新利器

论是收看数字高清节目、欣赏电影和数码照片、录像，还是玩游戏、上网，都能充分感受电视带来的美妙享受。索尼的每一款新产品的诞生，都是索尼人不断追求的结果，在技术上坚持不懈的精神给予了索尼不断向前的动力。索尼的每一款产品的出现都有一个里程碑式的意义，这些产品也都为索尼的成功铺平了道路。

专题：如何鼓励员工进行创新

如何鼓励员工进行创新，是每个发展中的企业都必须面对、解决的问题。总结成功企业的经验，企业一般可以从以下方面去鼓励员工进行创新。

1. 让员工了解自己企业

让员工了解企业，是鼓励员工创新的首要前提。虽然员工一直在企业中工作，对自己的工作环境和工作任务非常熟知，但对企业的经营战略和发展规划却不一定十分熟悉。由于企业和外界环境在不断地发生变化，企业的战略及规划也要根据环境的变化而变化，如果不将这些变化的信息及时地传达到员工那里，员工的发展就会慢慢地落后于公司的发展。

2. 区分创新意识和创新内容

员工的创新型建议，有 90％是不切实际的。实际上不光员工如此，经营者的创新想法同样也有 90％是不切实际的。理解了这一点，经营者就没有必要抱怨员工的创新不切实际了。之所以要保护员工的创新，是因为剩下

■ 索尼的每一款新产品的诞生，都是索尼人不断追求的结果，在技术上坚持不懈的精神给予了索尼不断向前的动力。索尼的每一款产品的出现都有一个里程碑式的意义，这些产品也都为索尼的成功铺平了道路。

的 10%，甚至更少的创新火花就足以让企业保持发展的活力了。

3. 客观评价员工创新活动

对员工创新型建议进行实事求是的评价，体现企业对员工的尊重。这种尊重本身就表示了对员工创新活动的支持。因此，企业要避免走入另一个极端，即过分担心否定会打击员工创新的积极性，而对一些自己并不十分认同的建议大加赞赏，结果令员工信心十足地去实施，但后果并不好，或者得不到进一步的人力、物力支持，这反而会使员工有种被愚弄的感觉。

4. 鼓励工作以外的创新

员工所提的创新型建议并不一定仅局限于自己的工作职责之内，实际上每一个员工都有跨越自己工作限制、了解其他领域的愿望。在员工完成本职工作的前提下，企业应允许员工做一些他们自己感兴趣的事情。事实上，由于考虑问题所处的角度不同，员工对其他工作提出的创新型建议，可能会给公司带来意想不到的收获。而员工提出本职工作以外的创意，也体现了员工对公司的关心。

案例 1：3M 公司的员工创新

3M 公司营销 60 000 多种产品，有沙纸、胶粘剂、隐形眼镜、心肺仪器、新潮的人造韧带、反射路标、不锈羊毛肥皂垫、创口贴、防护胶带、超级捆绑胶带、一次性尿片、再扣紧胶带等，产品几乎涵盖了日常生活的各个

■ 员工所提的创新型建议并不一定仅局限于自己的工作职责之内，实际上每一个员工都有跨越自己工作限制、了解其他领域的愿望。在员工完成本职工作的前提下，企业应允许员工做一些他们自己感兴趣的事情。

领域。而长期以来的 3M 公司目标是，每年销售量的 25％从前 5 年研制的产品中取得。最近公司的目标又前进了一步，提升为每年销售量的 30％从前 4 年研制的产品中取得，这是令人吃惊的营销目标，但是更令人吃惊的是，它通常能够成功。这些骄人的成绩不得不令人对 3M 公司刮目相看，而这一切成绩的取得与其提倡的创新精神息息相关。

3M 公司视革新为其成长的道路，视新产品为其生命的血液。因此，每年 3M 公司都要开发 200 多种新产品。它那传奇般的注重革新的精神已使 3M 公司连续成为美国最受人羡慕的企业之一。

新产品并不是自然诞生的。首先，3M 公司努力地为员工创造了一个有助于革新的环境。它通常要投资约 7％的年销售额，用于产品研究和开发，这相当于一般公司的两倍。

其次，3M 公司鼓励每一个人开发新产品。3M 公司最有名的理念是“15％规则”，它允许每个技术人员可用 15％的时间来“干私活”，即搞个人感兴趣的工作方案，不管这些方案是否直接有利于公司。当技术人员产生一个有希望的构思时，3M 公司会组织一个由该构思的开发者以及来自生产、销售、营销和法律部门的志愿者组成的冒险队。该队培育产品，并保护它免受公司苛刻的调查。队员始终开发产品直到它成功或失败，然后回到各自原先的岗位上，或者继续搞新产品的开发。有些冒险队为使一个构思成功，常常要尝试 3 次或 4 次。而每年，3M 公司都会把“进步奖”授予那些新产品开发后 3 年内在美国销售额达 200 多万美元，或者在全世界销售达 400 万美元的冒险队。

3M 公司知道为了获得最大的成功，它必须尝试成千上万种新产品构

■ 3M 公司视革新为其成长的道路，视新产品为其生命的血液。因此，每年 3M 公司都要开发 200 多种新产品。它那传奇般的注重革新的精神已使 3M 公司连续成为美国最受人羡慕的企业之一。

思。它把错误和失败当作是创造和革新的正常组成部分。事实上，它的哲学就是“如果你不犯错，你可能不在做任何事情”。也正如诸多事实所表明的那样，许多“大错误”都成为3M公司最成功的一些产品。3M公司的老职员很爱讲一个化学家的故事。这个化学家偶尔把一种新化学混合物溅在网球鞋上。几天之后，她注意到溅上化学混合物的鞋面部分不会变脏。不久，该化学混合物就成为斯可佳牌（Scotch grad）织物保护剂。

还有一个故事是关于3M公司科学家斯宾赛·西尔维的。西尔维想开发一种超强黏剂，但是他研制出的黏剂总是不够黏。他把这种显然没什么用处的黏剂给其他的3M公司科学家，看看他们能找到什么办法来使用它。过了几年，一直没有进展。接着，3M公司的另一个科学家阿瑟·弗赖伊遇到了一个问题，从而使西尔维的黏剂真正派上用场。弗赖伊博士是当地教堂的唱诗班成员，他发现很难在赞美诗集中做记号，因为他夹的小纸条经常掉出来。他在一张纸片上试着涂了点西尔维博士的弱黏胶。结果那些纸条很好地粘上了，并且撕下来时也没有弄坏赞美诗集。于是便诞生了3M公司的可黏便条纸，如今该产品已成为全世界办公设备畅销产品之一。

案例2：诺基亚加速技术创新

世界手机巨头诺基亚率先打破了每两年发布一个新产品的业界规律，平均一个多月诺基亚就有一个新品种问世。

为了确保技术的领先，诺基亚公司十分重视技术开发投入，在诺基亚全球5.5万名雇员中，从事技术研发的人员超过1.7万名，达到31%。1999

■ 3M公司知道为了获得最大的成功，它必须尝试成千上万种新产品构思。它把错误和失败当作是创造和革新的正常组成部分。

SONY
索尼的创新利器

年公司用于研究和开发新产品的经费达 17.55 亿欧元，占总营业额的 9%，约占芬兰全国工业产品研制总费用的1/4。它在包括中国在内的全球12个国家建立了 44 个研究与开发中心，其中在美国集中建立了 6 个研究发展中心。

诺基亚有着产业单一化带来的资源优势，并将研究与开发上的投入增加了两倍，这使得诺基亚在产品的推陈出新上独占鳌头。1994 年，诺基亚推出了 GSM2110。同年，更先进的 GSM5000 也被推向市场。它和 GSM2110 在原理上是一样的。但是 GSM5000 的外观更豪华，而且拥有便宜的 GSM2110 所不具备的许多功能。通过 GSM2110 和 GSM5000 的接连上市，诺基亚第一次实现了产品的多样化——让同一种产品适合不同类型的消费者。

1997 年 3 月，诺基亚又推出了世界上第一部集电话、传真电子邮件和互联网连接器、电子记录本于一体的全功能数字式移动电话；同年，被称为市场上最好的无绳电话——诺基亚 6110 系列在北京亮相，它的耗电量大幅降低，其电池备用时间可维持一周，又增添了简易电脑游戏、闹钟以及红外调制解调器等功能；不久，诺基亚的 8100 系列又一次风靡全球。

随着每一系列产品的推出，诺基亚移动电话的功能日趋完备。然而这仅仅是诺基亚产品策略的一部分。它认为移动电话是一项个人技术产品，不仅要功能完备，还须符合用户个人的特色。因此，诺基亚将移动电话市场进行细分，并相应地将每一系列的产品分成多种类别，每一类别都针对不同氛围、场合和年龄组的消费群。

目前诺基亚每 35 天就推出一些新外形的产品，其产品品种之多、更新速度之快令人咂舌。特别是它推出的一种新型移动电话，打开即变成一个兼

■ 为了确保技术的领先，诺基亚公司十分重视技术开发投入，在诺基亚全球 5.5 万名雇员中，从事技术研发的人员超过 1.7 万名，达到 31%。

有网上漫游功能的微型电脑，其目标市场是大量的技术人员。虽然这种电脑的速度仍然慢得惊人，但它是继第一代模拟电话和第二代数字电话之后，诺基亚发展的第三代通讯设备——实现电话与电视、电脑乃至厨房电器一体化的初次实验。诺基亚的这一策略吸引了众多的消费者，增加了诺基亚移动电话的附加价值，它的这种技术创新使得每一系列的产品都能在各个目标市场上获得最大利润。

■ 目前诺基亚每 35 天就推出一些新外形的产品，其产品品种之多、更新速度之快令人咂舌。

SONY
索尼的创新利器

第六章 索尼的管理创新

优越的外部环境固然有利于企业的发展，但任何外部环境的改善都无法取代企业内部管理的重要性。良好的内部管理能够建立起一个具有向心凝聚力的团队，促进员工发挥 1＋1＞2 的整体效应。特别是对于以技术创新为重的企业，这一点至关重要。

索尼是一个典型的创新型跨国企业，它区别于其他日本企业之处，就在于能够不断在自己的内部管理中注入新的元素。相对于丰田公司那种严格的等级管理制度，索尼的管理无疑是松散的、民主的。在索尼，每位员工都是企业的主人，他们自我思考，尽力发挥自己的能力，主动提高技术水平，为公司的发展出谋划策，贡献自己的才智。

6.1 鼓励参与

现代心理理论认为，参与管理是调动员工积极性的一种重要方式，管理权力的下放能够为员工繁重的工作增添乐趣，使他们更加热爱工作，工作效率就可能提高。

参与管理理论最早是由美国加利福尼亚大学教授本杰明·沃特提出来

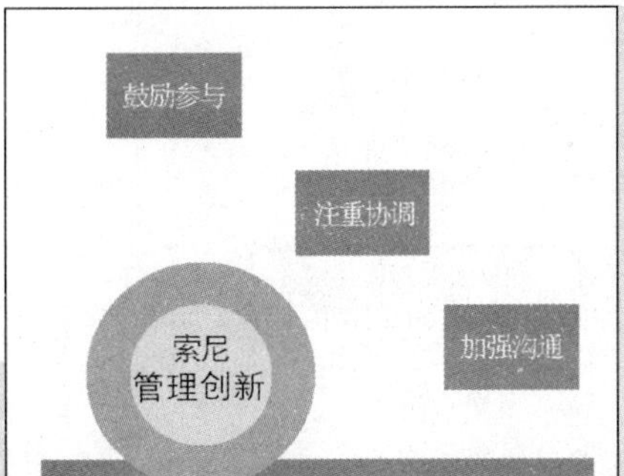

■ 在索尼，每位员工都是企业的主人，他们自我思考，尽力发挥自己的能力，主动提高技术水平，为公司的发展出谋划策，贡献自己的才智。

的，目前在美国、日本、德国、瑞典等许多资本主义国家广泛地开展起来。索尼就是实践这一理论的典范企业之一。

索尼坚信它的成功与一种自由商讨的气氛密不可分。在索尼创建之初，全体员工共同商量每个问题，试用各种方法，并在此基础上形成了集体领导、民主管理的管理模式。

索尼认为，不同的意见越多越好。因为不同的意见，能把决策提高到一个更高的水平。如果把所有思考、策划的事都交给管理层去做，这家公司一定没有前途。因此，索尼坚决主张所有的员工都应提出意见。这种主张使索尼公司内部充满合作气氛，人人畅所欲言，勇于表达个人意见。

索尼要求员工们人人都要有所贡献，即使是对基层员工，也要求他们贡献才智。最初，公司规定每位员工平均每年要提出 8 条意见，这些意见大部分都与减轻工作强度或增加工作效率有关。索尼通过这种办法有效地使员工参加了管理，让他们觉得自己的声音能被上级听到，真正成为了公司的主人，使他们觉得自己在公司是一个有位置的人，为此，他们愿意承担公司的一份责任。也正是因为这种让每一个员工都参与的管理方法，使索尼认为公司内每个人的责任划分得太清楚不但不明智，而且没有必要。因为每个人都觉得自己是公司大家庭的一分子，都愿意做好自己的工作。

基于这种民主的管理思想，索尼的管理者对下属从不指手画脚，只是指出工作大方向，进行观念上的引导，然后帮助他们树立信心，做好工作，充分调动他们的热情和创造力。公司还鼓励上下级之间交流思想和感情。在索尼公司里，上下级共进晚餐、共同娱乐的现象经常可见。

■ 索尼坚决主张所有的员工都应提出意见。这种主张使索尼公司内部充满合作气氛，人人畅所欲言，勇于表达个人意见。

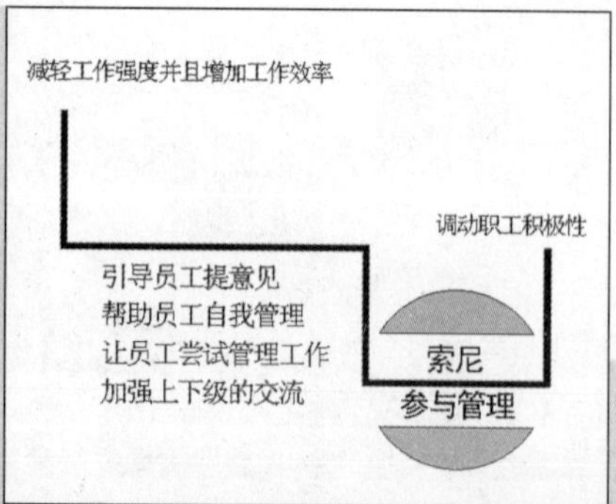

6.2 内部协调

要协调企业内部竞争，对于像索尼这样的一个多元化经营的大企业来说，这是极为重要也是极具挑战性的。它需要高层经理在公司干涉和业务部门独立之间找到平衡。一方面，索尼需要协调内部竞争、加强合作、应对共同的对手，这是抵抗外来竞争的有效方法；另一方面，索尼也认识到配合与协作不能强求。因此，部门经理们要在互相理解互相帮助的前提下开展有益的合作。

对于索尼公司来说，要在竞争和与其他部门合作之间找到平衡绝非易事。大多数经理认为，这一任务至今还很艰巨。就拿网络电脑游戏的例子来说，索尼公司有两个部门在同一个市场空间里竞争，各自独立地发展着自己的网上电脑游戏业务。一方是索尼影业数字娱乐公司的索尼网络娱乐部，他们的软件工程师们研发了《无尽的任务》这种游戏，在网上，这项游戏很受玩家们的欢迎。《无尽的任务》售出了100万份拷贝，吸引了40多万个网上玩家。另一方，在东京，索尼另一家子公司、生产PlayStation的索尼电脑娱乐公司也正策划研发一个网上游戏平台。这就等于说，正有两个分离的研发队伍为两个不同的部门编写在线游戏，在这两个分部大力推动网上游戏社区向前发展的同时，他们最终难免在同种业务范围内竞相吸引玩家参与。就这种情况，索尼公司怎样解决两种业务部门之间的冲突，成为了索尼发展中心需要解决的问题，其实这也是索尼这种大型企业一直致力于解决的问题。

从索尼公司关于音乐工业版权的讨论中，尤其是关于数字化版权问题的

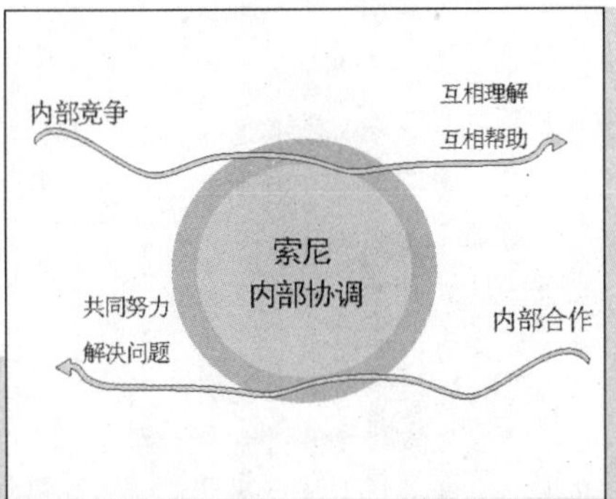

■ 一方面，索尼需要协调内部竞争、加强合作、应对共同的对手，这是抵抗外来竞争的有效方法；另一方面，索尼也认识到配合与协作不能强求。因此，部门经理们要在互相理解互相帮助的前提下开展有益的合作。

讨论，可以更清楚地感到索尼公司为减缓内部竞争促进交流所做出的努力。索尼电子部与音乐部由于沟通不力引起了网上音乐发行方面的纠纷。索尼电子部的宗旨是，在数码年代里拿出最好的产品满足消费者的需求和期望。可是，像音乐工业的其他企业一样，索尼音乐部发现本部门的利润随着网上音乐的繁衍而逐渐下滑。索尼音乐部担心索尼的 Net MD 和其他 MP3 音乐格式播放器，比如苹果的 IPOD，可能会鼓励消费者更快地转向可下载音乐而不再去唱片商店买唱片了，这是索尼自我发展所带来的一种两难的境地。为了解决这一难题，索尼公司正在安排各种论坛，使音效工程师们和音乐经理们可以聚在一起想方设法解决任何潜在的冲突。也就是说，最终索尼的各个部门要想良性发展，还要靠各部门的协调。这将是索尼需要努力也必须努力的地方。

6.3 加强沟通

由于文化、政治方面的差异，索尼在世界各地的子公司多年以来一直以各自为政的方式运作。为了防止各公司分歧加大，索尼需要各公司能相互沟通交流，不再各自为政，至少确保内容供应者和硬件英才们能互相接触一下。因此，索尼一直致力于内部的交流沟通。

长期以来，索尼公司一直在努力拉近各业务部门之间的距离，让它们能够相互合作，协调运作。而在此过程中，却常常会遇到沟通方面的问题，例如，娱乐和电子两部分业务之间总是存在着差距。这种差距既体现在字面意义上，又体现在文化方面——日本和美国的管理方式不同。

■ 防止各公司分歧加大，索尼需要各公司能相互沟通交流，不再各自为政，至少确保内容供应者和硬件英才们能互相接触一下。因此，索尼一直致力于内部的交流沟通。

正如盛田昭夫在 1985 年出版的论文集中写的，他不赞同一些美国式的管理风格，比如美国公司重利轻人、急于惩罚员工的做法。因此，可以说在文化方面，索尼面临的最困难的挑战就是在不同文化背景下沟通协调。在这方面，索尼曾有过不少成功的案例。例如，把哥伦比亚电影公司收归旗下时，由于公司不了解好莱坞的工作方式，也没能管理好在该工作室任职的经理们，从而引起了不小的财务损失，直到约翰·凯利接管该工作室之后，这部分业务才逐渐稳固起来。在有了斯金格掌舵索尼美国业务，凯利牵头电影业务后，索尼才最终建成了一个完整的公司架构。它保证了工作室、美国总部和东京之间公开而透明的相互沟通。显而易见，现在，索尼的管理者要想实现“网络时代”的梦想，就必须先在索尼公司内部建成互相沟通的网络。

在实际的操作中，索尼公司总是通过各种形式的会议让各业务部门的领导相互交流。在会议中，经理们可以汇集整理时下的内部经营数据和外部市场统计数据；可以讨论他们关心的话题，相互学习、协作，规划出既有利于公司整体又能使各部门获益的战略；还可以就大家都感兴趣的话题展开有声有色的讨论——像竞争对手的动态、消费者反馈、技术发展等……只有在这种氛围下，经理们才能真正考虑到同行们的建议，整个索尼才会从中得益。在索尼公司这种会议沟通网中，内容与技术会议、市场战略委员会议、全球高层会议是较为重要的三个会议。

索尼公司定期在东京、欧洲和美国召开有关内容与技术的会议。会议聚集了来自索尼电子、索尼影业、索尼音乐、索尼电脑娱乐公司的技术主管及公司的智囊团，他们一起讨论怎样跨越业务部门的界限创建共同的商业平台。

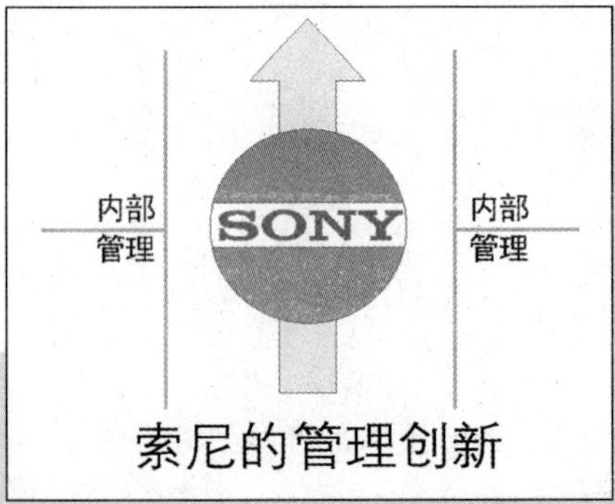

■ 在实际的操作中，索尼公司总是通过各种形式的会议让各业务部门的领导相互交流。

为了讨论在团队中怎样协调应战，每年来自索尼不同部门及市场区域的经理们都会在美国、欧洲、东京等地聚上三四次，进行市场战略委员会议。这也为经理们提供了一次难得的机会集思广益，以便为整个索尼公司策划更严密、冲击力更强、更能树立品牌形象的战略。

索尼的高层经理们认为，要协调运作公司的娱乐和电子业务，他们就得加强合作，拿出更多的时间搞策划。全球高层会议因此而建立起来。这个会议每年会召开两次，会上，来自电脑游戏、电影娱乐等各部门的高层经理们会各抒己见，这样有助于发起各个部门的信息联合，从而能够更好地整合索尼的资源优势。

案例 1：松下的“内部创业”

所谓内部创业，通常由具有创业企图与理想的员工发起，在组织的支持与默许下，由员工与企业共同承担创业风险，并分享创业的成果。

2000 年底松下启动的“Panasonic Spinup Fund”（松下创业基金，简称 PSUF）是内部创业的代表之一。

首先，松下电器公司一开始就拿出 100 亿日元的资金设立松下创业基金（PSUF），明确表示用于支援松下员工的创业，而且不局限于员工从事与现有业务有紧密联系的事情。在此基础上，松下公司提出，在今后的 3 年内，将每年进行 3 次员工创业计划的征集活动，从资金上保证公司内部创业家的培养和支援。由于在这一方面松下是先行者，公司内部的科技和营销人才在其他公司极少有机会获得这种支持或默许，所以他们极少有人产生离意。

■ 所谓内部创业，通常由具有创业企图与理想的员工发起，在组织的支持与默许下，由员工与企业共同承担创业风险，并分享创业的成果。

索尼的管理创新

而松下的这一举动在为其赢得人才的忠诚与感激的同时，也赢得了更大的市场。

以前松下在影像器材这块领域仅仅限于销售，在推出 PSUF 计划之前，菅原淳之是松下公司从事室外大型影像装置业务的一个能干的业务员。正因为对市场的熟悉，他对松下公司仅仅销售影像硬件设备感到不满足。

“对于设置了显示终端的用户来说，他们肯定需要能同时提供影像信息传送的服务，两者一起做无疑能获得相乘的效果。”菅原淳之说。

但是，菅原淳之当时的地位决定了他没有决策的权力，而随着宽带网的普及，为网络终端提供廉价的动画信息的环境条件逐步完善，这个市场已经开始显山露水，开始逐渐成熟。所以当松下公司启动 PSUF 之后，菅原淳之就感到创业的时机来了。从菅原淳之的身上，松下公司也开始发现自己的不足，并开始着手调整自身的一些战略。

这也正是松下创办 PSUF 的一个目的所在，即松下公司在自身的经营中发现存在着许多的问题，如何在经济不景气中让已经被称为“沉滞呆重”的组织系统恢复活力是松下的燃眉之急。为此，把埋没在公司里的有创新精神的优秀人才发掘出来不失为一个明智之举，而且，当然不能是一个两个，而是大量的创新人才。通过这些优秀人才所带来的旋风式的头脑风暴，会深深地触动松下沉旧的企业风气，从而彻底地扭转松下的现状。

而松下公司也通过 PSUF 向员工透出这样一个信息：培育勇于向新生事物挑战的开拓性人才，并尽可能留下他们，让他们成为下一代敢于挑起松下事业重担的精英人物。

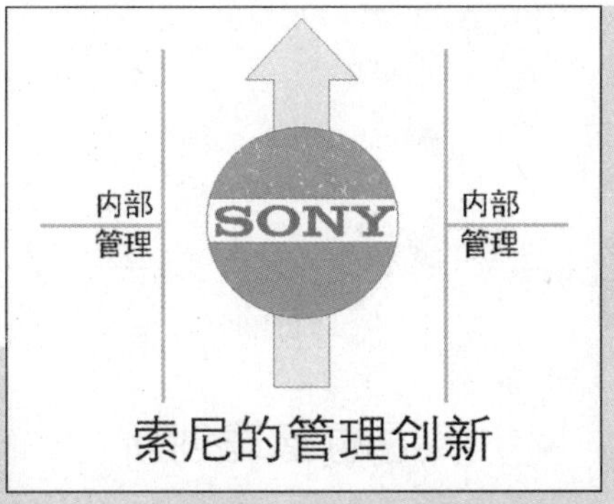

■ 而松下公司也通过 PSUF 向员工透出这样一个信息：培育勇于向新生事物挑战的开拓性人才，并尽可能留下他们，让他们成为下一代敢于挑起松下事业重担的精英人物。

案例2：GE的群策群力策略

群策群力是GE公司总裁杰克·韦尔奇1988年在一架直升飞机上产生的管理想法。这一管理方式的基本含义是，举行各阶层职员参加的讨论会，在会上，与会者做三件事：可以动脑筋想办法；取消各自岗位上多余的环节或程序；共同做出决策，解决出现的问题。

1989年1月，在佛罗里达州举行的GE公司一年一度的碰头会上，韦尔奇向到会的500名高级经理宣布了这一计划，即实行群策群力的管理方式。为此，韦尔奇聘请高级顾问和商学院的教授协助实施，而且于1989年3月强制执行。先期的群策群力讨论会主要是建立信任，最基本的模式是大家七嘴八舌发表意见，后来逐渐上升为一种理念。一时间，这种管理方式在通用电气的许多部门得到贯彻。

讨论会都遵循同一模式，员工们称之为“城镇会议”。由执行部门从不同阶层、不同岗位抽出40～100人到会议中心或某一宾馆，会议为期3天，先由上司简要提出议程安排和主要内容，减少不必要的会议、形式、请示等其他表面工作。然后上司离开，在一名外聘助手的协助下，与会者分成五六个小组，分别解决某个议题。小组讨论进行一天半，列举弊端，讨论解决方案，为第三天的议程草拟报告。

会议的第三天尤为重要，它赋予“群策群力”这一管理模式以特殊的生命力，对前面议题一无所知的上司回到会场，在前排就座，并常有资深的头面人物来旁听。小组代言人逐一汇报，提出小组的建议和主张。按规定，这

■ 这一管理方式的基本含义是，举行各阶层职员参加的讨论会，在会上，与会者做三件事：可以动脑筋想办法；取消各自岗位上多余的环节或程序；共同做出决策，解决出现的问题。

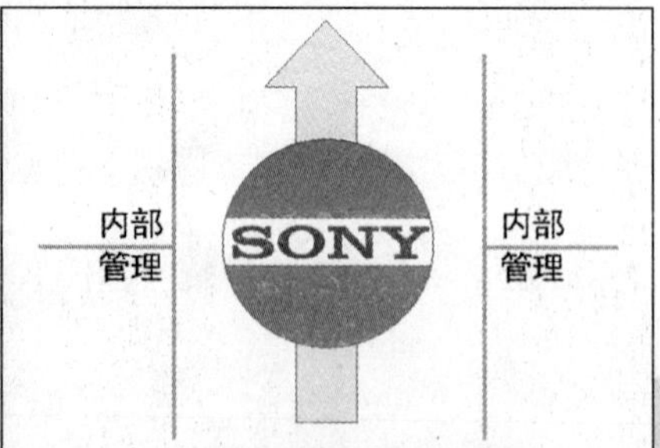

索尼的管理创新

位上司可做出三种答复：一、当场拍板；二、否决；三、要求提供更多的情况但须在固定日期内答复该小组。

最能体现群策群力巨大作用的例子是“博克牌”洗衣机的诞生。在通用电气的家电部有一专门生产洗衣机的工厂。但从 1956 年建厂以来的 30 多年间，工厂管理得非常不好，生产出来的老式产品卖不出去。1992 年工厂损失了 4 700 万美元，1993 年上半年又损失了 400 万美元。1993 年秋，公司决定卖掉这家企业。这时候，公司副总裁博克站了出来说：“这么多员工怎么办？请给我这个机会，我一定要想办法使公司转危为安。”博克先生首先召集了 20 个人，采用群策群力的方法，用 20 天时间向总部提交了一份改革报告。韦尔奇支持这个建议，马上批给 7 000 万美元对企业进行技术改造，最终生产出“博克牌”洗衣机，救活了洗衣机厂。

群策群力讨论会不仅带来了明显的经济效益，而且能让员工广泛参与决策，感受运用权力的滋味，从而大大提高了员工的工作热情。

1987 年 GE 公司制造一台燃烧室喷气发动机上的关键部件，需要 30 周。通过开展群策群力活动，1991 年初，这一产品生产周期缩短到 8 周，后来又缩短到 4 周。负责制造加工燃烧室的员工们还商讨了 10 天内完成任务的可能性。

群策群力讨论会已成为 GE 公司一种日常性的活动，随时都可以根据需要举行，参与人员也从员工扩大到顾客、用户和供应商。

通过群策群力活动，GE 公司把本来毫不相干的人们聚集到了一起，包括计时员工、白领阶层、经理，甚至于工会领袖们。他们平时在工作中很少有机会接触，却可以在这种活动中相互交谈并相互信任。这些会场很快就变

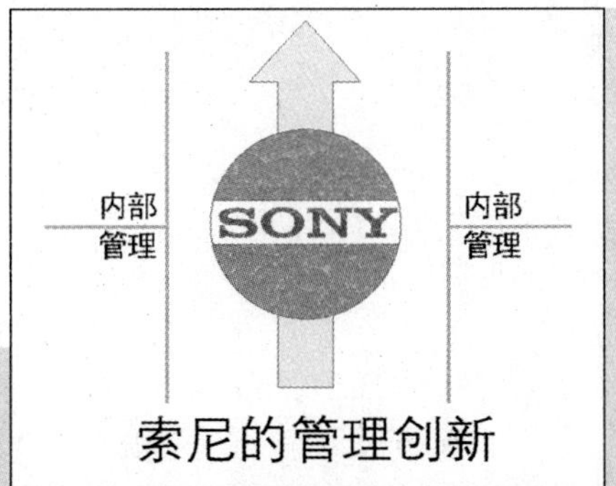

■ 群策群力讨论会不仅带来了明显的经济效益，而且能让员工广泛参与决策，感受运用权力的滋味，从而大大提高了员工的工作热情。

成了打靶场，靶子就是令人厌恶的各种官僚主义的具体表现形式——一项小小的申请需要 10 个人签字；毫无意义的案头工作；多余的工作惯例；盲目自大。这些东西绝大部分当场就被废除或改良，而不是再“研究研究”。

在这种工作经历中，GE 公司的员工看到公司的言行一致，他们对公司的信任感在这个过程中不断增长，智慧的火花不断迸发。过去只被要求贡献时间和双手的员工现在感到他们的头脑和观点也开始备受重视了。而在听取他们想法的过程中，每个管理者都更加清楚地认识到，越是接近具体工作的人就越能将自己的工作看得透彻。

也正是这种群策群力活动，推动着 GE 公司的高层领导者必须更多地去放权，更多地去行动，更多地去听取意见。他们必须信任别人，也必须被别人所信任。领导层确实有做出最终决策的责任，但同时还拥有同样的责任来使人相信，特别是使提出建议的员工相信这些决策是合乎理性的——即管理者所做出的决策应该为部下所理解，并具有强大的感召力。虽然做到这一点并不容易，但通过群策群力，GE 公司已经基本做到这一点。

■ 也正是这种群策群力活动，推动着 GE 公司的高层领导者必须更多地去放权，更多地去行动，更多地去听取意见。他们必须信任别人，也必须被别人所信任。

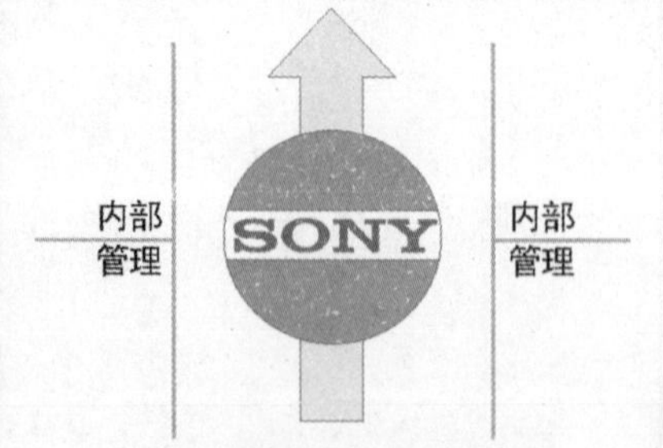

索尼的管理创新

第七章

索尼的独特人才策略

企业的根本是人，人是提高企业运转效率的源泉。在国际市场上，一个企业竞争力的高低，关键就取决于企业人才的数量、质量及其才能发挥的程度。

盛田昭夫常说，对于日本那些最卓越的企业来说，成功并非来自什么“不传之秘”。没有哪种理论、方案或某项政策可以直接促使企业成功，真正的关键只有一个，那就是“人”。

索尼国际化战略的开展、技术创新的实现以及在新时期变革战略的实施，无不依靠公司精诚合作、积极进取的人才队伍。而这点，深究起来，正是索尼独特的人才策略所带来的必然结果。

7.1 以人为本

以“人”为本的管理，不但需要发自内心的愿望，更需要较大的魄力方能执行。从长远来看，无论企业首脑个人怎么优秀、精明，或者能干，如果不能培训出一群优秀的员工，没有一个协作的团队，什么都无法起作用。

索尼创始人盛田昭夫就曾多次强调，“人是一切活动之本”。索尼就是牢

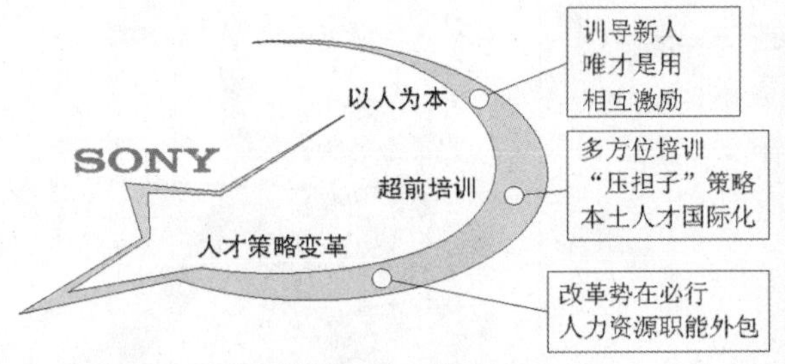

索尼的独特人才策略

■ 索尼国际化战略的开展、技术创新的实现以及在新时期变革战略的实施，无不依靠公司精诚合作、积极进取的人才队伍。

牢抓住了“人”这个管理的中心，建立了一个强有力的团队，解决公司发展过程中种种的难题。

7.1.1 训导新人

对于新进的员工，索尼公司向来十分重视，这是索尼的传统。因为它明白，这些新员工将是公司未来的中坚力量。创始人盛田昭夫就很看重新来的年轻员工，非常注意对他们的教育和培训，盛田昭夫每年都坚持对新分配到公司的大学毕业生进行演讲。

被索尼录取的大学毕业生们一般在毕业一个月以后到公司报到。每年，盛田都提倡将这些有生力量集中到位于东京的索尼公司总部，进行学习和培训。他也一如既往地抓住这个机会作恳切的演讲，所训导的内容每次都很相似，主要是如何认清自己的职责，找准位置，早日发挥自己的特长和潜力，这对于公司和员工本人都很有帮助。

以下是盛田的一次演讲，当时他面对的是700多名新员工：

“以‘人’为本的管理，不但需要发自真诚的贯彻决心，也需要极大的魄力才能执行。虽然这种管理方式的风险极高，但是长远来看，不管企业领导者个人多么优秀，多么成功，多么精力充沛或是多么能干，企业的未来仍然是要系于所聘用的员工身上的。说得更夸张些，企业未来的命运，实际上正操纵在公司最年轻一群员工的手中。这也就是为什么我坚持每年要向新进的毕业生们作演讲的原因。

“首先，你们应该了解学校与企业的不同。在学校时，是你付学费给学校，但现在是企业付学费给你。而且你们在学会工作以前是公司的负担和

■ 索尼创始人盛田昭夫就曾多次强调，“人是一切活动之本”。索尼就是牢牢抓住了“人”这个管理的中心，建立了一个强有力的团队，解决公司发展过程中种种的难题。

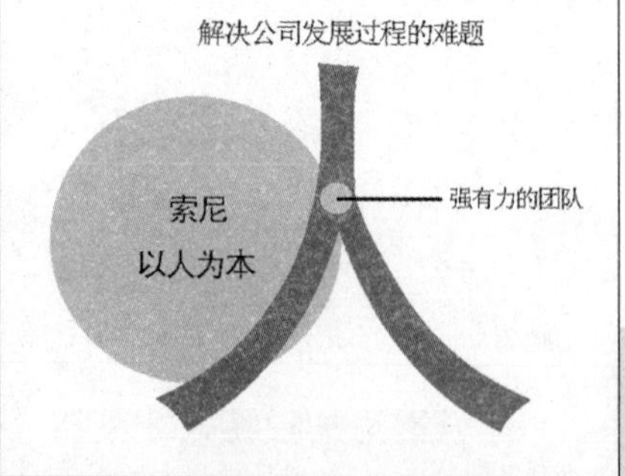

包袱。

“第二，如果你在学校里表现不错，考了100分，那很好；如果你在考卷上什么都不写，就会得零分。在工作上，你们每天都在接受考试，你可以考到100分甚至1 000分，也可能只得50分。但是如果你在工作中犯了错误，那就不是单纯得零分的问题了，而是得一个负分，而且下坡路是没有尽头的，这就会对企业造成伤害。

“最后，索尼并没有征召你们，这里不是军队，是你们自愿选择索尼公司的。如果你加入索尼公司，我们就希望你干上20年或50年。

“当你以后回顾人生时，我不希望你后悔把最宝贵的岁月花费在这里，那将是个悲剧。我必须再一次地强调，你对你自己的责任，就是选择好的工作环境。所以在未来的几个月内，你最重要的事，就是决定自己是否喜欢在这里工作。我们虽然聘请了你，但却无法使你快乐，快乐必须由你自己去创造。”

盛田的这种做法后来沿袭了下来，逐渐在公司内部形成了一种对待从校园步入职场的新员工的科学态度。由于他们对于职业、领导的概念、职业生涯等都有着不同的理解。因此，索尼公司帮助新员工正确地设定他们的职业发展方向，引导、教育新员工顺利进行角色转变，同时也为新员工逐步适应工作打下良好基础。这是索尼公司在促进人才发展方面的基础。

7.1.2 唯才是用

“要让工作去适应人，而不是让人去适应工作”是索尼的用人政策。

索尼公司一直认为，一个企业要想获得成功，并没有什么不可告人的公

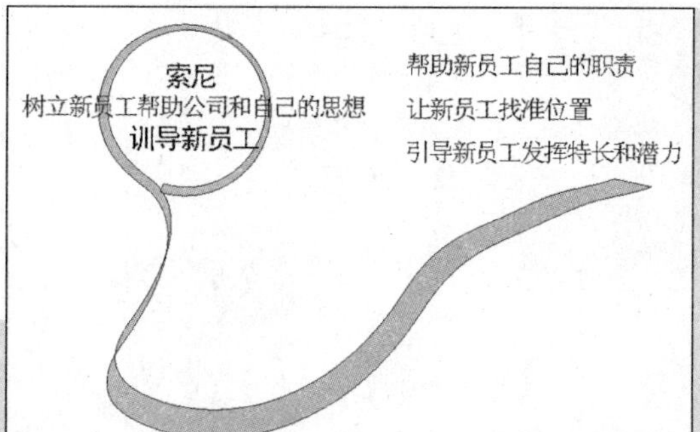

■ 由于他们对于职业、领导的概念、职业生涯等都有着不同的理解。因此，索尼公司帮助新员工正确地设定他们的职业发展方向，引导、教育新员工顺利进行角色转变，同时也为新员工逐步适应工作打下良好基础。

式和秘诀，不是理论，不是计划，也不是政府政策，一个企业真正成功的关键因素就是人，只有人才能使企业获得成功。人是决定一切的力量。管理者的责任就是给每个员工安排能发挥他们才能的工作。索尼这种先进的人本主义思想实际上超越了许多守旧的日本企业。

索尼公司始终重视人才、关心人才。例如公司管理人员坚持认为：不能单纯强调“一致”与“共识”，这样是没有原则的一致。要有勇于吸收下属意见的胸怀，更要能将意见有机地融为一体。当年盛田任索尼副总裁时，常与田岛道治董事长意见不和，对此田岛常愤愤不平，甚至要辞职。盛田当即开导道：“如果你和我在一切问题上均一致，那么索尼又有什么必要让我们两人拿薪水呢？正是因为你我意见不同，公司才会少犯错误，多些好的建议。”田岛同样是位非常优秀的人物，他最终接受盛田的意见留了下来。

索尼任用人才不以学历为标准也是出了名的。它主要是看一个员工的实际才能如何，而不是仅仅重视学历，因此索尼也一直坚持从实务主义的角度出发选拔和培养人才，尤其是对科技和管理人员的考核任用更是如此。做到这一点，在高度重视学历的日本，确实是不容易的。盛田曾在他撰写的《学历无用论》这本书中，斥责了日本流行的那种以大学来评价一个人的习惯做法。他甚至极端地说他愿把索尼公司的所有人事档案都烧掉，以便在公司内杜绝在学历上的任何歧视。这本书当时在日本引起了轰动，他也因此获得了勇于打破传统框框的赞誉。

索尼用人方面的另一个显著特色就是相当一部分具有发展潜力的索尼员工，都会更换不同的岗位。在索尼工作的人员可不会像在很多别的企业那样，一直呆在一个部门、小组内做一个深入研究的专家。

■ 人是决定一切的力量。管理者的责任就是给每个员工安排能发挥他们才能的工作。索尼这种先进的人本主义思想实际上超越了许多守旧的日本企业。

索尼通过一个叫做内部调动系统的计划激励员工。公司每周都会有一个很特别的时事通讯发给员工，上面登出广告公布全索尼集团有哪些职位空缺。员工们可以从中寻找他们感兴趣而又能够胜任的工作，然后要求调动。这样，员工们就不会觉得要永远做同一种工作，也就不会产生那种厌倦的情绪了。

不仅如此，在索尼，每隔 6 个月公司会有一些专家总结员工表现，帮他们评价工作情况，找到通向他们理想的事业之路，让员工时刻认识到自己是受到重视的。一个在设计中心工作了多年的工程师，可能决定要试试做市场营销工作，或公司沟通工作。如果有一个这样的职位空缺，而他的资格又刚好符合要求，那么，一直做机器设计工作的工程师就可能在一夜之间成为公司的市场销售主管，或是媒体发言人。而对于想去国外任职的员工们来说，他们也可以利用索尼的全球网络实现愿望。

和众多的日本企业一样，如何处理公司内部的晋升对索尼来说是一个重要的问题。索尼在员工晋升方面坚持两个原则：一是要工作业绩而不是资历、学历；二是不追究往日的过失，机会摆在所有人的面前。尤为难得的是，索尼认为，有过失是人之常情，如果一个人犯了错误就被打入黑名单，再也无法升职，那么他就会丧失努力工作的热情，以后公司就再也不能从他身上得到应有的发展动力。因此，正确的方法不是将过错归罪于某一个人，而是查出造成过错的原因。

事实上，错误的原因一旦被查清，并加以公布，不仅能使犯错误的人终生警惕，铭记不忘，也能使其他的人接受教训，不重蹈覆辙，这也是索尼挖掘内部潜力的有效方法。

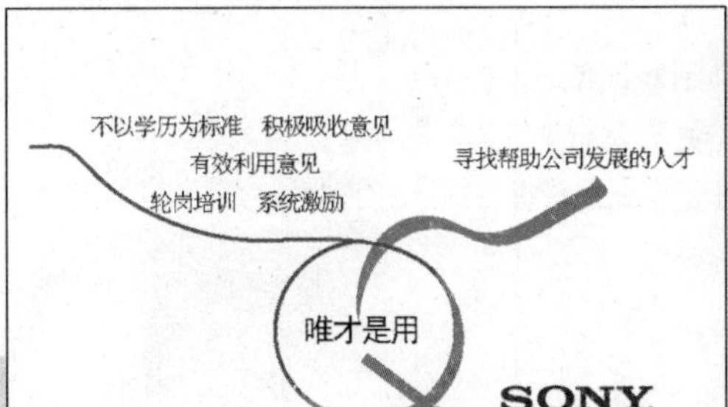

■ 在索尼，每隔 6 个月公司会有一些专家总结员工表现，帮他们评价工作情况，找到通向他们理想的事业之路，让员工时刻认识到自己是受到重视的。

7.1.3 相互激励

索尼公司有这么一种传统，当部门里任何一个人被承认有新发明或新创意时，整个部门都会为他高兴，其他人也会感到很振奋。这正体现了“一荣俱荣，一损俱损”的索尼激励精神。

作为公司一种积极的用人机制，相互激励机制能促使索尼的员工从同事的创意中找到灵感，从而努力寻找自己的目标，争取在自己的岗位上有所提高、有所创新。这就迫使每一个员工去进一步熟悉自己的领域，和同行、和对手相比较，找出差距，发挥余热，提高自己的观察能力和实际操作水平。那些敢想敢干的员工们，心里不会存有顾虑，能以十足的动力和热情在工作中最大限度地发挥自己的优势。他们将在生产、制作、开发的过程中，主动加上自己的理解和创意，在别人没有做过的事情上有所尝试。

在这样的相互激励下，高层主管也会经常深入了解下属的进程，总结经验和教训，并不断提出和修改新的目标方案，以使他们的工作更科学、更完善。

索尼这样的安排激发了大家的聪明才智，使员工们能够集思广益，整个公司拧成一条强有力的绳索，勇闯未知领域，超越同行，去领导国内乃至世界的新潮流，做一名世界的“先锋霸主”。

7.2 超前培训

若只是重视招聘环节，索尼不可能有今天的成就。在将一个个人才引进

■ 作为公司一种积极的用人机制，相互激励机制能促使索尼的员工从同事的创意中找到灵感，从而努力寻找自己的目标，争取在自己的岗位上有所提高、有所创新。

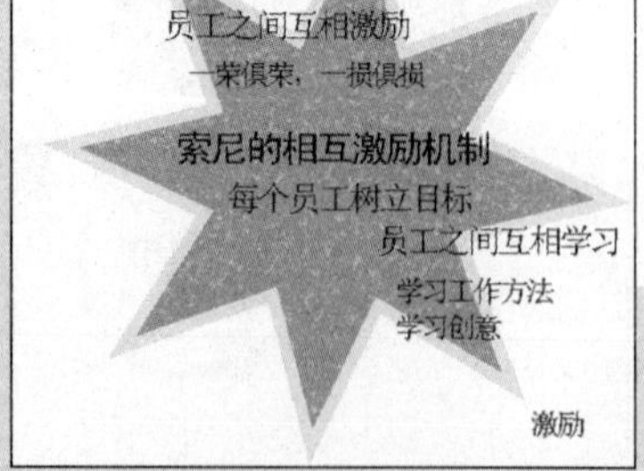

公司以后，索尼公司就进行了一系列的人力资源管理工作，其中对于员工的培训显得尤为重要。因为索尼公司需要通过培训，使新来的员工都能够理解公司文化，掌握一些基本技能，从而能够使他们更好地融入到索尼这个集体中来。

7.2.1　多方位培训

索尼的训练是多方位、多层次的，并随着公司各项业务的扩展而不断丰富和完善。与很多训练系统不够健全的公司“跟着感觉走”的被动局面不同，索尼一再强调的是“走在前面”的多方位训练模式。从训练内容上看，主要包括以下几个方面：

（1）基本技能，包括对公司规章制度、企业文化、公司产品及发展方向等的把握；

（2）专业技能，主要是指对岗位技术、产品特性、业务操作及动作策略的了解等；

（3）个人技能，即除了语言能力、电脑操作等方面的提高之外，还很重视其自我管理能力的培养，以及分析思考能力的提高；

（4）管理技能，这是一个综合性的培养过程，主要包括计划能力、组织能力、辅导能力、控制能力以及领导技巧的培训。

在索尼，要想成为职业经理人的员工，即便已具备合格的资历，在成为经理人之前也还是会接受“角色转化”这一课程的专项训练。公司的人事、财务、传媒公关、物流、法务甚至总务部门会派出专业人员集中为他们做相关业务指导，这样不仅能够全面提高作为合格的经理人所应具备的各项素

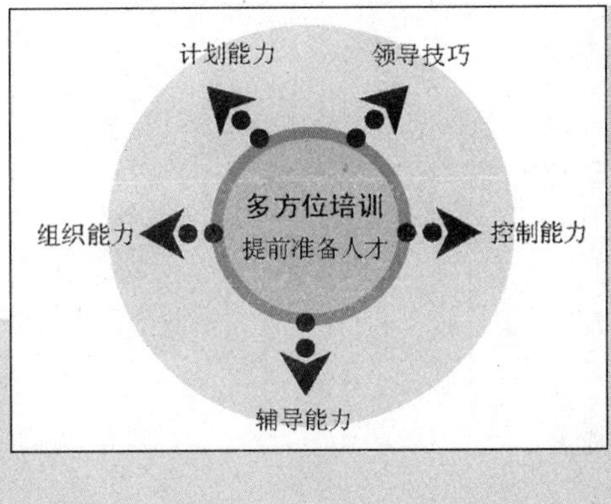

■ 索尼的训练是多方位、多层次的，并随着公司各项业务的扩展而不断丰富和完善。与很多训练系统不够健全的公司“跟着感觉走”的被动局面不同，索尼一再强调的是“走在前面”的多方位训练模式。

质，而且使他们能够平稳过渡到经理人的岗位上。

如果公司想要成立新的分公司或办事处，就会提前半年让业务部门与人事部门对外派人员进行培训工作。他们会通过岗位的调动或是临时性派往相关地区工作的方式，使外派的候选人们得以有机会全面接触未来所要担负的业务以及责任，并以相应的培训计划使其从理论上达到一定的业务水平和管理水平。

索尼这种“走在前面”的多方位培训策略不仅对员工的个人发展提供了良好的条件，同时也使公司具备了在全球发展多方位业务的人才条件。

7.2.2 “压担子”策略

对索尼而言，重视人才、重视培育人才，不拘一格地汇集、培育英才是它成功的关键。公司最初的几位创始人对发掘和培育人才倾注了大量心血。就是在他们的努力下，公司聚集了一批杰出人才，为索尼品牌的崛起做出了巨大的贡献。

在索尼强调人才发展的过程中，逐渐形成了一种“压担子”式的人才培养方法。公司的高层人员经常将自己对某个新技术或是某一新计划的构想告诉部门里的有关人员，希望他们能沿着自己的这一思路去研究、去发挥、去落实。其实，索尼所提倡的这种“压担子”理念就是将员工放到实际工作中，让其面对真实的压力，锻炼他们处理事务的实际能力。当然，要真正做到这一点，前提是公司要敢于给员工压担子，把他们推向责任重大的岗位，赋予他们足够大的挖掘潜力、施展才能的空间。这些被委以重任的人往往是肯于动脑筋、有创见的员工。而那些只会完成既定任务，不会展开自己想象

■ 索尼所提倡的这种“压担子”理念就是将员工放到实际工作中，让其面对真实的压力，锻炼他们处理事务的实际能力。

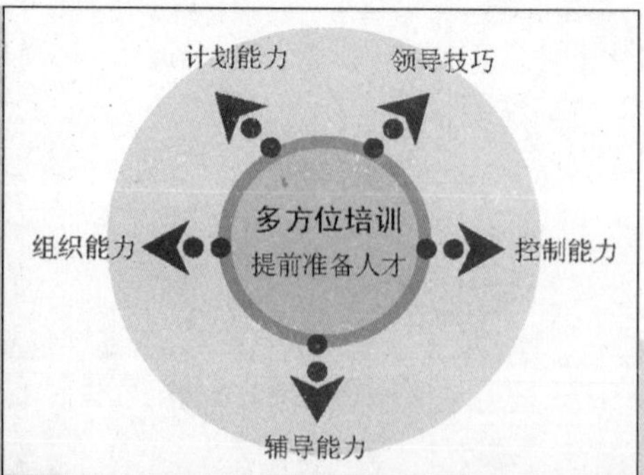

和创新空间的人是从来不会被委以重任的。

索尼的许多担任重要职务的管理者就是在“压担子”的培养下成长起来的。他们早早地接下了公司给予的“担子”，在实践中不断地积累经验，为公司做出巨大的贡献。

卯木肇就是一个很有说服力的例子。他是盛田从一家石油公司挖过来的。在石油公司时，他的情况很不理想，长期得不到重视。而他刚刚到索尼一个月，盛田就亲自委派他去非洲开辟市场。卯木肇担心自己的资历不够，不能很好地完成工作。盛田则让他放心去干，边干边学，这给了他相当大的鼓励。

于是，卯木肇在埃塞俄比亚、苏丹等非洲七个国家进行了大量市场调查，获得了丰富的第一手资料。为使索尼产品顺利进入非洲，他精心设计销售方式，根据不同国家，选择不同的宣传重点。他向这些国家推广索尼的产品生产技术，在这些国家建立装配生产线，降低索尼产品在当地的价格，这些方法取得了良好的经济效益。

在卯木肇的努力之下，索尼公司与南非、苏丹、尼日利亚、乌干达等多个非洲国家建立了友好关系，使索尼商标的产品在非洲市场一直保持着较高的占有率。

从非洲回来之后，卯木肇又被派往最重要的海外市场——美国，担任推销员和广告经理。在美国10年的工作中，他几乎跑遍了美国的各大城市，积累了丰富的经验。

从非洲到美洲，从发展中国家到发达国家，卯木肇熟悉了不同经济发展水平国家的市场，熟悉了国际贸易业务。从美国回日本后，这个曾经不被人

“压担子”培养人才

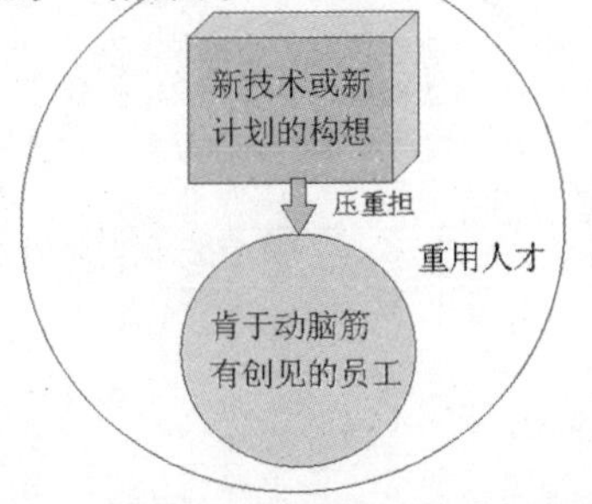

■ 索尼的许多担任重要职务的管理者就是在“压担子”的培养下成长起来的。他们早早地接下了公司给予的“担子”，在实践中不断地积累经验，为公司做出巨大的贡献。

重视的年轻人负责起公司的国际市场工作，挑起了更重的担子。

7.2.3 本土人才国际化

索尼作为一个国际化大公司，需要更多出众的国际化人才，这是毋庸置疑的。

每年，索尼都会在世界各地的一些知名学府举行校园招聘宣讲会，经过严格的筛选后，那些被录取的学生会被直接送往日本总部进行工作培训。他们在那里将了解并学习到业界顶尖的技术知识和独具索尼企业文化特色的管理理念，接触世界各地的人才，有更多机会建立起广泛的人际关系网络。这些有生力量在东京将真正接触并吸收索尼文化的精髓，掌握更多、更先进的技能。他们有的可能留在那里继续发展，更多的人将带着新的项目前往世界各地，成为索尼在全球各个岗位的生力军。这段经历对于他们来讲将会是受益匪浅的，有了这些国际化的经历和意识后，他们也就具备了更强的持续发展动力。

索尼就是这样，不像其他公司提倡进行本土化人才，它更重视国际化人才。索尼公司希望更多的员工能够走出去，了解国际统一的标准。索尼认为，这样更有利于公司国际化、多元化的发展。

7.3 人才策略变革

20 世纪 90 年代末到 21 世纪初，索尼和其他的日本企业一样，遇到了一些困难，这些困难不得不让索尼思考怎样从人员的调整上打开突破口。面对

■ 索尼就是这样，不像其他公司提倡进行本土化人才，它更重视国际化人才。索尼公司希望更多的员工能够走出去，了解国际统一的标准。索尼认为，这样更有利于公司国际化、多元化的发展。

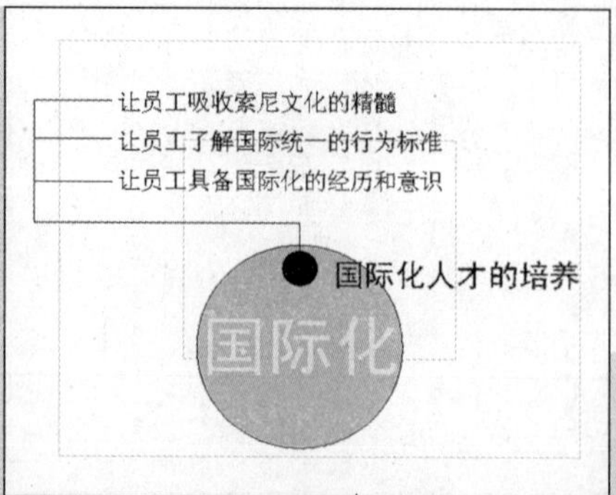

不断变化的市场经济环境，索尼必须更新用人策略才能够适应时代的要求。为此索尼进行了全方位的尝试，并且初见成效。

7.3.1 改革势在必行

面对新时代的挑战，索尼清楚地认识到如果再抱着旧的用人方式已经不能适应时代的要求，必须进行大规模的人事改革。

2003 年，索尼集团的业务机构被重组为 7 个分支机构（包括 4 个网络分公司以及 3 个业务集团）。此后，公司进一步授权给上述各分支机构，从而形成其各自业务领域内的中长期发展策略。

当然，对某些索尼的员工而言，这一变化是相当严酷的。索尼已经决定在 2006 年 3 月之前在全球范围内裁员 1.5 万到 2 万人，大约占其全球员工总数 16 万人的 10%。索尼考虑裁减日本国内 1 500～2 000 名员工，大部分为母公司的行政人员。然后再通过推出一项让老员工早些退休的政策和减少新聘员工的人数来裁减岗位。

虽然索尼的人员调整是各个同类型企业中调整幅度最小的，但是，不可否认，索尼大家庭的宗旨正在逐渐改变，人事改革势在必行。

7.3.2 人力资源职能外包

在网络技术十分发达的今天，许多企业将内部的某些管理通过网络技术来实现。索尼当然也不会错过这个机会。它实施了人力资源职能外包管理，与管理咨询公司翰威特合作开辟了索尼的人力资源 Work Ways 门户网站。

为了拓展现有的外包合作关系，索尼电子与翰威特进行通力合作，转变

■ 面对不断变化的市场经济环境，索尼必须更新用人策略才能够适应时代的要求。为此索尼进行了全方位的尝试，并且初见成效。

人力资源职能。

翰威特公司是一家全球性管理咨询公司，专长于通过提供各种人力资源管理方案来解决企业所面临的经营问题。在与索尼的合作中，翰威特将提供人力资源技术管理方案和主机、人力资源 Work Ways 用户门户并进行内容管理。这为索尼的员工和经理们查询所有的人力资源方案和服务内容打开了方便之门。此外，翰威特还将提供综合性的客户服务中心、数据管理支持及后台软件服务。

索尼电子启动的 Work Ways 和人力资源服务中心，提供了人力资源数据管理、工资单、时间及考勤、薪酬管理以及人员分析等服务。包括奖励薪酬及其他分析在内的薪酬管理拓展方案于 2003 年正式启动，在此基础上还将增加招聘和继任规划等内容。这是索尼对新时代的人力资源控制采取的新举措。

曾有人指出，人力资源管理最大的潜在节省点在于程序和政策的重新设计和标准化上。索尼人力资源管理的新模式中，就有一套简化规程，它将对服务水准、周转时间及成本产生巨大的影响。通过为员工和经理提供全天候的人力资源数据、决策支持和交易查询服务，新系统还将大大提高效能。

此外，索尼还有一套新的管理办法。它可查询包括绩效评分和人员流动率在内的员工数据，并用先进的模式工具进行整合和分析。这些信息将有助于经理制定更加缜密、及时的人员管理决策。经理们可以借此契机提高人员及信息管理质量，进而对企业经营产生巨大的推进作用。

可见，在索尼的人力资源管理改革中，包括了转变人力资源职能、改变人力资源部门与客户之间的关系模式、规定员工和经理们须履行的新职责、

■ 曾有人指出，人力资源管理最大的潜在节省点在于程序和政策的重新设计和标准化上。索尼人力资源管理的新模式中，就有一套简化规程，它将对服务水准、周转时间及成本产生巨大的影响。

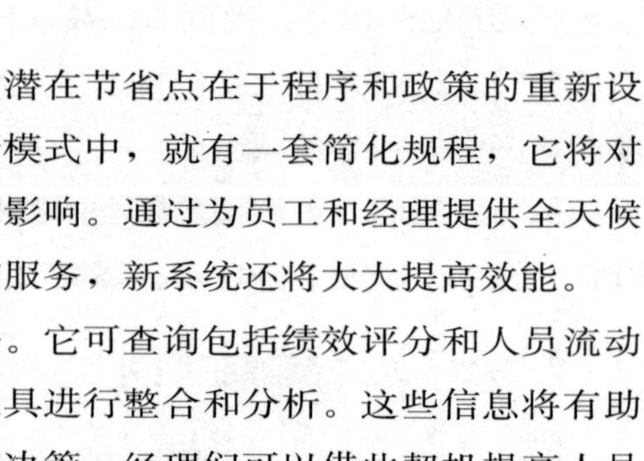

各项业务及各地程序标准化等内容。当然，在这其中还涉及到网站查询、安全保障及隐私保护问题。

索尼这项人力资源外包方案确实是有好处的。除整合、改善人力资源政策之外，这一变革项目还转变了索尼 80%的工作内容，其中将各地的局域网、数据维护转换到人力资源 Work Ways 系统上。数据接口数量减少了 2/3。新型的汇报和分析能力将取代原有的、数以千计的专项报告。这一优质的人力资源服务方案对索尼经营结果产生了重大的影响。

以往索尼的诸多人力资源专员会花费 60%以上的时间进行人员管理，远远高于同类公司。那时，索尼公司在人力资源中所花费的成本也是相当高的。在运用新系统后，当年，索尼的人力资源部门就节省了 15%左右的年度成本，预计到第三年时，节省幅度将高达 40%左右，在这期间的平均节资额度可达 25%左右。

索尼始终认为按照这种方式开展人力资源工作是十分明智的，因为可以由此形成规模经济效应并降低成本。此外，人力资源外包管理将人力资源视为索尼公司网络文化的起点。人力资源 Work Ways 门户是实施索尼员工门户方案的首要工具之一。这将促进公司的电子网络化转变，为索尼带来的新活力。

案例：GE 公司的非正式人才选聘

GE 公司是世界上最大的多元化服务性公司，在全球拥有员工近 300 000 人。同时 GE 公司也是高质量、高科技工业和消费产品的提供者，在全世界

索尼的独特人才策略

■ 索尼这项人力资源外包方案确实是有好处的。除整合、改善人力资源政策之外，这一变革项目还转变了索尼 80%的工作内容。

100多个国家和地区开展业务，从飞机发动机、发电设备到金融服务，从医疗设备、电视节目到塑料，GE公司致力于通过多项技术和服务创造更美好的生活。

GE公司的历史可追溯到托马斯·爱迪生，他于1878年创立了爱迪生电灯公司。1892年，爱迪生电灯公司和汤姆森—休斯顿电气公司合并，成立了GE公司（GE）。GE公司也是自1896年道·琼斯工业指数设立以来唯一至今仍在指数榜上的公司。

在GE公司的发展历史上，其十几任总裁在用人方面都各有特色，尤其是后来被誉为“全球第一经理人”的杰克·韦尔奇，更是比在他之前的任何一任公司总裁都要重视人才的选拔，时时刻刻都在发现人才，造就人才。

性格直爽的乔伊丝是杰克·韦尔奇在上任前就很欣赏的人才。她信心坚定，非常聪明，念过MBA，精通管理，在很多管理领域都受到过良好的训练，特别是她处理复杂纠纷的才能，更是为人称道。当时，乔伊丝任职于康·爱迪生（Con Edison）公司。由于当时该公司的公共事业部门正饱受电力中断的困扰，康·爱迪生公司总裁任命她担任这个部门的高级副总裁，专门负责公共事务。

韦尔奇非常欣赏乔伊丝，一直想把她聘请过来。有一次，他们约好了一起吃饭。韦尔奇想趁这次机会好好地测试一下她，于是，在吃饭之前他简单地调查了一下她的背景，得知她是一个体育新闻迷，韦尔奇决定给她出一个高难问题，一来为了活跃气氛，二来也是为了看看她的应变能力。

吃晚饭的时候，韦尔奇很自然地和乔伊丝聊起了体育新闻，开始的时候他装得很不经意的样子，突然问乔伊丝：“还记得1946年的红袜队中谁是二

■ 在GE公司的发展历史上，其十几任总裁在用人方面都各有特色，尤其是后来被誉为“全球第一经理人”的杰克·韦尔奇，更是比在他之前的任何一任公司总裁都要重视人才的选拔，时时刻刻都在发现人才，造就人才。

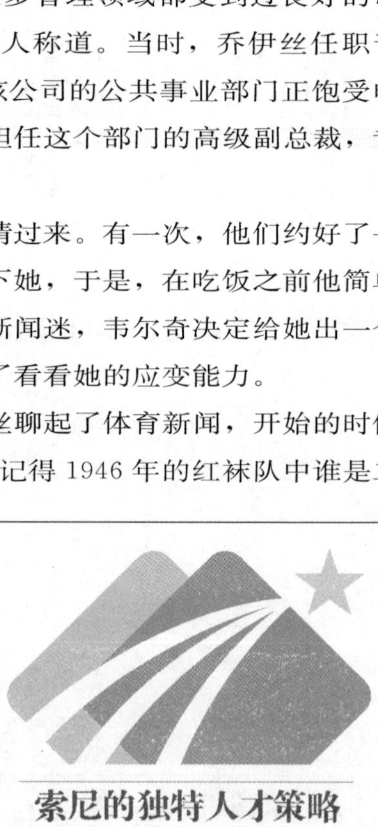

索尼的独特人才策略

垒手吗?”她想都没想，本能地回答道：“鲍比·多尔。”言语中充满了自信。这让杰克·韦尔奇着实有些惊讶，他自己就是红袜队的终生球迷，所以依然还清楚记得1946年的那次大赛。

于是，韦尔奇继续问下去：“过了这么久你竟然还记得，真不错。不过，你还记得当时是谁拿了太长时间的球?”

“哦。”乔伊丝稍作思考，“你是指以挪士·斯劳特一垒打得分以后吗?”韦尔奇更惊奇了，点了点头。乔伊丝立刻回答道：“约翰尼·派斯基!”

当然，韦尔奇并不是因为乔伊丝丰富的棒球知识而最终雇用她的，而是因为她能给公司做出更多的贡献。一个对自己兴趣爱好如此投入的人，一旦把她的才华施展到合适的事业上，将会产生多大的奇迹简直无法想象！事实也正是这样，作为GE公司的公共关系副总裁，自加入公司以后，乔伊丝就精心铸就GE的声誉，为GE做出了巨大的贡献。

像乔伊丝这样的例子还有很多。一次，韦尔奇在马路上驾驶着自己的大众轿车，不巧，汽车的引擎突然熄火了。他只好把车子拖到一家修理站，当时接待他的是一位名叫霍斯特·欧博斯特的德国技师。修好后，这位胆量惊人的德国技师竟然开着韦尔奇的大众车四处越野，美其名曰“试车”。换作一般人肯定颇为不满，但是，韦尔奇对他的胆量非常赞赏，还和他建立了很好的关系，并决定将他引进GE公司。一周以后，霍斯特便到GE的一家塑料公司工作了。事实上，霍斯特没有辜负韦尔奇的期望，他在那里辛勤工作，得到了好几次提升，为GE服务了整整35年。

索尼的独特人才策略

■ 韦尔奇并不是因为乔伊丝丰富的棒球知识而最终雇用她的，而是因为她能给公司做出更多的贡献。一个对自己兴趣爱好如此投入的人，一旦把她的才华施展到合适的事业上，将会产生多大的奇迹简直无法想象！

第八章

索尼的创新文化

创新文化是创新的灵魂，它是指有利于开展创新活动的一种氛围，是创新活动中产生的与整体价值准则相关的集体创新精神及其表现形式的总和。园区环境、整体形象和规章制度是创新文化的外在表现形式。创新精神、科学思想、价值导向等是创新文化建设的核心内容。

作为一个国际化的大型公司，具有 50 多年历史的索尼是年轻的，但它已经培养了自己独特而深厚的文化底蕴。“索尼……用自由豁达的胸怀，成就着一代又一代索尼人的梦想。索尼把创新视为自己的第一生命，不断奋进，最大限度地发掘人才，让每一个人都尽其所能、百炼成钢、奋勇开拓。”这句话出自记载索尼发展历程的《源流》，它也正是对索尼文化的精辟概括。

8.1 自由、开放

创新是科技的灵魂，没有创新便没有科技。索尼以创新至上，始终将创新作为自己最神圣的事业。在索尼公司的指南和小册子中提到一篇题为“索尼精神”的文章。文章这样写道：“索尼是开拓者。它的窗口总是朝着未知的世界打开着，充满了生气蓬勃的景象。索尼人面对人们所不愿做的工作和

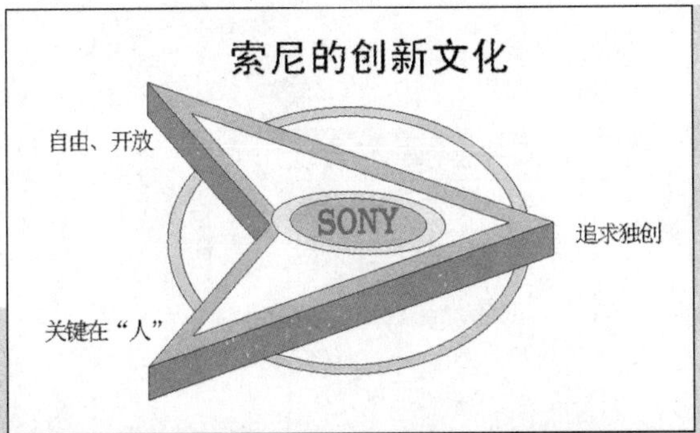

■ 索尼把创新视为自己的第一生命，不断奋进，最大限度地发掘人才，让每一个人都尽其所能、百炼成钢、奋勇开拓。

人们所回避的困难，敢于尝试，积极争取，并在企业中加以实现。同时，从新产品的开发，到生产和销售的整个过程中，期待、要求，并保证必须是具有创造性的工作。索尼人真正的喜悦，就在于此。”索尼就是这样，它为员工们提供了一个自由、开放的新文化环境。

索尼公司创业之初，大部分管理者都是技术专家，从事技术研究工作时养成了互相磋商、尊重科学、尊重他人意见的习惯。加上开始大家对新产品和市场营销都没有什么经验，遇到问题大家总是共同商议，再交给具体负责的人去执行。

井深大担任总经理时，新的开发项目要经过高层领导共同商议，并且征求有关技术部门的意见后决定。如果技术部门认为哪项产品技术有发展前景，也可以先行研制。井深大虽然自己也精通技术，但是他从不对研究人员的工作横加干涉，他充分尊重第一线技术人员的想法，放手让他们施展才华，这样反而推动了产品研制工作的进展。

在索尼的这种文化氛围里，员工们有按照自己的想法进行研究的权利。曾任索尼公司研究部部长的植村三良毕业于东京物理学校，并在日本东北大学理学部取得硕士学位。索尼展开大规模的晶体管研究时，植村来到索尼公司。植村三良进公司之后没有进行实用技术的研究，而是把大量的时间投入到磁记录的基础研究和年轻研究人员的培养工作中。

当时，对植村三良的研究方向，井深大并没有提出异议。他认为植村三良是位学者型的技术人才，对他的工作一直采取比较宽容的态度。

20 世纪 60 年代初，植村开始投入电子计算机线路的研制，取得初步成果之后，他又打算正式开发计算机。他向井深大汇报了自己的想法之后，井

■ 井深大虽然自己也精通技术，但是他从不对研究人员的工作横加干涉，他充分尊重第一线技术人员的想法，放手让他们施展才华，这样反而推动了产品研制工作的进展。

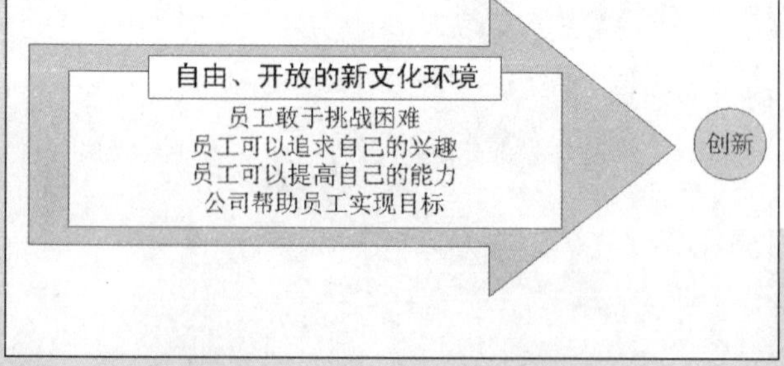

深大认为计算机的市场有限，发展余地不大，就委婉地回绝了植村三良的申请。但是，植村三良并没有就此罢休，他了解公司在研究项目管理上的开放性，便自作主张，组织几名技术人员继续研究下去。他认为计算机技术主导工业生产的时代就要到来了。

植村三良刚开发出试制机就被井深大发现了，他虽然还是不同意搞这个项目，但是并不干涉植村三良等人按自己的计划继续进行研究。井深大认为，索尼公司在计算机领域没有基础，应该避免与有实力的计算机大企业正面竞争。而小型计算机还是个空白，可以试一试。植村三良不经批准就开始研制，虽然有违井深大不向计算机领域发展的计划，但井深大还是采取尊重植村三良做法的态度。

植村三良和几位技术人员开始把研制小型电子算盘作为下一步的目标。产品体积要改小，原来采用的晶体管、线路板、存储器等都不适用了，要重新筛选零部件，重新设计，重新试验和组装。但他们毕竟有了一些经验，所以，新的设计很快拿了出来。

1962年夏，植村三良等人完成了第一台带电动打字的八位数计算机"M-3型"样品的研制。井深大认可了研制的阶段性成果，同意进行深入研究。这反而给植村三良很大的压力，当初，是自己执意要做下去的，因为不是公司的正式开发项目，当时做不成，影响也不大。现在，井深大正式批准了研究项目，必须早日完善设计，提高性能，争取投入批量生产。

完善"M-3型"的工作异常艰难。仅靠已有的晶体管和集成电路技术，不能实现降低耗电量的目标，必须同时开发研制符合计算机要求的硅晶体管、硅二极管和混合集成电路。植村三良对零部件要达到的水平，要求非常

■ 1964年3月，世界第一台晶体管台式计算机"索尼MD-5型"研制成功。全机用了800个晶体管，可以进行八位数运算。

严格，稍有差距就从头再来。

1964 年 3 月，世界第一台晶体管台式计算机“索尼 MD-5 型”研制成功。全机用了 800 个晶体管，可以进行八位数运算。仅隔几天，夏普公司也宣布试制成功晶体管台式计算机，用了 4 000 个晶体管，可以进行 20 位数字的运算。但是在体积上，“索尼 MD-5 型”更小，更精巧。

于是，植村和其他技术人员继续进行实用化的研究。他下一个目标是研制能进行小数运算、能自动四舍五入、能显示百分数的新型计算机。他还设想新的台式计算机应该更小巧，适合家庭主妇计算家庭开支的需要。

1965 年，夏普的台式计算机率先进入批量生产，紧接着其他企业的台式计算机也纷纷进入市场。销售台式计算机的厂家增多的结果，是互相降价倾销。而这时的植村还在进行提高性能的研究。直到 1967 年，能够进行复杂运算的“SOBAX”型台式计算机终于完成了。但是，与高性能对应的高价格使计算机进不了一般家庭。因为，按当时的购买力，花 26 万日元买一台计算机用于家庭开支计算，的确不现实。所以，植村三良希望大批量生产的想法没有实现。索尼公司在日益激烈的台式计算机竞争中，急流勇退，停止了继续生产和研制。

植村三良虽然没有成功，但他研制“索尼 MD-5 型”的过程却体现了索尼公司的这种自由开放的文化气氛。索尼公司总是不断地鼓励着员工们发挥他们的才能，争先恐后地拿出自己的产品，为公司所用，使索尼公司的竞争优势得以增强，这也正是索尼公司成立以来一直取得佳绩的原因所在。

■ 索尼公司总是不断地鼓励着员工们发挥他们的才能，争先恐后地拿出自己的产品，为公司所用，使索尼公司的竞争优势得以增强，这也正是索尼公司成立以来一直取得佳绩的原因所在。

8.2 关键在“人”

19 世纪末，西方“管理学之父”泰勒创立的科学管理是将人当作机器一样看待，要求人—机的最佳匹配，最终使人成为机器流水线的一部分。

20 世纪 20 年代以后，管理的中心由物转向人。20 世纪 70 年代，企业管理理论进入三论管理（系统论、信息论与控制论），管理的重点放在人—机系统的协调控制上。

20 世纪 80 年代，美国学者提出了企业文化理论，强调“企业即人”。认为企业中人、财、物的管理应是一个有机系统，其中人处于管理的中心和主导地位。企业文化更强调企业精神、全体员工共同的价值取向及在此基础上形成的凝聚力、向心力，因而其被称为柔性管理。

崛起于 20 世纪 50 年代的索尼早早就确立了以人为本的管理思想。索尼公司的领导人一致秉承这样的理念：只有管理好“人”，利用好“人”，教育好“人”，培训好“人”，才可能团结一致，精诚合作，朝人所未至的未知领域开拓，才能取得完满的成功。

索尼的创始人非常重视员工在公司中的地位和作用。例如盛田昭夫就认为，公司肯定是要赚取利润的，但利润绝对不是可以代替一切的最为重要的事情。公司一旦录用员工，就必须视员工为助手或同事，而不是赚钱盈利的工具。在索尼，经理们最重要的使命是建立与员工之间的良好关系，在公司内塑造一种家庭式的情感气氛，使员工与经理之间产生一种休戚与共、同甘共苦的共同使命感。

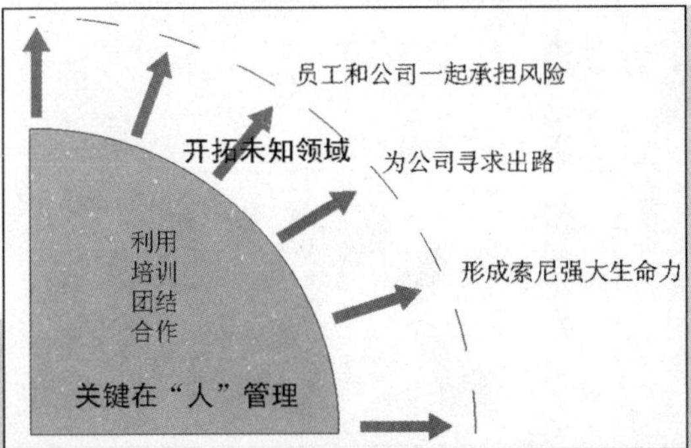

■ 在索尼，经理们最重要的使命是建立与员工之间的良好关系，在公司内塑造一种家庭式的情感气氛，使员工与经理之间产生一种休戚与共、同甘共苦的共同使命感。

索尼公司向来不赞同美国公司那种把回报股东列为优先的做法，而提倡将股东与员工看得同等重要，有时员工甚至更重要。在索尼的领导人看来，股东为了追求利益，其行为常有变化，而唯有员工才会为个人及公司最大的理想尽心尽力，所以说员工才是企业最需要、最重要的。

在索尼的精神里面，“人”是最关键的，这是不争的事实。索尼多次强调，“人是一切活动之本”。据观察，周围的日本企业，像索尼公司这样重视“人”的管理方式几乎是少之又少。有的企业，人事部门就是高高在上的特权阶层，员工由他们随心所欲任意挑选，工作随意安排，把员工放在次要的位置随便支配。员工得不到应有的尊重，这对于企业的长期发展是极其不利的。而在索尼，互敬互重一直是其管理的基础。索尼清楚地认识到，索尼不是只属于少数管理者，而是属于全体员工。不论在何处，管理人员和普通的职员都是索尼大家庭的重要成员。这在经营上表现为员工与经理之间待遇差别的不断缩小。公司不给管理者巨额资金、购买股票的特权以及更多的退休费，而是力图避免劳资双方之间产生任何不公平待遇，因为劳方人员和资方人员同等重要。

同时，索尼的高层领导经常直接和员工接触。作为一个大企业的最高首脑，他们常常到各个下属单位了解具体情况，争取和较多的员工直接沟通。盛田就经常抽空到下属工厂或分店转一转，找机会接触一些员工。有一次，盛田在东京办事，特意来到一家索尼的小店，对员工自我介绍，说：“我来这里打个招呼，相信你们在电视或者报纸上见过我，今天让你们看一看我的庐山真面目，看看我是一个什么样子的人。”这一句话把大家都给逗笑了。空气一下由紧张变得轻松，盛田和员工随意攀谈家常，有说有笑，既融洽又

■ 索尼规定所有的经理都必须离开办公室，到员工中间去，认识、了解员工工作情况，倾听他们的意见，调整部门的工作环境，使员工能生活在一个轻松、透明的工作环境中。

温馨，和员工一起沉浸在一片欢乐之中，同时让员工为自己是索尼公司的一员而倍感自豪。当然，随着公司的规模越来越大，员工也越来越多，索尼的领导者不可能都接触到每一个员工，即便这样，他们也常常努力地尝试去了解更多的员工。索尼规定所有的经理都必须离开办公室，到员工中间去，认识、了解员工工作情况，倾听他们的意见，调整部门的工作环境，使员工能生活在一个轻松、透明的工作环境中。

应该说，这正是因为有这么一支越来越大的万众一心、固守岗位、自觉负责的队伍，索尼人才能够一次又一次充当世界先锋，在创新的领域留下索尼的脚印，在产品的开发上实现自己的梦想。也正是由于索尼公司对于“人”的爱护，索尼员工才愿意和公司一起承担风险，形成索尼的强大生命力。

8.3 追求独创

追求独创一直是索尼内在的文化品质，也是索尼成功的最大奥秘所在。索尼“始终是一个未知世界的开拓者”，从 20 世纪 50 年代制成袖珍晶体管收音机以来，索尼不断推出划时代的产品，始终领导着电器产品新潮流，这正是索尼追求独创的充分体现。走进索尼公司，到处可以看见“索尼：研究使它与众不同！”这句被公司奉为座右铭的格言式标语，是鼓励员工们追求独创的强大动力。“追求独创，竭力为全世界服务”，这是索尼的宗旨。

索尼的前董事长盛田昭夫提出的“夹缝理论”就是追求独创精神的最好例证。

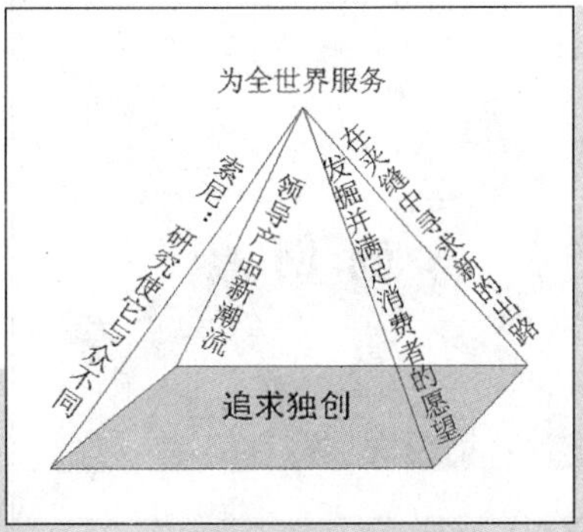

■ 追求独创一直是索尼内在的文化品质，也是索尼成功的最大奥秘所在。

当时，索尼在电子行业刚刚有所发展，就遭遇了日本国内的经济萧条，各日本公司压力很大，纷纷大幅度地降低自己公司的产品价格。那时，索尼就敏锐地意识到了这样做的弊端，这样不仅会降低品牌的价值，还会使公司陷入降价的怪圈中，这样做无疑是把自己推向灭亡。

然而，作为技术性公司，对于残酷的商战，索尼如果不做好应对的准备，必然只有死路一条。在这种情况下，盛田昭夫提出了“夹缝理论”：我们把一个企业比作一个圆，那么一个一个的企业就像是许多的圆挤在一起，表面上看，好像没有插足之地，其实插足的地方，就在圆与圆之间的缝隙。

“夹缝理论”让整个公司坚定了信心，员工们把为企业寻求出路作为个人的工作目标。在当时，索尼在日本国内要有很好的发展是不太现实的，所以它选择了海外市场。虽然这是个在其他企业看来不可思议的选择，但索尼的坚持不懈，使其业绩呈直线增长，得到了快速发展。

在激烈的竞争中，索尼很清醒，它知道自己的真实实力，也看到了当时局势的种种弊端。这些弊端很可能令索尼致命，但它从不逃避，而是以与其他企业不同的独创精神，在夹缝中寻求新的出路。也正是这一点，造就了索尼跻身于世界500强，并且在电器行业中一直处于领先地位的奇迹。

在技术方面，索尼不断地改造创新，这也是它追求独创精神的最佳体现。从公司创立时提出的“做别人未做之事，研制全世界都能接受的新产品”，到今天在全球范围内经营业务，这正是索尼重视科研、重视技术改造，以在技术上追求独创的结果。几十年来，索尼公司始终坚持以新取胜的方针，不断研究新形势、发展新技术、开辟新领域、占领新市场，总是先人一步，胜人一筹，力求做到与众不同。

■ 从公司创立时提出的“做别人未做之事，研制全世界都能接受的新产品”，到今天在全球范围内经营业务，这正是索尼重视科研、重视技术改造，以在技术上追求独创的结果。

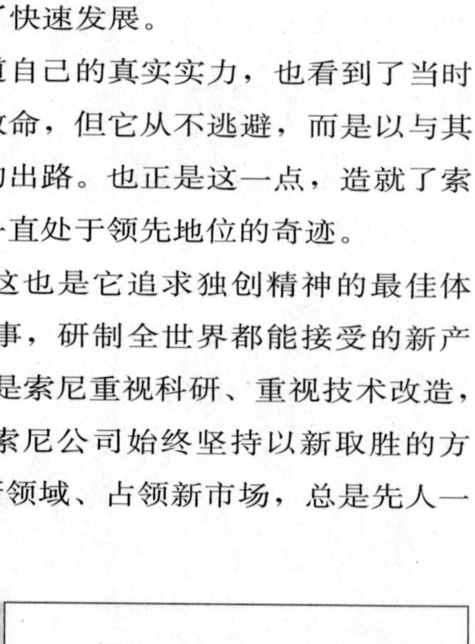

索尼一直认为，应该鼓励员工的独创精神，防止埋没每个人的个性和才能，只有这样，企业才能充满活力。为了更好地创新，索尼专门提出了三项创新理念：技术创新、产品创新和市场创新。而要做到这一点，就必须拥有精兵强将，还要激发他们的创造力。索尼认识到，管理者学会发掘出员工的潜在创造力是至关重要的。管理者要确定目标，制订计划并鼓励员工加倍努力，要不断的给工程技术人员确定目标，这是与技术人员合作的重要责任。还应充分授权给技术人员，为保障这一点，管理者必须懂得技术，能判断技术人员提出的新设想、新发明和新技艺的可行性。

发掘并满足人们尚未表达出来的愿望是索尼追求独创的目标。索尼一旦察觉出消费者对于产品的某种需求，便千方百计满足这一需求，然后再向公众说明。盛田说过：索尼并不是根据市场调查生产新产品，而是把别人发明的东西拿过来，然后加以改造，在不断的使用中进行发展，形成所谓的“适应市场的创造力”，使之臻于完善。同时也不放弃努力挖掘自己有先进技术基础的令人眼花缭乱的科学技术宝库。索尼公司始终将技术开发摆在重要位置，确保研究发展的费用占总开支的6%～10%。每年还举办一次内部技术博览会，既便于内部先进技术的交流和利用，又确保了技术的保密性。

现在，随身听、MD、CD这些曾是索尼独有的东西，已经有了许多其他的品牌。可是，有很多的音乐发烧友仍然只对索尼的产品情有独钟。显然，这是因为索尼有特别的东西在里面。这种特别就是索尼以追求独创的精神努力追求别人没有的东西。

■ 发掘并满足人们尚未表达出来的愿望是索尼追求独创的目标。索尼一旦察觉出消费者对于产品的某种需求，便千方百计满足这一需求，然后再向公众说明。

附录：索尼文化带来的启示

面对 21 世纪的世界经济状况和中国加入 WTO 的局面，中国的企业和中国的经济面临着前所未有的挑战，中国的企业和企业管理也面临着与国际化接轨的严峻课题。既要面临同行业企业间的激烈竞争，同时又要面临着全球化经济和网络时代所带来的挑战，在这样的形势下，企业文化的创新已成为企业创新不可分割的重要组成部分。要发展有中国特色的企业文化，就需要从理论和实践两方面来把握中国企业文化的发展方向，要加强企业文化的研究，提出有中国特色的企业文化理论，加强企业文化建设实践中的科学理论指导。只有这样，才能使中国企业文化的发展适应于现实的需要，适应于中国的现代化进程。具体来说，企业需要把握好以下三个方面：

首先，要加强企业文化研究。

从索尼企业文化现象的发现到企业文化研究 20 年的迅猛发展来看，他们走的是一条理论研究与应用研究相结合、定性研究与定量研究相结合的道路。

20 世纪 80 年代中期，在对企业文化的概念和结构进行探讨之后，索尼便马上转入对企业文化产生作用的内在机制，以及企业文化与企业领导、组织气氛、人力资源、企业环境、企业策略等企业管理过程的关系的研究，进而对企业文化与企业经营业绩的关系进行量化的追踪研究。定量化研究是在企业文化理论研究的基础上，提出用于企业文化测量、诊断和评估的模型，进而开发出一系列量表，对企业文化进行可操作化的、定量化的深入研究。

■ 21 世纪中国企业文化的研究应该坚持理论研究与应用研究相结合、定性研究与定量研究相结合的原则。

21 世纪中国企业文化的研究应该坚持理论研究与应用研究相结合、定性研究与定量研究相结合的原则，主要侧重于以下三个方面：一、在中国文化背景下，探讨中国企业文化的基础理论，研究企业文化与中国传统文化及当代社会文化的关系，企业文化与企业管理、企业环境、企业发展以及企业创新的关系等，提出有中国特色的企业文化理论。二、加强企业文化的应用研究，进行企业文化的测量、诊断、评估和咨询的实证研究，在此过程中，推动企业文化实践的发展。三、加强企业文化的追踪研究，企业文化的塑造不是一次性完成的作品，它要随着企业的发展和变化而做出及时的调整和改变，才能对企业的长期发展产生深远的影响。所以，对企业文化进行追踪研究的价值是不可低估的。

其次，要正确处理好企业文化与社会文化的关系。

企业文化作为社会文化的一个组成部分，它既是社会文化变迁的缩影，又通过其新技术、新产品所倡导的理念引导市场潮流、引领社会时尚，改变人们的生活方式，改变人们的观念，从而为社会文化的发展注入新的活力，丰富社会文化的内涵。

社会文化对企业文化产生影响的途径之一是，通过企业家这个载体，将其在长期社会生活中形成的关于人性的基本假设、价值观、人生观和世界观运用于企业发展和企业管理过程中，形成独特的、相对稳定的行为准则、行为规范、企业内部的文化氛围和企业产品的文化品位。这是社会文化渗透于市场经济运作过程的一种重要形式。一种开放的、适应性强、鼓励创新的企业文化很明显是多数成功企业不断进取、不断创新的源泉和基础。而这样的企业文化来源于企业家对社会发展方向的把握，来源于企业家对传统文化的

■ 企业文化作为社会文化的一个组成部分，它既是社会文化变迁的缩影，又通过其新技术、新产品所倡导的理念引导市场潮流、引领社会时尚，改变人们的生活方式，改变人们的观念，从而为社会文化的发展注入新的活力，丰富社会文化的内涵。一种开放的、适应性强、鼓励创新的企业文化很明显是多数成功企业不断进取、不断创新的源泉和基础。

影响和对当代社会文化变迁过程的深刻理解，来源于企业家在长期的社会生活中所形成的观念和素质。没有这些对社会生活的深厚积累，要塑造一种优秀的企业文化并把握其发展是比较困难的。

社会文化对企业文化发展产生影响的另一个途径是，对市场和社会环境的渗透。不同的社会文化会影响人们对市场的价值选择和对市场的适应性，社会文化的变化也会引起人们在价值选择和对市场的适应性方面的变化，影响人们对产品的认同程度和心理需求。例如，20 世纪 90 年代以来，中国城镇居民的消费观念由原来的注重产品本身的使用价值转变为在严格对待产品质量的基础上，更加关注产品的品牌、售后服务、环保性能和更新换代的前景，产品和服务的个性化、多样化越来越受到人们的普遍欢迎。因此，企业在塑造自己的企业文化、确定企业经营理念时，一定要把握社会文化变化的趋势，在产品的目标定位、企业的经营策略、新产品的研究与开发方向上做出相应的调整，使产品、经营和社会文化之间产生协调与相容。在此基础上，企业为社会提供的就不仅仅是一种产品，而且是一种文化。

最后，注重企业环境变化对企业文化发展的影响。

21 世纪是个快速变化的时代。企业环境包括企业的技术环境、人力资源环境、金融环境、投资环境、市场需求环境等，这是企业发展所依存的客观环境，直接影响着企业的短期效益和生存能力。此外，还有政策、法制、社会评价、公平竞争、社会信誉等主要由人为因素控制的社会发展软环境，对企业文化发展的影响看起来较为隐含、较为间接，然而实际上对企业长期的经营业绩和企业的竞争力有着潜在而深刻的影响。这些环境因素在 21 世纪会呈现出更加复杂的联系和难以想象的变化。

■ 企业要立于不败之地，就要在其发展战略、经营策略和管理模式方面及时做出相应的调整。企业文化的内涵也要反映出环境的复杂性和紧迫性所带来的挑战和压力，对企业内部要保持较高的整合度，对外要有较强的适应性。

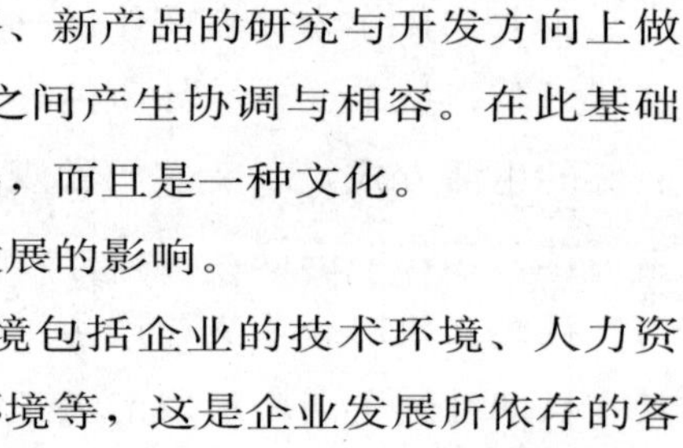

企业要立于不败之地，就要在其发展战略、经营策略和管理模式方面及时做出相应的调整。企业文化的内涵也要反映出环境的复杂性和紧迫性所带来的挑战和压力，对企业内部要保持较高的整合度，对外要有较强的适应性。通过对企业主导价值观和经营理念的改革推动企业发展战略、经营战略的转变，使企业文化成为蕴藏和不断孕育企业创新与企业发展的源泉，从而形成企业文化竞争力。

任何一种管理模式都有它适用的条件，都有其利与弊。企业文化作为一种文化管理模式，也是如此。20 世纪 80 年代，美国和日本开始重视企业文化现象，它是日美经济社会发展到一定阶段的产物，同时也与西方社会后工业阶段的现代化进程有着密切的关联，它代表了西方管理理论发展的一个趋势。因为一种管理模式的有效性不可能脱离与之相匹配的生产方式和社会文化的发展，所以，要正确看待像索尼这样国外企业文化形成和发展的社会经济条件，不要简单地肯定或否定某种管理模式的有效性，而应将其放置于中国传统文化的变革之中，结合中国的现代化进程，才能把握中国企业文化发展的趋势。

总之，发展中国的企业文化一定要立足于中国文化的背景，结合我国企业管理实践和现代化进程，同时，也要借鉴像索尼这样的国外关于企业文化研究的理论和方法，建设有中国特色的社会主义企业文化。

——摘编自网络文章《对中国企业文化发展的反思》作者：ZJSTU

案例：松下公司的企业精神

松下电器公司是日本最大的家用电器生产厂商之一，其子公司遍布全世

■ 总之，发展中国的企业文化一定要立足于中国文化的背景，结合我国企业管理实践和现代化进程，同时，也要借鉴像索尼这样的国外关于企业文化研究的理论和方法，建设有中国特色的社会主义企业文化。

界，素有“松下电器王国”之称，被列为世界最大的50家公司之一。

松下电器公司能取得如此辉煌的成就，与其倡导的“松下精神”密不可分。公司的创始人松下幸之助认为：任何一个企业要想创造非凡的业绩，都离不开全体员工的勤奋努力、协同进取。所以，他在公司的生产经营活动中，时刻不忘培养员工对本公司的“松下精神”，使全体员工爱自己的企业，培养员工对企业的归宿感。

首先，松下幸之助亲自填写了一首歌，作为厂歌，歌词是：“为了建设新日本，要贡献智慧和力量，要尽力增加生产，让产品行销世界，像泉水源源涌出，大家要精诚团结，松下电器万岁。”他要求每个员工都要以厂歌为自己的座右铭，指导自己的行动。至今，松下公司的员工每天上下班都要高唱厂歌，并精神饱满地为公司建功立业。

其次，松下幸之助还特别重视对年轻人的培养工作。他把公司的兴旺发达全都寄托在人才上面。他认为：人对于企业来说，是第一位的因素，培养人才必须先于生产。为此，他明确地提出一个响亮的口号：“在出产品之前出人才！”早在公司成立之初，松下幸之助就要求各部门负责人必须明确认识到员工是松下公司未来的骨干，必须以家长式的亲切态度来关心他们的生活、工作和学习。松下公司在安排工作上，坚持用其所长，人尽其才，才尽其用的原则。为了不断提高公司骨干的业务能力和专业素质，松下公司花费了大量心血和财力，不仅坚持让他们在实践中增长才干，而且舍得花时间让他们参加脱产学习。而且，对于培养出来的骨干，公司不分资历深浅，经验多少，只要可信赖，一律给予重用。

第三，建立民主和谐的气氛，使员工在企业中心情舒畅地工作，士气高

■ 松下幸之助还特别重视对年轻人的培养工作。他把公司的兴旺发达全都寄托在人才上面。他认为：人对于企业来说，是第一位的因素，培养人才必须先于生产。

昂地干活。松下幸之助规定，如果员工对公司不满，可以自由地提意见，而他本人对自己的缺点和公司的问题也从不遮掩，并且经常征求员工的意见。更有趣的是，松下幸之助为了和谐上下级关系，还在总公司管理处门前，树立了一个像自己模样的橡皮人。如果哪个员工对公司或对自己有意见，可以随意抽打这个橡皮人，以发泄心头之火。松下公司从上到下都不盛气凌人，公司董事长经常走到员工之中与他们自由交谈，因而在松下公司人人都感到愉快、和谐。

通过这些措施，松下公司在企业员工中灌输了“企业如家”的思想，培养起员工的“松下精神”，增强了公司的凝聚力。因而，即使是在困境中，员工也能与企业同甘共苦，齐心协力渡过难关；而在顺境中，团结奋进的员工集体更是为企业的腾飞插上了翅膀，使松下公司取得了更大的成就。

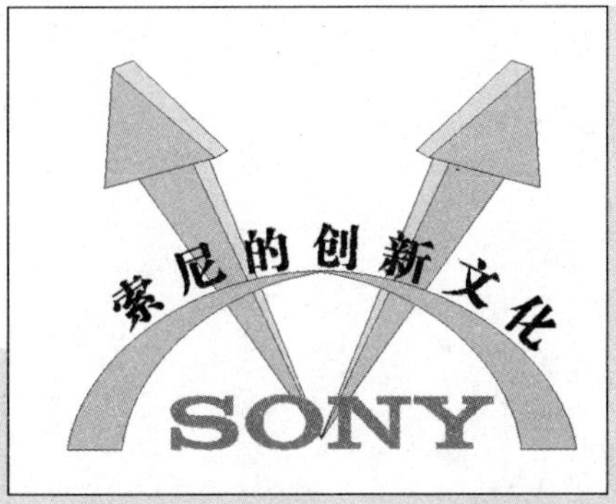

■ 松下公司在企业员工中灌输了“企业如家”的思想，培养起员工的“松下精神”，增强了公司的凝聚力。

第九章

索尼的竞合创新

在 20 世纪的大部分时间里，虽然商界一直井然有序，一切都在意料之中，但是激烈的商业竞争仍不可避免：可口可乐公司和百事可乐公司，通用汽车和福特公司，都是对抗的典型例子。直到今天，虽然有些对抗必定还要持续下去，但是同时也出现了诸如公司共享专利使用、转让协议、研发团队、供应协议——这些都使得公司内部和外部交易的界限变得模糊起来。特别是互联网、媒体与娱乐公司的融合促成了一些奇怪的联盟，像媒体巨人美国在线与时代华纳的大合并就是一例。可能有些合作方式难免会出现一些问题，但新的数码时代正逼迫这些昔日的劲敌互相妥协，或多或少地握手言和。

人们把这种与竞争者进行合作的关系称为——竞合。公司与公司之间可能在一个领域竞争，却在另一个市场空间里合作；一群公司可能会为了要和另一群公司竞争而走到一起；一些在某个领域里结成联盟的公司也可能会在另一个领域里展开激烈的竞争。

竞合作为竞争的高级阶段，以双赢为出发点，其合理性和正确性不言而喻。与对手合作，改变了“同行是冤家”的局面，使企业获得更多的发展机会，并能够在合作中增强自身的实力，提升自己的地位。因此是一种在竞争

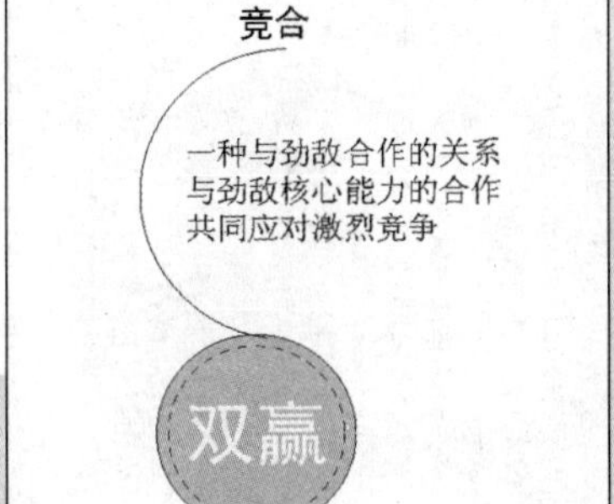

■ 竞合作为竞争的高级阶段，以双赢为出发点，其合理性和正确性不言而喻。与对手合作，改变了“同行是冤家”的局面，使企业获得更多的发展机会，并能够在合作中增强自身的实力，提升自己的地位。

中争取主动权的积极做法。

以往，索尼总是抱着“一切自己干”的想法以及“只相信自己，排斥别人”的态度，独立发展自己的各项业务。如今，在这个全球经济环境越来越复杂的形势下，索尼公司意识到，自己原有的想法已经不适应时代的要求，它正在努力革新自己的观念，积极寻求合作，以求拥有更大的优势。

9.1 与飞利浦共赢

消费品电子行业中，索尼和飞利浦是主要的竞争对手，但他们在 CD 的发明和市场化上却成功地合作了一回。

当大众对 CD 的兴趣渐成气候时，电子业界开始形成发展 CD 的竞争狂潮。当时，索尼、飞利浦、松下、JVC 等企业都有这方面的研发实力。索尼那时在 CD 方面没有技术强项，落后于已有 CD 原型的飞利浦。如果按照以前索尼独立发展的想法，可能需要好几年的时间，索尼才能在 CD 方面有所突破。为了把握这一商机，索尼开始考虑寻求合作伙伴。

而飞利浦方面，为了确保自己在竞争中的领先地位，他们也想寻找一家合作伙伴，签订 CD 技术开发协议，共同把 CD 推广为标准规格。但是，该选哪家日本公司合作，飞利浦一直犹豫不决。

1979 年，飞利浦以传统的推销方式，为国际新闻界揭开 CD 音响系统的面纱，将之推入市场。当时飞利浦在铺着白色桌巾的陈列桌上，摆着一只外观与小型录音机极为相似的盒子，飞利浦的示范人员把一片闪闪发亮的小型光碟轻轻滑进盒子，桌巾下面摆的是早先那堆体积有一立方米的电子零件，

■ 消费品电子行业中，索尼和飞利浦是主要的竞争对手，但他们在 CD 的发明和市场化上却成功地合作了一回。

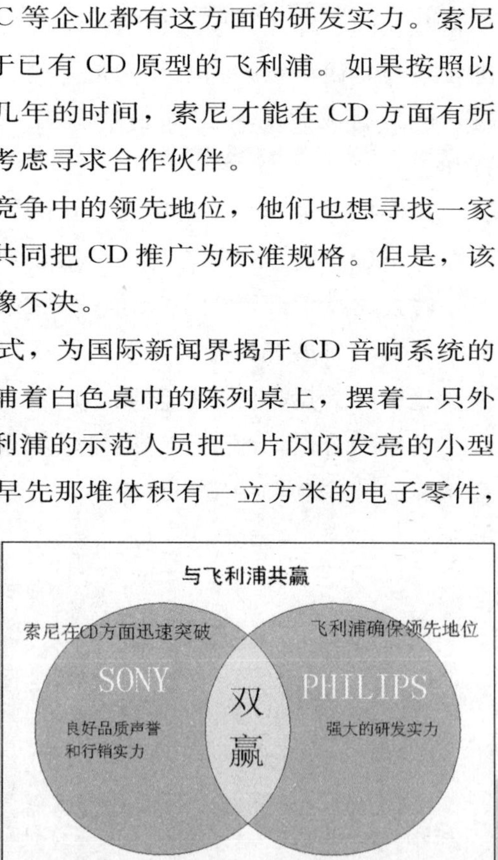

但在开放参观以前，已被小心地藏好了。这一展示使索尼公司颇为动心，开始考虑与飞利浦合作的可能性。

不久，索尼的董事长盛田便热情地邀请飞利浦方面洽谈合作事宜。事实上，索尼那时享有的良好品质声誉和行销实力同样十分吸引飞利浦，而且索尼拥有很强的数位编码技术，尤其是在数位校误技术上具有很大的优势，而这正是使 CD 音质纯净的关键。于是，飞利浦没有选择当时规格最大、实力最强的消费电子产品公司松下和已经开发出光碟技术的 JVC，而是毫不犹豫地加入了索尼的阵营。

索尼与飞利浦达成的协议，就此打破了 CD 标准化的僵局。当时，外加索尼和飞利浦，理论上有 10 家日本公司角逐唱片标准规格的竞赛，但实际上，是索尼和飞利浦联合对抗 JVC。JVC 是相当强劲的对手，它以生产超高品质的电子消费品著称，而且备受敬重。当时 JVC 的工程师做的 AHD 碟片，其资讯密度（即沟纹数目）已经高于飞利浦与索尼所合制的 CD。而且许多工业专家认为，AHD 的音质比较好。此外，JVC 与松下站在了统一战线，这一联合也对 JVC 大有助益。

因此，索尼和飞利浦必须赶在 1980 年 5 月前展示 CD。不用说，面临的压力非常大，因为当时剩下的时间还不到一年。每次举行标准化讨论会，双方通常带八九位工程师参加。两队人马一见面，总要连续讨论几个小时，甚至几天，会议室中荷兰文、日文穿插，工程术语也此起彼落。大家希望巨细无遗，每位工程师纷纷贡献所长。

为了建立标准规格，索尼从飞利浦那里分享了许多技术的优势。如果飞利浦没有提供对索尼的技术协助，索尼就得拼命追赶飞利浦。虽然起先是飞

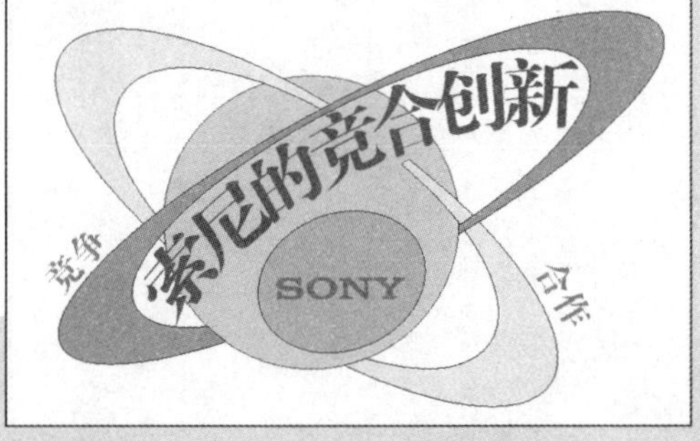

■ 索尼与飞利浦达成的协议，就此打破了CD标准化的僵局。当时，外加索尼和飞利浦，理论上有 10 家日本公司角逐唱片标准规格的竞赛，但实际上，是索尼和飞利浦联合对抗 JVC。

利浦的技术领先，但最后两家的贡献各占一半。如果单打独斗的话，两家公司也许要多花几年时间，才能得到相同的成果。

1980 年 5 月，通产省召开了关键会议，当时索尼与飞利浦的工程师尚未完成他们的工作，但他们的展示仍然发挥了很大的作用，终使制定唱片标准规格的通产省放弃 JVC 的 AHD，转而支持 CD，索尼和飞利浦就这样获胜了。

与飞利浦的合作是索尼历史上第一次与竞争对手的合作，也是索尼第一次抛弃独立开发技术的例行方式，与对手进行技术联合，共享成果。这一次的合作无疑是成功的，而更为重要的是它打开了索尼对外的联合之路。

9.2 携手爱立信

虽然索尼、飞利浦的联盟是成功合作的优秀典范，但索尼与爱立信合作开发手机的过程却表明，联盟合作也不是一帆风顺的，他们要或多或少地面对一些挑战。索尼与爱立信的合资经营之初就是失望多于希望。2001 年成立的索尼-爱立信联盟在第一年就没有达成预计的盈利目标。虽然第一季完成的 1.07 亿美元的销售额让人欢欣鼓舞，但第二季度却损失了接近 9 000 万美元。

在此后的几年里，索尼与爱立信的手机业都在亏损的状态中徘徊。当初，两者在各自手机发展停滞的情况下合作的。虽然爱立信手机销售额曾在 20 世纪 90 年代后期的手机市场里排名第二，但其设计笨拙，进入市场、树立品牌形象迟缓，手机业务一直存在着一些问题。同时索尼手机在全球市场

■ 与飞利浦的合作是索尼历史上第一次与竞争对手的合作，也是索尼第一次抛弃独立开发技术的例行方式，与对手进行技术联合，共享成果。这一次的合作无疑是成功的，而更为重要的是它打开了索尼对外的联合之路。

上所占的份额很小，就像是鸡肋式的一个业务。

在竞争激烈的手机市场领域，双方希望通过协作，组成双方持股各占50%的合资公司，发挥爱立信在信号传送方面的技术特长，结合索尼在消费性电子领域、品牌建立、市场营销上的专长和游戏娱乐方面的知识，让公司具备移动互联网研发所需的所有关键要素。简而言之，这个合资企业相当于工程师加销售员，这是一个符合当今企业运作趋势的决定，是个相当不错的计划。

要打败当时手机市场上排名第一的诺基亚集团，这是索爱自己设立的宏伟蓝图，它一开始就雄心勃勃地要在五年之内成为全球头号多媒体终端供应商。当时，它曾表示在未来，公司试图在手机上配置无线游戏功能，通过短信服务和索爱的蓝牙无线科技实现内容高效传递功能。尽管理想远大，但索爱手机还是没能在市场上赢得很大的份额。虽然 T68 三波段彩色手机取得了成功，但这可能是因为全球手机市场不景气。另外，虽然有索尼响当当的名号和爱立信在欧洲的销售网络鼎力相助，但索爱手机既没有取得像诺基亚那样的品牌知名度，也不像三星手机那样成本低廉。

如果把眼光放得长一点，不谈全球通信业不景气的原因，索爱面临的主要挑战来自承诺的兑现——主要是由于电信基础设施建设在全球低迷的大环境里一直举步维艰。2002 年的一次新闻发布会上，爱立信的首席执行官同时也是索尼爱立信的董事长柯德川透露说，爱立信可能会退出。这是一种失望的信号，但后来索爱马上又出来更正。作为索爱公司的董事长，柯德川先生在《华尔街日报》所刊登的文章中称并未改变索尼爱立信将成为移动多媒体产品业界第一的决心，并希望公众能够对索爱公司抱有信心。

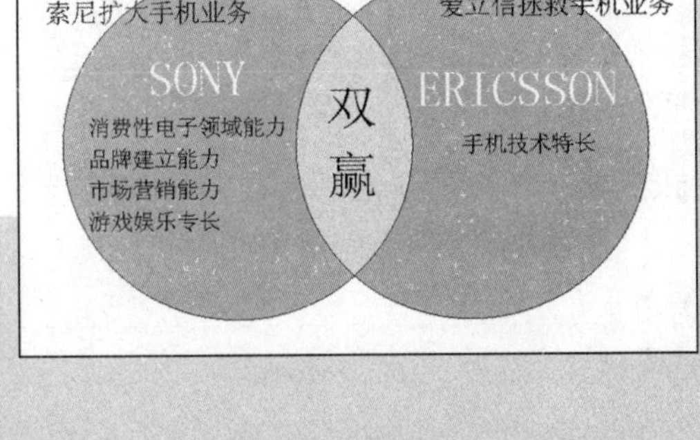

■ 在竞争激烈的手机市场领域，双方希望通过协作，组成双方持股各占50%的合资公司，发挥爱立信在信号传送方面的技术特长，结合索尼在消费性电子领域、品牌建立、市场营销上的专长和游戏娱乐方面的知识，让公司具备移动互联网研发所需的所有关键要素。

作为合资者，索尼相信索爱公司拥有美好的前景，同时对新产品寄予了厚望，并将努力推动索爱公司成为移动多媒体产品的业界第一。当时适时推出的新品，对公司的发展产生了积极的影响。索爱强烈感受到来自母公司双方对索尼爱立信公司的坚定承诺。

然而，合作的道路还是充满了崎岖。2002年，索爱因为消费者们想要更便宜的手机而取消了配有先进游戏功能的Z700彩屏手机的生产计划。

有专家分析说，索爱要想和诺基亚、摩托罗拉抗衡，和它们争夺更广泛的消费者群体，就必须拿出低端产品来，而不是像索尼在电子领域那样的特立独行。诺基亚和摩托罗拉虽然有针对复杂用户需求的功能多样的高端手机，但在经济萧条的大环境下，为迎合对价格分外关注的消费者们的需要，诺基亚和摩托罗拉都生产出了价格低廉的手机。虽然爱立信曾一度是手机市场上首屈一指的销售商，但时过境迁，根据2002年第二季度的数字显示，当时，索爱的市场份额只占摩托罗拉的1/3。索爱似乎处在了一个极为不利的境地。

虽然索爱起初的结果是不尽如人意，但是它并没有因此放弃，它认为现在就给索尼爱立信合资公司下定论恐怕还为时尚早。索尼坚持这次合作对双方来说，都是一个正确的决定。虽然索尼在营销和消费性电子产品方面特长显著，但是在无线科技和手机业方面经验不足，要孤身进入手机市场困难重重，也不足以应对来自诺基亚、三星和摩托罗拉的竞争。所以，需要通过合作来加强自己的优势。

2003年，索爱终于取得了历史性的突破。在经历了两年的跌宕起伏之后，由这两大跨国巨头各占50%股份合资成立的手机公司——索爱总算摘

■ 虽然索尼在营销和消费性电子产品方面特长显著，但是在无线科技和手机业方面经验不足，要孤身进入手机市场困难重重，也不足以应对来自诺基亚、三星和摩托罗拉的竞争。所以，需要通过合作来加强自己的优势。

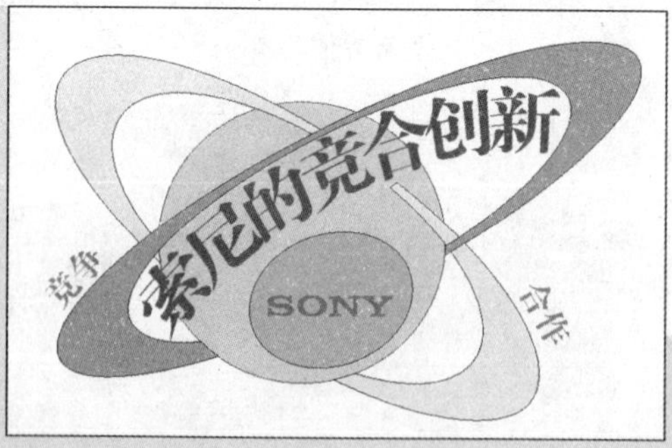

下了“亏损”的帽子，在当年第三季度闯过盈利关口：索爱的手机出货量达710万部，同比增长42%；销售收入达13.5亿欧元，同比增长50%；净利润达6200万欧元，实现扭亏为盈。

随着盈利的到来，各种传言也逐渐消失。索爱注重手机应用与内容的发展路线被证明是正确的。况且，这样一种上升的势头，是在市场竞争环境日趋恶劣、手机厂商利润普遍下滑的情况下取得的，因而显得尤为难能可贵。应该说，索爱这次的盈利，是结合两家母公司的优点，发挥了在手机的技术与多媒体内容方面的双重优势。

与合并之初的茫然不同的是，盈利给索尼带来了信心，索爱加快了新产品推出的步伐，尤其是加大了对拍照手机和智能手机的推广力度。P800上市较竞争对手晚了一步，但其强大的功能给市场留下了深刻的印象。而以功能新颖、价格适中为优势的拍照手机T618为索爱赢得了出人意料的成功，在欧洲与亚洲均大受欢迎，甚至连续三个月荣登中国香港手机销量榜首。此外，索爱在产品设计及企业管理上也进行了一些改进，注入了更多本土化的元素，也更多考虑索尼的整体发展策略。

目前看来，索尼将在合资企业里占主导地位，这和索尼全力推动合作项目向前发展是分不开的。索尼仍在努力扩大自己的优势，增加产品的附加值，并加强了在影像和游戏方面的体验，希望再写市场辉煌。2003年5款索爱手机在中国同步上市，至此，索爱在中国市场的上市机型总数已达12款，形成了一个从低中端到高端的完整的产品线，并以直板、折叠和高端商务机三线产品互为犄角全面出击市场。索爱因此站稳手机市场，并将继续打造美好的未来。

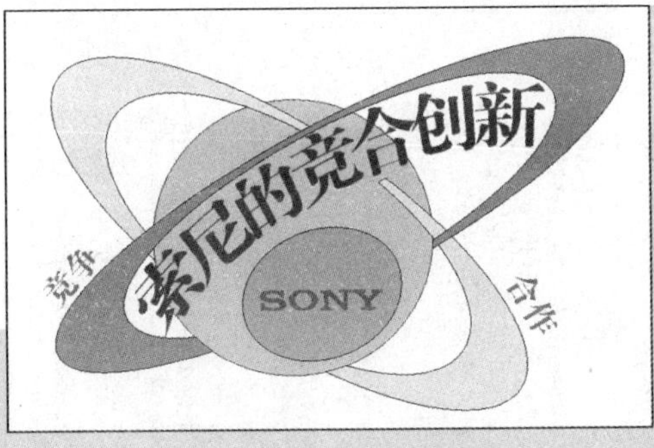

■ 目前看来，索尼将在合资企业里占主导地位，这和索尼全力推动合作项目向前发展是分不开的。索尼仍在努力扩大自己的优势，增加产品的附加值，并加强了在影像和游戏方面的体验，希望再写市场辉煌。

9.3 集众竞合

面对这个崭新的商业时代，索尼已经摒弃了过去长期以来持有的独立发展思想，开始积极寻求适宜的合作对象，进入新市场，吸引更多的消费者，取长补短，共同受益，以求更加长远的发展。现在的索尼已经和多方联合，在集众家所长的同时，又与其在另一些领域里竞争，形成了一个“集众竞合”的局面。

索尼所寻求的合作企业对它进入新的商业领域至关重要。例如，在中间人、索尼美国区董事长霍华德·斯金格的帮助下，索尼公司与微软、太阳微系统公司、思科系统公司以及这个“社区”中的其他成员保持着对话联系。

1998 年 3 月，索尼从太阳微系统公司那里获得了“personaUava”技术的特许使用权，并把它应用在新成立的软件平台研发中心正在开发的家庭娱乐网络环境里，这样索尼就开创了一种新的合作方式。

一个月以后，索尼和微软宣布索尼的家庭网络模块和交叉特许微软视窗 CE 的使用权。微软视窗 CE 是一种为数码消费性电子产品设计的操作系统，而索尼的家庭网络模块是一种中介，一种能让数码设备相互连接，相互操作的桥梁。在与比尔·盖茨一起参加的新闻发布会上，出井伸之宣布“PC 业和 AV（音像）业联手的时代到来了”。同年 7 月，索尼准许通用仪器公司使用它的家庭网络模块，用于研发数字“机顶设备”。这是一种电缆盒的变体，是通往入口的数字交互服务。

就这样，索尼拓展了自己在网络娱乐方面的路径。

■ 现在的索尼已经和多方联合，在集众家所长的同时，又与其在另一些领域里竞争，形成了一个“集众竞合”的局面。

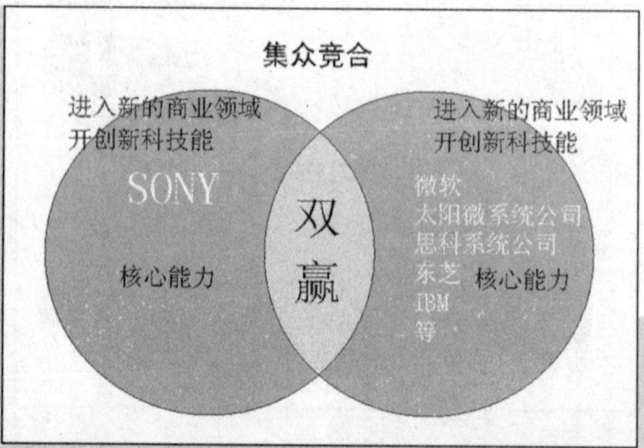

2002年，索尼投资2 000万美元买到了Palm（奔迈）公司的一家下属子公司Palm Source的少数股权。这家公司负责监视、升级Palm掌上电子记事簿的操作系统。索尼获得了Palm操作系统的使用权，并把它应用在Clie掌上电子记事簿上。而作为回报，索尼公司同意把记忆棒技术融入Palm的操作系统。索尼参股Palm公司说明索尼公司有意加强与Palm的联系，研发Clie掌上电子记事簿的升级平台。这些合作的目的之一就是要尽力推广索尼的技术。目前，索尼公司的一些技术不仅能应用在索尼的设备上，而且还能应用到与竞争对手的合作项目里。这样，索尼与竞争对手之间就显示出一种双赢势态。

不过，竞争和合作就像一对孪生姐妹，作为一家颇具实力的国际化企业，索尼不可能放弃它在世界领域里的竞争优势。索尼电脑娱乐公司和东芝、IBM组成了一个合资公司，一同生产2005年上市的第三代PlayStation的超级处理芯片。而与此同时，索尼的VAIO小组正和东芝、IBM这两个个人电脑的顶尖品牌一决高下。在个人电脑市场上，索尼别无选择，只能和微软、Palm公司合作，因为这两家公司掌握着最通用的操作系统标准。然而，在游戏业里，索尼和微软却形同死敌；在掌上电子记事簿市场，索尼也和Palm公司也已经展开了势不两立的竞争。索尼正试图在这种竞合的空间内求得长远发展。

在新的时代背景下合作不可避免，与敌人联手开创新科技能使双方共同受益。这种联盟反映了合作一方吸收其他方技能的承诺和能力。但是，一个联盟要想取得圆满的结果，战略意图是至关重要的因素，也是双方承诺要相互学习的实质因素。合作如果取得成功，每一方都得拿出自己的特长来进行

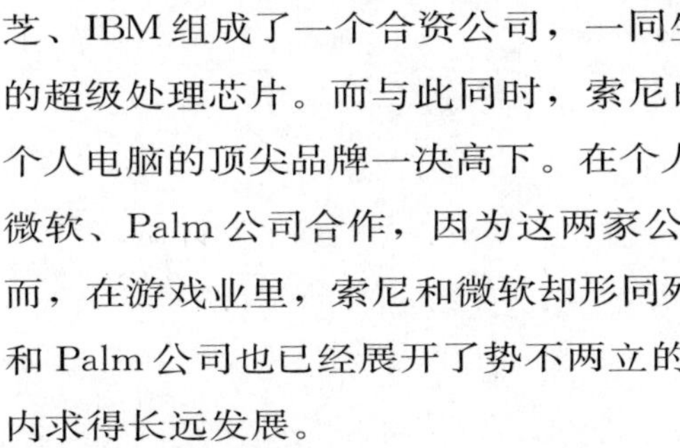

■ 不过，竞争和合作就像一对孪生姐妹，作为一家颇具实力的国际化企业，索尼不可能放弃它在世界领域里的竞争优势。

基础调研、产品研发、扩大生产能力和扩展销售渠道。对索尼而言，它的特长——市场营销、品牌建立和对消费者行为的洞悉——使它成为一个独具魅力的候选合作伙伴，正是这些特长吸引了飞利浦、爱立信以及其他的合作方。参与合作的每一方都希望，合作后比合作前更有竞争力，更能增强整体实力，进一步扩大发展，这同样也是索尼的追求。

■ 对索尼而言，它的特长——市场营销、品牌建立和对消费者行为的洞悉——使它成为一个独具魅力的候选合作伙伴，正是这些特长吸引了飞利浦、爱立信以及其他的合作方。

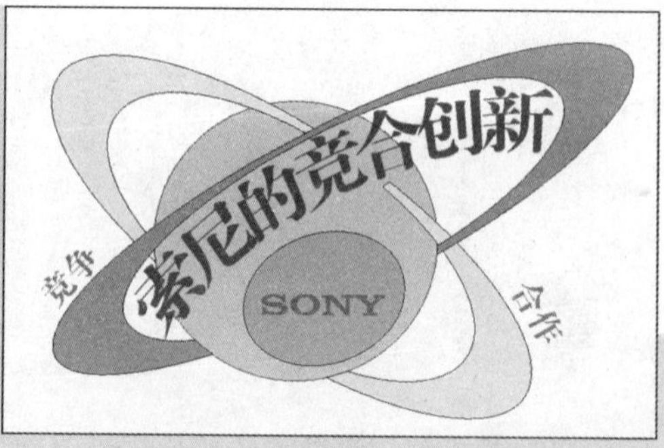

第十章 索尼的海外扩张

要想成为全球企业中的佼佼者，仅仅局限于本国市场是绝对不能成功的。积极发展海外业务已经是各大企业追求的目标。在当今经济一体化的发展潮流中，定位全球已经成为各大企业的重要发展策略。索尼，这个年轻的跨国企业，早在它成立不久，就在领导人远大的目光之中走上了海外扩张之路，这点亦是索尼敢于不断创新的具体体现。

1958年，东京通信工业公司正式更名为“索尼公司”，索尼公司的股票以“索尼株式会社”命名，在东京证券交易所上市。从此，“SONY”这个响亮的名称不仅在日本家喻户晓，而且逐步蜚声海外。正像盛田所说的“我们要把索尼办成一个真正的国际化的大公司”，今天的索尼已经是一家国际化的大公司，而当初索尼为了实现这一目标也付出了艰苦卓绝的努力。为此当索尼逐渐走向成熟的时候，或者说它逐渐在世界各地站稳脚跟后，它也取得了难得的宝贵经验，这就是索尼的海外战略。

10.1 探索海外

面对陌生的海外市场，索尼完全是凭直觉走进去的。从选择名字到仔细

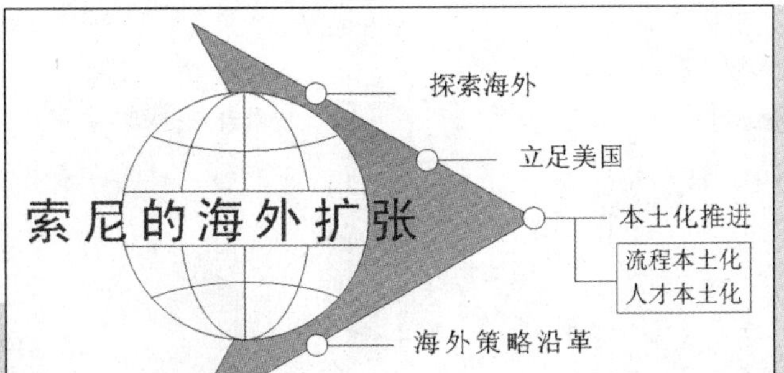

■ 1958年，东京通信工业公司正式更名为“索尼公司”，索尼公司的股票以“索尼株式会社”命名，在东京证券交易所上市。从此，“SONY”这个响亮的名称不仅在日本家喻户晓，而且逐步蜚声海外。

做产品计划，索尼公司都坚持把消费者放在核心地位，它认为消费者是个整体，不应该因地理上的分界而受到限制。

索尼成立不久，日本的经济愈发不景气，许多中小企业纷纷破产。1952年，盛田去欧美等国参观了一些当时已功成名就的龙头企业。当看到世界上赫赫有名的飞利浦公司就坐落在荷兰一个幽静的小农庄里时，盛田深受触动。他很快就从埃因霍温给井深写了封信说道：“如果一个人生在又小又偏的农庄，连他都能建成一个大型、高科技、有全球声誉的公司，就像‘飞利浦’那样，那么，只要有这个可能，索尼在日本也能做得到。”为了生存和发展，索尼的领导人们开始大胆地考虑向海外发展。

20世纪50年代初，索尼公司从美国买下了晶体管技术，在此基础上发明了晶体管收音机。这一产品体积小，性能好，一问世便轰动了日本，成为索尼经营上的一个转折点。

起初，他们在国内销售录音机时，经过一段时期的推销，虽然学校、法院等部门有较强的购买意向，但大多属于团体消费，并且还是因工作需要。而广大民众却买之寥寥，因为只有富人才能买得起。盛田因此想到，如果仅把目光盯在国内市场上，就不能不受国内市场行情和物价波动的影响，如果以广阔的世界市场为对象的话，风险也就被分散了。于是，公司决定：必须向国际市场输出商品以求生存。的确，战后的日本市场相当有限，索尼公司如果要销售高档的消费品，就必须有一个富裕和高消费的市场，索尼必须把目光转向海外。

不久之后，索尼用晶体管技术开发的一系列产品在美国市场上大获全胜，成为索尼迈向国外市场的跳板。索尼在世界电子行业中也由此获得了

■ 20世纪50年代初，索尼公司从美国买下了晶体管技术，在此基础上发明了晶体管收音机。这一产品体积小，性能好，一问世便轰动了日本，成为索尼经营上的一个转折点。

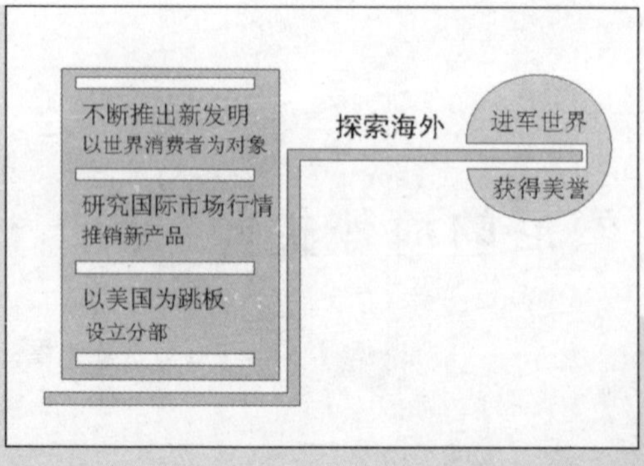

“先驱者”的美誉。

自那以后，海外市场开始成为索尼公司的战略重点。“国际企业、国际经营”变成了索尼国际战略的最初信条，索尼将走国际化道路，成为全球性的企业。为此，当时盛田与井深进行了分工。井深在国内潜心研究，不断推出新发明，而盛田则在欧洲及北美调查国际市场行情，推销新产品，设立国外分部。

索尼在海外设立的办事机构，以推销其晶体管收音机等产品为主。起初的经营是很困难的，因为那时海外对日本产品普遍具有偏见，这令索尼的每一个进步都很艰难。当时，使出口与内销各占一半是索尼公司的第一个目标。这项目标随着晶体管收音机的研制成功以及索尼员工不断的努力，7 年后，终于实现了。就这样，索尼沿着一个又一个的目标坚持不懈走下去，不久便在纽约、中国香港、苏黎世等地设立了事务所，还在爱尔兰的夏依设立了工厂，为更加深入海外拓展业务准备了条件。

1970 年 9 月，索尼成为第 1 305 个在美国纽约证券交易所上市的公司。上市象征性地肯定了索尼公司，它已被提升到与像通用汽车这样的工业巨人同台竞技的位置上了。“我们还要在欧洲市场上市，把索尼公司建成一个有全球基础的国际公司。”盛田在上市时发表的宣言掷地有声。没过多久，事实证明盛田没有食言。截至 1977 年，索尼已在 10 个国家的 18 个主要的交易所上市。现在，索尼的股票全天 24 小时都在世界的各个角落里被买进卖出。

索尼在美国的成功并没有使它停住自己扩张的脚步，紧接着索尼又进行了一连串的行动。1974 年，索尼又在英国的布里金德开办了彩电工厂，打

■ 1970 年 9 月，索尼成为第 1 305个在美国纽约证券交易所上市的公司。上市象征性地肯定了索尼公司，它已被提升到与像通用汽车这样的工业巨人同台竞技的位置上了。

开了通向欧洲的大门。接着，在亚拉巴马州的多桑开办了音频、视频磁带厂。1981 年在法国的贝思尼创建了一家磁带厂。1988 年，索尼又令人匪夷所思地，以 34 亿美元收购了美国哥伦比亚电影公司，从而以咄咄逼人之势闯入了好莱坞。

“飞利浦能做到的，我们也能做到！”盛田在 20 多年前参观荷兰飞利浦公司发出的豪言壮语终于被证实了。如今，索尼公司已在西欧、美国、东欧、巴西、中国等地开辟了广阔的市场，公司的出口额占总营业额的 60％以上，其经营的项目也由单一的电器转为多元化产品，成为与通用电气公司、西门子、飞利浦等并驾齐驱的第一流跨国大公司，闻名全球。

SONY 遍布全球，SONY 响彻世界。就这样，索尼真正实现了成为国际化企业的宏伟目标。20 世纪 90 年代初期，索尼登陆中国大陆，从此索尼的全球伟业已经基本成型。而随着索尼不懈地推进国际化进程，“SONY”品牌已经家喻户晓，声誉盛隆。它在世界的电子工业界确立了真正的霸主地位。

10.2 立足美国

在索尼的全球市场中，美国是索尼最大的销售市场，索尼在美国每年获得的利润高达数十亿美元。

当初，索尼能够走上美国这片土地并不是那么轻而易举的事情，其间伴随着许多曲折。索尼的努力没有白费，现在看来索尼美国市场的开拓是其海外战略中最成功的一个部分。这要归功于盛田昭夫，他的后半生都在为实现

■ 在索尼的全球市场中，美国是索尼最大的销售市场，索尼在美国每年获得的利润高达数十亿美元。

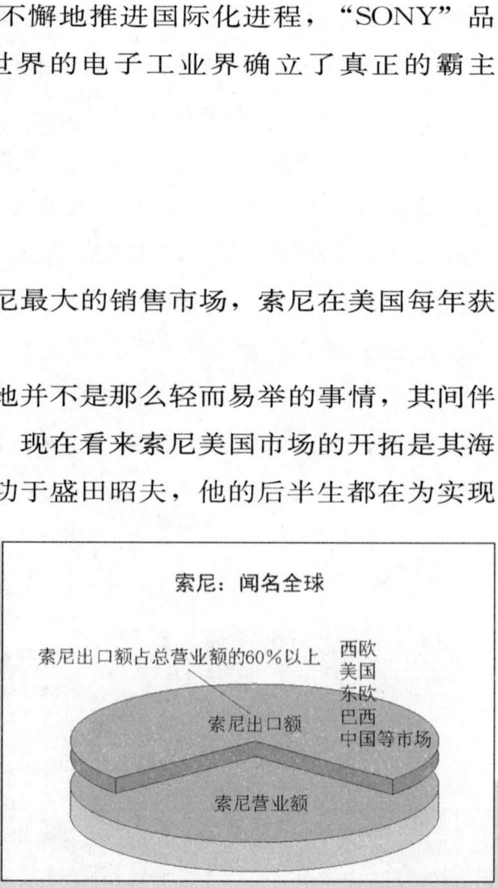

全球企业这个梦想而努力奋斗。是他首先发现美国是一个天然市场，生机蓬勃，就业率高，人们上进而渴望新事物，因此，他选定美国作为其海外发展的第一个市场。

从购买美国企业的专利技术——晶体管技术，生产出晶体管收音机，到利用这个产品首次在美国获得成功，索尼经过艰苦卓绝的努力，一个又一个精致的索尼产品出现在美国市场上，美国的大门终于向索尼敞开了。

10.2.1　洋房策略

当初盛田为自己选择美国住处时，出人意料地选在曼哈顿高级住宅区第五大街 1010 号，并且租了一套 12 室的豪华住宅。这是一项惊人的决定，因为当时日本很多大型公司负责人都只能在纽约的小公寓里办公。盛田认为，要使索尼产品真正国际化，只靠实现表面行为是不行的，如果索尼的经营者自身不能成为国际人士的话，那么无论如何也不可能实现索尼的企业国际化。换句话说，索尼公司要对等交往的是最高层的美国人，那么，索尼的领导者就不能像其他日本人那样住在偏僻狭小的地方。这也是索尼美国最初的本土化宣传。

当然，仅仅住在豪华住宅里还是不够的，这只是索尼形象宣传的一部分。以这座豪宅为出发点，盛田进一步广交美国社会的上流人士，跻身美国商界的高层，为索尼公司在美国的发展进一步打下基础。

正是依靠这个别出心裁的“洋房策略”，盛田结识了美国《时代》杂志总编，著名新闻记者和各界名流。由于盛田的热情和诚恳，在美国上流社会中，索尼公司的名声迅速扩大。不仅如此，这一策略还帮了公司的大忙，索

索尼如何立足美国

■ 盛田认为，要使索尼产品真正国际化，只靠实现表面行为是不行的，如果索尼的经营者自身不能成为国际人士的话，那么无论如何也不可能实现索尼的企业国际化。

尼只花了3个月的时间就在美国建立了销售网。

10.2.2 建立索尼（美国）公司

20世纪60年代，索尼已经有超过半数的产品输往国外，其中美国是它最大的客户，公司以后的发展在很大程度上要依赖美国和同其他国家的跨国业务。这时，索尼认识到要在美国进一步发展就有必要在美国打下更牢固的根基，所以，必须要更深入地进入美国。因此，建立一个索尼的美国分公司被提到了公司议事日程上。不久，索尼计划，要在美国建立它自己的销售网络，做它自己的分销商，发展它自己的商场营销。建立索尼的美国分公司势在必行。

1960年，盛田在美国正式成立"索尼（美国）公司"，注册资本50万美元。建立之初，索尼（美国）公司就抱着"与美国人合作，完全按照美国工厂的方式"的想法开始运营，并且开始了自行销售的业务。这是日本其他电器公司尚未做过的非常冒险的经营方式。

一年后，索尼就取得了成功，索尼公司在美国证券市场上发行200万股股票，成为第一家在美国发行股票的日本公司。它分两次共发行了500万的ADRs，共融资约40亿日元。索尼在高瞻远瞩的盛田的带领下，坚持不懈，终于在美国立足了。

10.2.3 上市美国

1967年，世界上第一台单枪三束彩色电视机在索尼公司诞生了。他们马上意识到这种新产品有着广阔的市场，所以索尼决定立即在美国就地生

■ 20世纪60年代，索尼已经有超过半数的产品输往国外，其中美国是它最大的客户，公司以后的发展在很大程度上要依赖美国和同其他国家的跨国业务。

SONY
索尼的海外扩张

产。1972 年，在美国加利福尼亚州的圣地亚哥，索尼电视机厂正式投产。“美国制造”的索尼彩电源源不断地进入美国和中南美市场，索尼在美洲站得更稳了。

1970 年 9 月，盛田应纽约证券交易所主席的邀请来到交易所。那时，纽约证券交易所买卖的股票占全世界流通股票总数的 5%。索尼在美国开业十年以后，就达到了在纽约证券交易所上市的所有要求，成了第 1 305 个受邀请到世界上最大的证券交易所上市的公司。

索尼公司的股票从上市开始，交易的人就络绎不绝，当天一共交易 120 300股，排在当时上市的 1 305 家公司中的第 13 位。为此，盛田曾激动地宣布：“索尼公司在通向全球化公司的道路上已经迈出了第一步。”

10.2.4　影业坎坷

多元化是索尼公司发展的方向。它将目光锁定在电子、娱乐领域，不断壮大发展自己的业务广度和深度。而美国，则是索尼发展娱乐业的起点。只是索尼想不到的是，它的影业之路充满了坎坷。

20 世纪 80 年代末，索尼先后收购了 CBS 唱片公司和哥伦比亚电影公司，开始以美国为中心大力发展娱乐事业。在音乐方面，CBS 遍布全球的音乐网络使索尼大有收获，不久就成为音乐界的巨头之一。而在电影方面，由于一些战略上的失误，在收购行动之后的四年中，索尼不仅没有叫座的影片问世，而且产生巨大的亏损，这是索尼在电影业的入口处摔的一个大跟头。

事实上，哥伦比亚电影公司本来不是索尼的首选。那时候，哥伦比亚电影公司还在可口可乐公司的旗下，财务状况欠佳。但它却是唯一一个拥有

■ 多元化是索尼公司发展的方向。它将目光锁定在电子、娱乐领域，不断壮大发展自己的业务广度和深度。而美国，则是索尼发展娱乐业的起点。只是索尼想不到的是，它的影业之路充满了坎坷。

2 700个电影库的工作室，这一点深深地吸引了索尼公司。当时，外界对索尼这一收购举动的反应并不好，人们想不通怎么能把一个深受尊敬的典型的美国机构卖给外国人，认为这种行为肯定不会带来什么好结果。

索尼在出巨资收购 CBS 唱片公司的时候就听到过这种类似的批评。但那次的行动是成功的，因此，索尼认为这些批评只不过是不满的牢骚而已，它认为既然在音乐界里已经有过成功的经验，就完全有理由相信，自己在电影界里也会有所成就。

然而，这一令索尼信心十足的多元经营战略步骤却出了问题。它选错了公司的经营者。被好莱坞业内人士称作两个强盗的彼得·古伯和让·彼得斯，被索尼错选为电影公司最初的经营者。结果，这两个人先是给索尼招来了与华纳的一场官司。因为这两个人在答应索尼之前刚刚和华纳签了一份合约。为此，索尼付了 8 个亿的违约金。

接着，从 1989 年至 1994 年年底，在这两人任职期间，他们疯狂挥霍，大兴修缮和举行豪华宴会。而相反的是，与此同时，正规的电影业务却没人打理，推出的影片没有一部是赚钱的。最终，索尼公司解雇了彼得斯和古伯，并为此又花掉了一大笔钱，这两个人就像是索尼的噩梦。

1994 年索尼宣布，由于它在好莱坞的失败，公司第二季度的损失达 32 亿美元，这使好莱坞和华尔街为之一震。电影工作室亏损使索尼的资产负债表上一下子多了 27 亿美元，还有 5.1 亿美元花在一些令人摸不着头脑的运营亏损上，这在当时是日本公司历史上亏损最大的一笔。自收购哥伦比亚电影公司 5 年以来，索尼公司一直对外界保持沉默，但最终还是承认了公司进军好莱坞遇到的是一场浩劫。

■ 1994 年索尼宣布，由于它在好莱坞的失败，公司第二季度的损失达 32 亿美元，这使好莱坞和华尔街为之一震。

SONY 索尼的海外扩张

10.2.5　策略变化

自索尼立足美国市场，美国就一直是它海外发展的重心。起初，索尼将美国作为最大的电子、电器产品销售市场，但不久，随着竞争的加剧和多元化发展方向的确立，索尼在美国的策略也随之而变，开始发展娱乐业，没想到初入电影业时，哥伦比亚电影公司就让索尼受挫。

进入 21 世纪，索尼调整了在美国的电影部门的管理层，使电影事业逐渐有了起色。《蜘蛛侠》、《丛林奇兵》、《蒙娜丽莎的微笑》……一部又一部的经典之作在索尼诞生了。2004 年，为扩大娱乐业务，索尼联合他人组成投资集团收购了美国著名电影公司米高梅（MGM，Metro Goldwyn Mayer）。索尼主要掌握着 MGM 的影像资源销售权，MGM 拥有“007”系列和《宾虚》等电影名作，而且所拥有的 4 080 部电影作品中 85%为彩色电影，这都非常有利于索尼将影片转换成数码内容进行销售，这将推动公司销售额的增长。如今，索尼的电影业务以及除日本以外的音乐业务均由总部设在美国的索尼（美国）有限公司负责。美国已成为索尼的娱乐业中心。

10.3　本土化推进

不同地区、不同国家，有着不同的经济环境和人文背景，企业想在本国以外的市场占有一席之地就必须适应当地的环境，理解当地的文化底蕴，采取适合当地的经营方式，这就是企业的本土化经营。本土化也就是企业考虑如何满足当地消费者们的需求。

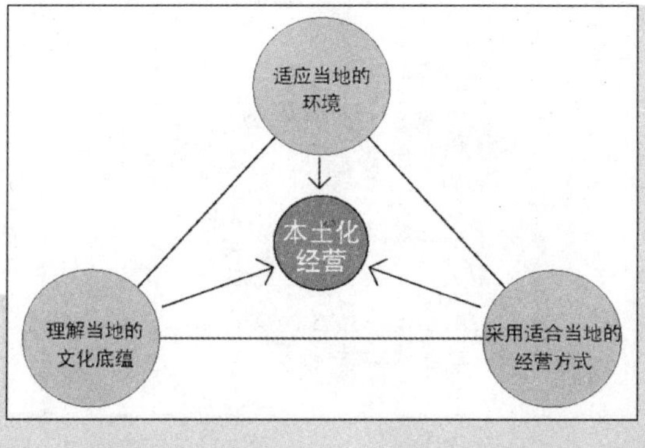

■ 不同地区、不同国家，有着不同的经济环境和人文背景，企业想在本国以外的市场占有一席之地就必须适应当地的环境，理解当地的文化底蕴，采取适合当地的经营方式，这就是企业的本土化经营。

全球本土化是索尼的一个积极的海外经营概念。自它一开始在海外设立办事处，它就一直在开展本土化战略。它努力把索尼做成各个国家的索尼，做成日本之外的索尼，让各个国家的人都把索尼当作自己的品牌一样看待。

索尼的本土化战略有两个层次。第一，在海外业务的基础业务流程上实现本土化。索尼全球各主要地区设立了分公司或办事处，努力在良好的沟通下做到这一点。第二，要有一群聪明的本地经营主管。为了在这两个层次上都把本土化做好，索尼几乎每隔几年就把它的全球经营结构调整一下，把不同的业务重新整合以便更快更好地实现本地化，让索尼的机体充满活力。

10.3.1 流程本土化

索尼认为本土化是经商策略中至关重要的一部分。哪里的消费者都可能需要电视机、收音机、录音机和其他产品，但是索尼需要知道的是，他们应该怎样确保美国、欧洲消费者的兴趣和日本消费者的兴趣完全相同，或者，他们的兴趣不同时，索尼应该怎么办。因此，索尼从最基础的层次上考虑进行本土化。这一基础是指从生产、销售、分销，到调查与发展，都推行本地化。

为了在整个流程中很好地实现本土化，索尼有意识地派人到洛杉矶、伦敦、柏林等地，去了解那里的消费者行为，调查他们对一种新产品会作何反应。这也是本土化的一部分，即了解市场，了解当地的文化，做好流程本土化的前期工作。

然而，在本土化推行的过程中，索尼遇到了一些问题。全球的索尼公司应该是一个整体，但为推行本土化，又要求各地区的索尼分公司或办事处有

■ 全球本土化是索尼的一个积极的海外经营概念。自它一开始在海外设立办事处，它就一直在开展本土化战略。

相对的独立性，于是，对于独立性的把握程度就成了索尼的一个问题。总部控制得太死，就可能抑制了海外业务的增长；放权过多，他们可能就会毁坏企业品牌的整体形象。这时，沟通的环节就显得尤为重要了。因此，索尼成立了国际业务委员会，由全世界主要业务部门的高层经理们组成。这个委员会是经理们的一个很好的交流平台，他们在这里交换他们对所在国家业务环境的精辟见解，共同讨论全球经济的变化。母公司的高层经理们也可以提供近期、远期内公司全球业务的战略综述，以使各业务部门的计划与母公司的远景规划同步起来。

在良好协调的基础上，索尼海外业务的整个流程都在本土化发展。索尼的生产自从由日本转移到了欧洲后，零部件采购、工程设计和其他辅助功能都在地方化。索尼为成为一个真正意义上的全球公司，已经将本地化立足于全球战略，而且在这个战略的基础上充分协调，在贯彻全球理念与技术的同时，进行当地化经营来满足当地的消费需要。

10.3.2　人才本土化

公司要想全球化经营，所面临的挑战往往不是战术方面的而是文化方面的。要明白怎样在其他国家的文化中做生意，了解怎样才能让公司融入地方社区。要想在本国之外取得成功，以下这些都是至关重要的：

（1）聘用本地员工。向本地的经理们学习，他们有经验，懂得在他们国家怎么做生意。他们会与地方政府协商，和供应商、分销商们谈好买卖条件，通过这些，他们能给你指明方向，也能帮助你的公司轻松进入当地的社交圈。

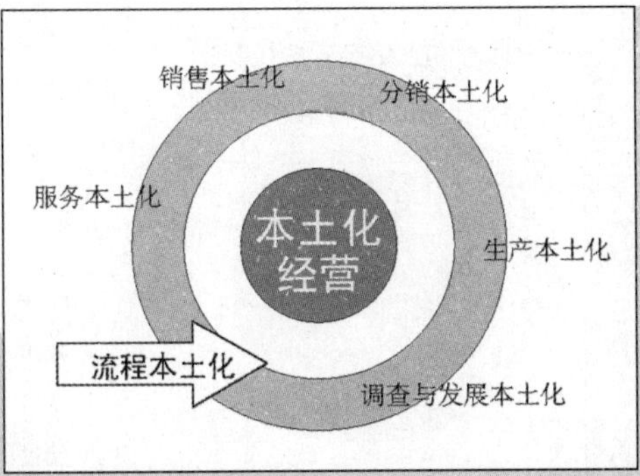

■ 公司要想全球化经营，所面临的挑战往往不是战术方面的而是文化方面的。要明白怎样在其他国家的文化中做生意，了解怎样才能让公司融入地方社区。

（2）在本国文化与地方文化中找到平衡。在索尼最初进入美国的那个阶段，一个最大的挑战就是在美国的产品销售系统中经营运作的同时保持本公司的管理特色，维护本公司产品的品牌形象。索尼建起了自己的销售系统，又和美国的零售商们密切合作，教给他们一些关于索尼品牌和产品的知识，这样一来，这些零售商们就能把索尼公司的精神全部传达给消费者了。

（3）进入当地社区。和雇用本地员工的原则一样，向海外拓展的一个关键是要融入当地的社区。

人才本土化堪称是索尼国际化的一个大手笔。索尼早就已经看出，日本和其他国家之间的贸易摩擦有增长的趋势，这会反过来影响到它向全球拓展经济的计划。真正促使索尼有所觉悟的是来自《时代》杂志里一篇关于资本企业入侵美国本土的文章，在这篇文章里主要谈到了索尼。索尼认为这是在为他们敲警钟了，为了维护索尼在美国的良好声誉，索尼决定采取行动。公司聘用了沙因做索尼美国部的总裁，并制定了一项规定，让适合的当地人才进入领导职位。

沙因是前 CBS 的唱片部总裁，哈佛大学法学院毕业生，曾经被誉为铁腕执行官。为了吸引他来公司，索尼给他开出的年薪是 20 万美元，除了盛田以外，他的薪水甚至远远高于索尼的其他经理。当时沙因接受了那个职务，但同时也开出了两个条件：第一，美国部要有进口权。第二，美国部一定要成为利润的中心。他接下来就建立了现代化的美国管理系统，包括严格的预算和正式的计划系统，制定了富于进取的计划来招聘本地员工。许多在他手下工作过、后来又成了高层经理的日本人都说他是一个很伟大的教育者。索尼如此一举两得，既可以安抚美国民众，保护自己的美好声誉，同时

■ 进入当地社区。和雇用本地员工的原则一样，向海外拓展的一个关键是要融入当地的社区。

索尼对本土化经营的控制

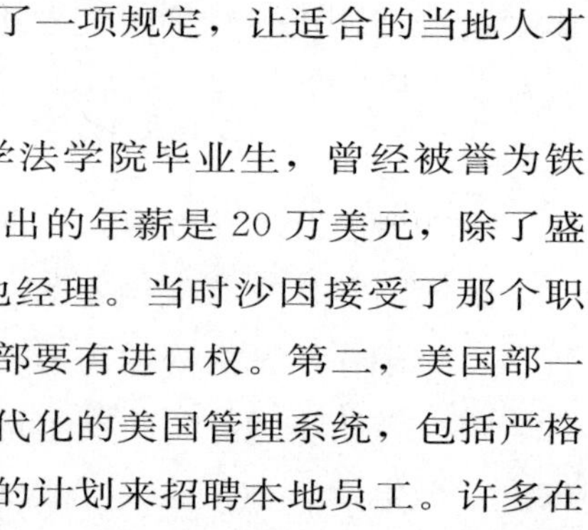

也可以更好的推行全球本地化的方略，这是一个明智之举。

但是在具体执行人才本土化的时候也出现了很大的问题，可能真的是日美文化差异的调和需要很长一段时间。索尼欧洲部受雇的地方经理们也被授予了充分的自主权和全部责任来经营他们部门的业务。然而，公司却缺乏一些协调管理这些国际化经营部门的政策和操作程序。地方化公司以每个国家为中心，彼此相互独立缺少沟通，各自与东京的总部直接单线联系。子公司之间几乎没有合作，甚至在同一个区里情况也是这样。当沙因持续建立更加自制的管理模式时，却使自治越来越强，协调越来越少，总部开始逐渐对这种状况不满起来。

日本工厂和美国市场部曾为转移价格的事激烈地争吵，好像他们并不是一个公司的，而是对手和仇人。在那以后，日本母公司就很少进一步参与美国部的策划和运作了。由于美国的生意对全公司非常重要，地方化的经营就日益显得强大而独立，而不再考虑日本总部方面的指示了。总部方面对沙因产生了很强烈的不满，在怎样管理业务的理念上也不断发生冲突。最终沙因为此辞职了。

沙因的辞职，并没有对索尼的本土化进程有多少影响，索尼继续推行它的理念。而这个事件也有好处，就是索尼从中吸取了经验，对待这些问题变得有把握了，为此索尼还专门考虑了企业内部的协调问题。有一点可以肯定，索尼认为“本土化”这条路是没有走错的，并要一直坚持下去。

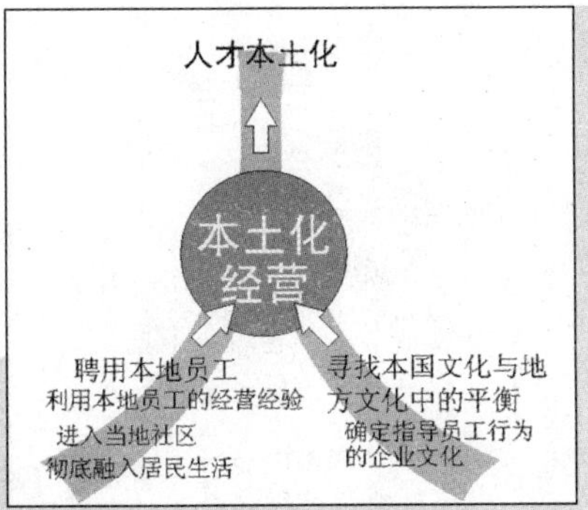

■ 当沙因持续建立更加自制的管理模式时，却使自治越来越强，协调越来越少，总部开始逐渐对这种状况不满起来。

10.4 海外策略沿革

进入21世纪，索尼凭借优秀的海外发展战略已经成功地发展成为一个电子娱乐帝国。但是世界总在变化，各地区的变化也不尽相同，索尼又将面临着新的威胁和挑战，它必须严阵以待，不断地进行创造与革新，只有这样才能继续索尼的奇迹，这要求索尼必须像个斗士一样不能停下它的脚步。

面对进入新时代的要求，索尼的海外战略也适时做出了新的调整。它加强了全球索尼公司的整体性，对海外各区的索尼公司进行适当有效的监督和管理，强化各公司之间的沟通交流。这一举措最直接的受益者就是索尼哥伦比亚电影公司。总裁山井伸之对哥伦比亚电影公司实行了严格的管理措施，并请来娱乐界的老资格——约翰·凯利担任新的经理人。在凯利的带领下，2002年，《卧虎藏龙》、《蜘蛛侠》的推出取得了巨大成功，哥伦比亚电影公司终于走出了阴霾。现在的索尼哥伦比亚电影公司早已摆脱了梦魇，成为货真价实的好莱坞娱乐巨擘。电影业也成为索尼在新时期全球战略所倚重的一个重要部分。

出于对其全球版图关注程度的增加，索尼的高层设立了每年一度的索尼全球高层董事会。2002年，索尼全球高层董事会的会议地点首次选在了中国的上海，索尼全球所有高层一起出现在上海花园饭店。三天的会议之后，各高层人士都表示对会议非常满意。会后，山井伸之在北京宣布了开会的成果，今后索尼运营的中心，将放在东亚，以中国、日本和韩国为核心，而过去，美国一直是索尼最大的海外市场，这种情况即将改变。做出这样的调整

■ 在面对进入新时代的要求，索尼的海外战略也适时做出了新的调整。它加强了全球索尼公司的整体性，对海外各区的索尼公司进行适当有效的监督和管理，强化各公司之间的沟通交流。

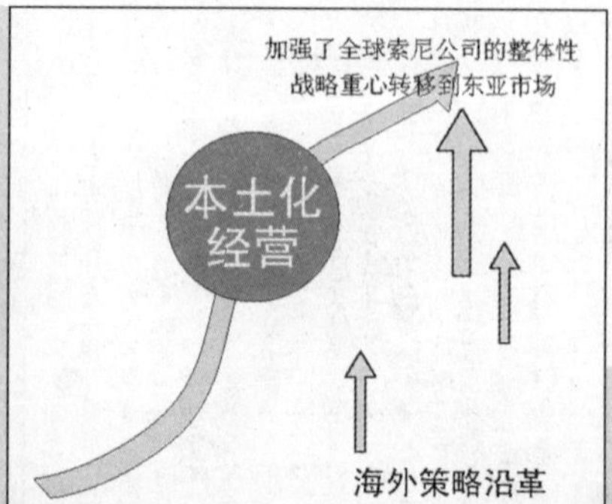

正是因为日、韩宽带网络的高速建设和中国在加入 WTO 之后显露出的巨大市场前景。与之相对照的，是美国市场的萧条，以及美国宽带网络和无线通讯领域的缓慢发展。索尼进入了最新一轮的海外发展。

根据规划，2005 年索尼在中国的销售要增长到 40 亿美元，亚洲的销售要占到其全球销售的 20%以上，目的就是要改变索尼传统的美欧日三大市场占到销售总额 80%的销售格局。

2003 年，索尼集团将其全球业务主要领域重新做了划分，将原来以“美国、日本、欧洲及其他市场”为几个主要业务区域的划分方式，改变为“北美、欧洲、东亚”三大主要业务区域，其中新确定的东亚业务区域包括中国内地、中国香港、中国台湾及韩国、日本。索尼新的海外战略必然会加快索尼在海外前进的步伐。

索尼表示索尼（日本）公司将不再以“本土”的面目出现，而是和中、韩处在平等的位置上，纳入整体的经营战略。这意味着，索尼已经决定不把自己看作一家日本公司，不把自己归属于任何一个国家，而是建立一种与国家完全平行的经营模式，它的业务安排也超越了现代国家疆界概念的约束，比如把东亚作为一个整体市场，表现出真正意义上的全球化态势。

索尼战略的新发展，不仅体现在点点滴滴的内容上，最重要的是体现在开展国际合作和战略重心转移到东亚市场这个两个方面，这也被誉为索尼新霸业的开端。正如出井所说：“索尼将永远是一个地道的国际公司，我们的海外战略将永远富有生命力。”

■ 索尼战略的新发展，不仅体现在点点滴滴的内容上，最重要的是体现在开展国际合作和战略重心转移到东亚市场这个两个方面，这也被誉为索尼新霸业的开端。

第十一章

索尼的中国之路

中国这块富饶的土地，自古就吸引着外来的商旅。从丝绸之路到《马可波罗游记》，在世界的眼中，中国就是一块黄金宝地。

改革开放后，中国以其高速的经济发展速度和强大的市场潜力，再次成为吸引各方投资者的一块沃土。中国 2003 年的 GDP 迅速增长，消费水平已经达到了一个新的高度，这一切都显示着中国市场的价值和潜在的上升空间，世界各大公司无疑都对中国市场虎视眈眈。

早在盛田、井深时代，中国市场就曾经是一个令索尼向往的地方，作为一个遵从于国际企业规范的大企业，索尼不可能不对中国市场感兴趣。

相对于 20 世纪 90 年代持续低迷的日本经济，中国对日本公司有着更强的吸引力，索尼也不例外。抢滩中国这个未来世界最有潜力的市场，已经成为索尼公司在海外战略中一个重要的部分。中国正在逐步影响着索尼的全球发展战略。其实对于要跨入这个一衣带水的邻邦，索尼已经做了许许多多的工作，并且这方面的工作从来没有间断过。

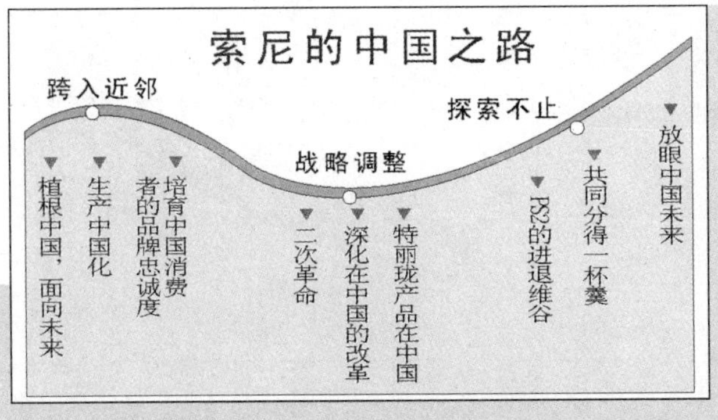

■ 中国这块富饶的土地，自古就吸引着外来的商旅。从丝绸之路到马可波罗游记，在世界的眼中，中国就是一块黄金宝地。

11.1 跨入近邻

日本与中国隔海相望，这一地理优势给索尼创造了更加便利的机会。索尼公司 1978 开始在中国运营，经过 20 多年努力运作，已经在中国建立了一个非常完整的运营框架，并在中国取得了令人瞩目的成绩。如今，在中国电子市场，索尼品牌有了很高的认知度。“SONY”已被中国消费者认可为一个非常优秀的品牌。

11.1.1 植根中国，面向未来

在中国的 20 多年，可说是索尼从一个襁褓中的婴儿成长为一个健壮的青年非常重要的时期，虽然索尼在世界市场早已是风光无限，但是对于初涉中国市场，并且取得令人满意的成绩，仍然令索尼感到十分欣慰。其中，第一任索尼（中国）有限公司董事长正田肱先生 10 多年间在中国的辛勤付出是功不可没的。正是他 1993 年来到中国后，索尼才陆续在这里投资建立了一些大的分厂，为今天的发展打下了良好基础。

索尼（中国）有限公司于 1996 年正式设立，正田肱时任董事长，他负责统一管理与协调索尼在中国国内的业务活动，包括从事电子信息行业的投资活动以及对索尼在华各所属企业进行宏观管理和广泛的业务支持。

作为索尼在中国的地区总部，索尼（中国）有限公司有三部分功能：第一，它是一个投资公司，可以统筹索尼在中国的研发、设计和生产领域的投资业务；第二，它也是一个销售公司，索尼产品在中国生产以后，由它在中

■ 索尼（中国）有限公司于 1996 年正式设立，正田肱时任董事长，他负责统一管理与协调索尼在中国国内的业务活动，包括从事电子信息行业的投资活动以及对索尼在华各所属企业进行宏观管理和广泛的业务支持。

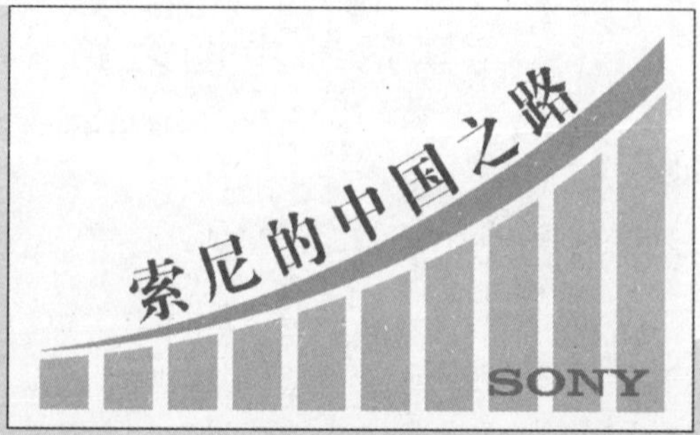

国本地进行销售；另外它还可以进行索尼在中国发展的全方位协调工作。这三块功能基本囊括了索尼在中国的产品设计、本地生产以及市场推广、销售和服务的全过程，有效地推动了索尼在中国市场业务的不断发展。

经过几年的努力，索尼（中国）目前已经在近 20 个大中型城市设立了分公司和办事处等分支机构，现在的员工数近 400 人，每年的销售额达到了数亿美元。在华销售的产品包括了几乎所有索尼产品。像贵翔平面特丽珑彩电、背投电视、移动电话都已经进入了中国市场，可以说正田的努力使索尼真正跨入了中国这片广阔的天地。

索尼在中国的早期战略是循序渐进的，正田在 1993 年初到中国时就组织成立了索尼在中国的第一家生产性企业——上海索广电子有限公司，也为索尼在中国的发展走出了第一步。

从那开始，索尼以上海为基地进一步拓展其业务。上海索广电子有限公司由索尼公司和上海广电信息产业股份有限公司共同投资设立。公司是以生产制造尖端技术产品为主的高新技术企业。这是当时中国政府所需要的企业模式。作为索尼在华首家合资工厂，公司曾多次荣获上海市出口贡献一等奖、市文明单位、市工业企业优秀企业形象单位等殊荣。在中国实行 ISO9002 国际质量管理体系认证、ISO14001 国际环境管理体系认证、OS-HMS 国家职业安全卫生认证以来，索尼是中国少数几个同时通过所有国际认证的企业。“索广”的建立使得索尼在中国的市场中首先占据了有利的位置，与众多竞争对手相比，显然走在了前面。

在面对艰苦的条件时，索尼早在美国和欧洲市场的运作中就得到了很多的经验，所以在中国初步站稳脚跟并赢得了一个良好开局的时候，并没有停

索尼(中国)有限公司的职能

在中国

统筹索尼在中国的投资业务

销售索尼在中国生产的产品

全方位协调索尼在中国发展的工作

■ 索尼在中国的早期战略是循序渐进的，正田在 1993 年初到中国时就组织成立了索尼在中国的第一家生产性企业——上海索广电子有限公司，也为索尼在中国的发展走出了第一步。

下脚步，而是按照索尼的海外战略继续前进的步伐。索尼深知一个好的基础对于大型海外公司的重要性，它趁热打铁，连续在中国共投资设立了 6 家大型生产企业，工厂员工总数约 10 000 人，总投资额超过 5 亿美元，进一步巩固和拓展了“索尼（中国）”的业务能力。

索尼正是这样利用丰富的海外扩张经验在中国的市场打下坚实基础，逐步实现索尼在中国的本地化进程，建立了索尼大厦的雏形。

11.1.2 生产中国化

索尼历来把在海外的本地化进程看作是其海外战略的一个重要的组成部分，索尼有个口号就是“全球本土化”。

近几年，索尼的本土化生产又取得了新的突破，但是索尼认识到要把中国市场作为主要市场之一，必须要在这里拥有自己的生产基地。任何一个公司在面对这样一个市场的时候，如果只是依靠海外基地，都是不可能有所发展的，公司的利润也不能得到保证。索尼公司敏锐地发现，在中国仅仅建立一般产品的生产基地是不够的，在这里需要更高级别的生产基地。面对庞大的而且一天比一天消费高级化的中国本土消费者，再考虑到中国经济的稳定性和发展性，以及劳动力资源，索尼公司果断地加快了他们迈入中国的步伐。

2000 年，索尼公司独资建立了索尼电子（无锡）有限公司，它位于江苏省无锡市无锡国家高新技术产业开发区，面积 11 万平方米。主要生产聚合锂离子充电电池，它以其具有的形状的高可塑性以及体积小、重量轻等优点，被视为移动电话、PDA 及其他移动终端或便携产品的最佳电源，是当今世界上最先进的充电电池产品之一。2001 年，索尼电子（无锡）有限公

■ 索尼公司敏锐地发现，在中国仅仅建立一般产品的生产基地是不够的，在这里需要更高级别的生产基地。面对庞大的而且一天比一天消费高级化的中国本土消费者，再考虑到中国经济的稳定性和发展性，以及劳动力资源，索尼公司果断地加快了他们迈入中国的步伐。

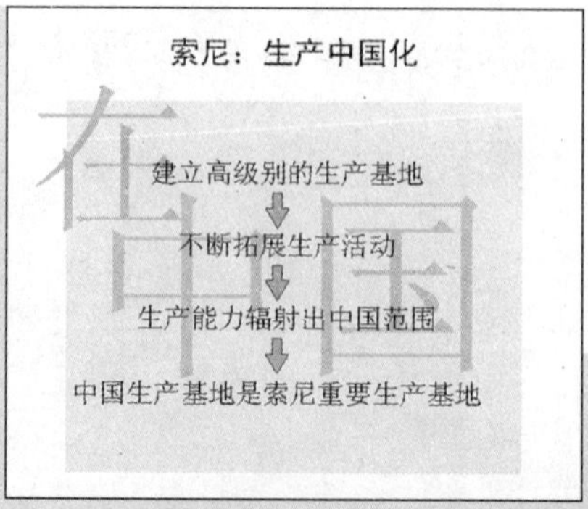

司厂房正式落成，并以惊人的速度迅猛发展。目前该生产基地不仅生产充电电池，而且可以进行背投彩电和 VAIO 笔记本电脑等高科技产品的生产和组装。索尼公司总裁兼首席运营官安藤国威曾亲自视察了该工厂并对其发展寄予了很高的期望。这足可以看出索尼对中国市场的关注，毕竟中国近几年的发展是诱人的。为了更进一步开展在华生产活动，除索尼电子（无锡）有限公司现有厂房外，索尼（中国）有限公司在无锡高新技术开发区又购买了新的土地。目前，索尼在无锡的生产基地总面积已达 33 万平方米，它的生产能力已经辐射出中国面向东南亚地区，并将有望发展成为索尼在海外最重要的生产基地之一。

2001 年，索尼凯美高电子（苏州）有限公司第二厂房落成投产。它是索尼化学株式会社在华子公司的一个二期厂房，因此索尼公司给予了高度的重视，董事长兼首席执行官出井伸之和正田肱等高层人员曾出席了新厂房的落成典礼。现在这个公司已经引进了目前世界最先进的高密度柔性印刷线路板技术，产品广泛应用于各种家用电器、通信及 IT 产品中，更被广泛运用于计算机通讯及航空航天产品等高科技领域。同年，索尼 EMCS China Corporation 在中国成立。EMCS（设计、生产及客户服务平台）是生产经营的全新概念，它致力于在全球范围内综合索尼公司在工程制造领域的经验及资源，不断提高工程设计、原材料、零部件采购、产品生产和管理的效率。它将为索尼在中国开展更高效的生产和研发活动起到积极的作用。

通过一连串的运作，以索尼（中国）为核心，在华生产基地为枢纽，索尼达到了本土化生产的最初目标。索尼在中国的业务全面铺开，就当年的累计总投资额，超过了 5 亿美元，索尼已经抢先在面对市场之前就已经解决了

■ 2001 年，索尼电子（无锡）有限公司厂房正式落成，并以惊人的速度迅猛发展。目前该生产基地不仅生产充电电池，而且可以进行背投彩电和 VAIO 笔记本电脑等高科技产品的生产和组装。

索尼在中国生产的后顾之忧。在一系列技术投资的同时，索尼也时刻关注中国市场的培养，它认为单单在技术和生产上的优势并不能使索尼完全走向中国市场。

11.1.3 培育中国消费者的品牌忠诚度

任何企业都期望看到这样一个结果：消费者能将其品牌定为第一选择，并视为挚友。这一结果被称为品牌忠诚度。要达到品牌忠诚度，企业要有许多工作要做。首先要让消费者了解公司产品，了解企业文化。获得这种了解的方法是多种多样的。现在更多的企业只是停留在一个较低的商品名称的追求上，而索尼在中国的营销可以说是现代高级品牌营销的一个范例，也是索尼在中国本土化过程中成功的一步，它培养了一批中国消费群体。

索尼在中国面对的市场与初到美国时的情况差不多，不同的是索尼已经在多次的失败与成功中吸取了教训并积攒了大量的经验，对于如何进入一个陌生市场，显然已经有了一套经验办法。来到中国的索尼再次举起出“品牌战略，深入人心”的大旗。

索尼知道如果产品仅仅只是生产出来还无法达到公司应有的目的，它希望在中国打造索尼品牌，让中国的消费者同样认知、认可一个高品质的索尼以及索尼的产品和文化。为此，索尼确定了目标：要进行大量的工作，努力宣传索尼品牌文化，与中国消费者沟通，让索尼在中国深入人心。

首先，在中国，索尼一如既往，如同在世界范围的宣传一样，把索尼品牌的魅力展现在中国消费者面前。索尼品牌的树立和品质保证很大程度上依靠传统的大范围的产品广告攻势和促销战略，相对于刚刚进入美国市场时候

■ 任何企业都期望看到这样一个结果：消费者能将其品牌定为第一选择，并视为挚友。这一结果被称为品牌忠诚度。要达到品牌忠诚度，企业要有许多工作要做。

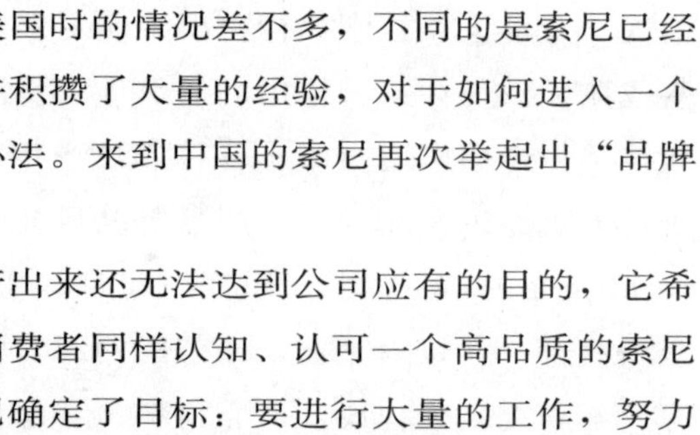

的“日本制造”，在中国市场的品牌宣传显然要顺利许多。

其次，索尼秉承“以技术贡献社会，做优秀企业公民”的发展理念，在中国的教育、文化艺术和环境保护等诸多领域积极开展各种公益活动。索尼在为中国市场提供品质超群的电子产品与服务的同时，也努力通过在音乐、影视和教育等领域推动中国文化、艺术事业的发展，实现与中国人的共同梦想。索尼创造性地设立了高等学校优秀学生（索尼）奖学金，从 2000 年度起奖学金的金额有了大幅度的提高，从原来每位获奖学生获得 2 800 元人民币提高到 4 000 元人民币，通过对高等教育的坚持不懈的热情支持提高了索尼公司的公众可信度，对于品牌的塑造起到了立体宣传的作用。截至 2004 年，索尼公司在中国已向奖学金项目投入了近 300 万元人民币，先后奖励了近千名品学兼优的高校学生。索尼对此的投资使它的本土化程度进一步加深了，它从中获得的回报将不可限量。同时由于中国越来越注重环保问题，索尼还适时地在中国推行其独特的环保理念，索尼（中国）有限公司以“保护环境、节约资源、实现可持续发展”的企业宗旨，在中国展开了积极推行企业环保理念的活动。

目前，索尼（中国）在华 4 家投资工厂中的 3 家已经通过了 ISO14001 环境管理体系国际标准认证，其中北京索鸿电子有限公司于 1998 年 9 月成为第一家获得该项认证的通讯终端生产企业，它也是中国第一家获得世界权威认证机构——英国皇家认证机构（UKAS）颁发 ISO14001 认证证书的企业。今后，索尼（中国）还将继续积极在有条件的分支机构推广 ISO14001 环境管理体系认证，以此进一步博得良好的形象。此举不仅仅得到了中国政府的认同，也获得了中国公众的好感。为保护环境做努力，很好地宣传了索

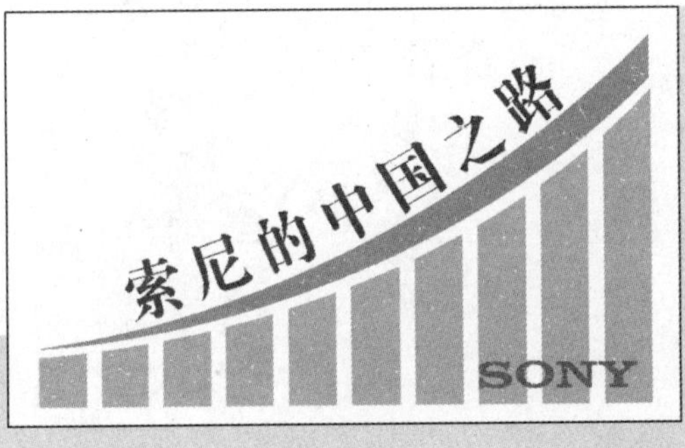

■ 索尼（中国）有限公司以“保护环境、节约资源、实现可持续发展”的企业宗旨，在中国展开了积极推行企业环保理念的活动。

尼作为一个世界级企业的责任心，让人对它的认可程度不断提高，使索尼不只是作为一个产品存在，更是作为一种文化而存在。这让索尼在中国公众心目中有了一个明确的定位。

索尼在其他的领域也开展了一波又一波的营销，索尼一直推崇的“鼓励开拓创新”的精神起了作用。连续8年与教育部、信息产业部合作，不断地资助全中国范围的“索尼杯——全国大学生电子设计竞赛”。此项活动得到了中国各地高校的高度评价，有效地介绍了索尼的创新精神，使人们不断地了解索尼的文化。随着“索尼杯——全国大学生电子设计竞赛”规模的不断扩大，索尼大幅增加了支持力度，到2001年，索尼对中国竞赛组委会提供的调研和竞赛赞助总金额已有500万元人民币。同年，索尼支持第四届北京国际音乐节的活动。音乐家出身的索尼公司前董事会主席大贺典雄亲自指挥了日本东京爱乐乐团在音乐节中的两场演出。这为索尼在中国公众中博得了良好的企业认知度和信任度。

索尼还进一步成功举办了第一届“索尼·北大营销论坛”活动，索尼的五位高层管理人员都参与了这一系列活动。这标志着索尼的经营理念在中国教育界达到了顶峰。这些活动在有力地促进了中日两国文化交流的同时，也极大地宣传了索尼。随着在中国业务的不断发展，索尼将继续和中国的文化结合，推动索尼的中国本土化进程。

11.2 战略调整

历史进入了21世纪，中国在此期间发生了翻天覆地的变化。随着中国

■ 索尼在其他的领域也开展了一波又一波的营销，索尼一直推崇的“鼓励开拓创新”的精神起了作用。连续8年与教育部、信息产业部合作，不断地资助全中国范围的“索尼杯——全国大学生电子设计竞赛”。

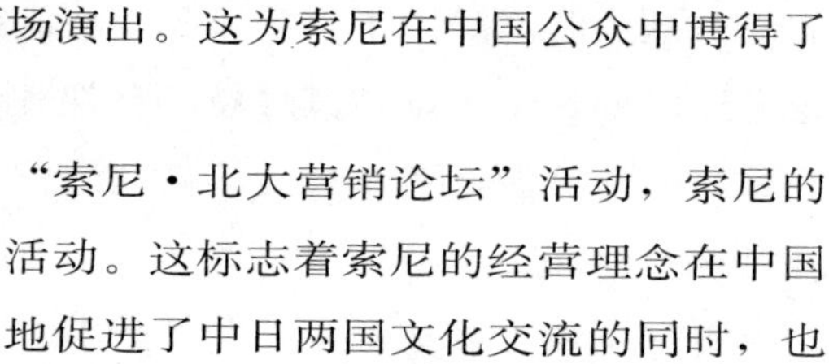

经济在全球范围内的快速增长，如何更加广泛地开拓中国这块市场成为索尼全球发展计划的焦点。面对中国这一庞大的市场，索尼的首席运营官安藤国威表示“索尼的进步离不开中国的发展”。虽然中国目前还没有取代美国成为索尼最大的海外市场，但是在中国的销售规模很可能在几年内超过索尼日本本土公司。索尼的近期目标是希望获得中国消费电子市场5%的份额，这意味着每年会带来1万亿日元（92亿美元）的收入。中国的人口是日本的10倍，所以市场的5%就能达到索尼在日本销售额的一半。中国必将成为索尼全球战略的重心。

11.2.1　二次革命

2002年，索尼全球董事会在中国上海召开。此次，索尼将全球董事会放在中国上海召开，表明索尼对中国市场未来发展潜力的认同和索尼将在中国市场加大投入。开发中国市场已经是索尼海外战略上的一个焦点问题。这次全球董事会和高峰会的重点是怎样加速开发中国商业潜在性，包括怎样把最先进的技术带到中国。

索尼要变革在中国的战略部署。在中国过去侧重电子硬件的发展，现在索尼决定在中国要做技术创新上的领跑者，以电脑为中心把其他产品连接起来。以这次会议为契机，索尼开始了在中国的二次革命。会议上索尼同时制订了东亚区域的发展战略，把索尼的整个区域市场营销的重点，包括设计、生产的重心逐渐转移到以上海为中心的中国市场上来，通过这个举措来促进索尼在整个东亚市场的繁荣。

索尼在欧洲和美国已经建立起了从研发、设计到生产和市场营销这样一

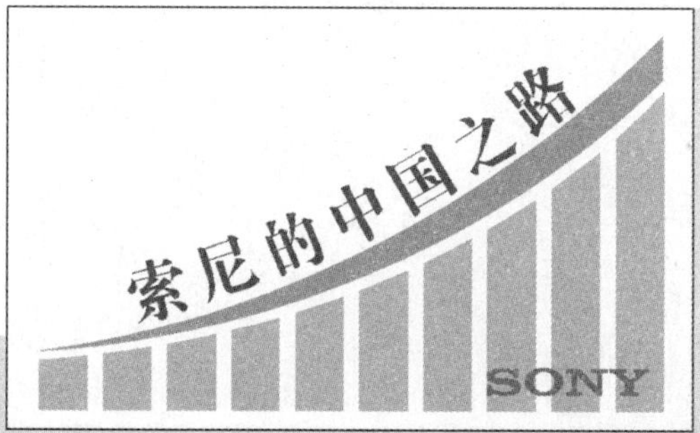

■ 2002年，索尼全球董事会在中国上海召开。此次，索尼将全球董事会放在中国上海召开，表明索尼对中国市场未来发展潜力的认同和索尼将在中国市场加大投入。

套完整的体系，在中国也要这样做。索尼在中国的生产和销售状况将深刻影响索尼在全球的发展。

在过去10多年中，索尼在中国本地打下了坚实的基础，但这些只是一些基础设施建设的工作。而在未来10年中，索尼准备跟进全球发展的趋势，把在中国的和东亚地区的业绩拓展到一个更大的空间。由此可见，索尼的战略中心已经转移到了亚洲的中国。

索尼在中国的二次革命第一步是要尝试用EMCS梳理索尼在中国的产业链。索尼近年呈加速度前进趋势，但是在发展的过程中也有了一些毛病，索尼原来在中国投资了6家以高新技术为特色的大型生产企业，整合了众多产品的生产和销售，但此前这些生产企业都属于各自的销售公司，相互之间也没有多少联系。因此索尼果断地提出要加快把中国的机构整合在一个更加灵活的平台上，这个平台就是EMCS。事实上，这一平台来源于日本本土，在实验取得成功后，索尼要迅速向中国全面引入这一独特的全新生产管理模式。

目前，索尼已正式成立了“EMCS中国”生产平台部门，统一协调和管理索尼在华的生产设计、部件采购、生产计划、批量生产等一系列生产活动，希望用更先进的管理手段全面促进索尼在国内生产制造体系的加速发展，使其集高度灵活性、快速市场反应能力、高品质设计与制造能力于一体。

打出这张强有力的牌后，索尼并没有停止脚步，开始进入到全球战略调整的进程，其中中国显然是这次调整的核心。2004年正式宣布小寺圭升任索尼（中国）有限公司董事长，同时兼任索尼集团东亚业务区域市场及销售总裁，这一重大的人事变动为索尼在中国的公司注入了新的活力。

1976年小寺圭就加入了索尼公司，历任索尼海外营业中心高级总经理、

■ 索尼在欧洲和美国已经建立起了从研发、设计到生产和市场营销这样一套完整的体系，在中国也要这样做。索尼在中国的生产和销售状况将深刻影响索尼在全球的发展。

索尼国际（欧洲）有限公司家用产品欧洲业务集团总裁、索尼日本营销公司总裁等职。他是一个公认的营销专家。其实，自索尼集团全球董事会在上海召开后，山井伸之一再承诺，要把高速发展的中国市场作为索尼未来发展的重中之重，中国将成为索尼在东亚区域的成长引擎。要实现这个目标，将研发、设计和生产的成果付诸实施，市场和营销的作用自然举足轻重。

索尼及时地改变海外策略，将北美、欧洲、东亚作为索尼集团今后三大主要业务区域，中国则是东亚区域的重心。这项重新部署的战略为索尼在争夺中国市场的战斗中取得了一个有利的位置，这一切都有助于帮助索尼抗衡松下、三星等竞争企业。事实上，其他同类型的公司无一不在进行着在中国的战略部署。在前一段时期内索尼好像落后了下来，但是及时调整的战略思想使索尼在中国的发展有了比其他公司更大的发展空间。

11.2.2　深化在中国的改革

索尼锁定中国这个目标后，战略部署也逐步到位了。随着中国消费者消费水平的提高，索尼清楚地认识到它必须同时要多做一些工作，才能够更好地应对公司所期待的战略重心的全面转移。

1. 进一步挖掘现有的索尼在华企业的潜力

这些在华企业除了索尼独资企业外，也有其与中国当地企业的合资企业，正确处理好合资与独资企业在华的关系也成为一个重要问题。

索尼承认今天在中国的好成绩与跟当地合资伙伴有着良好的合作是密不可分的，索尼确立自己的工作方向之一就是在将来发展的路途上会继续加强

■ 索尼锁定中国这个目标后，战略部署也逐步到位了。随着中国消费者消费水平的提高，索尼清楚地认识到它必须同时要多做一些工作，才能够更好地应对公司所期待的战略重心的全面转移。

和合作伙伴之间的关系，但同时另外一个方面，索尼也意识到怎样利用本公司已有的独资企业同样是相当重要的事情。因此索尼决定对在华的独资企业增加一些开发的功能，这一点尤其有利于开展索尼引以为豪的创造力。同时索尼在中国也有所为有所不为，因为它清楚地认识到，整合协调各个在华企业不只是加大投资那么简单，为了更好地将各个企业整合在一起，发挥在华公司整体的联动效果，索尼舍弃了一条在华的生产线。此外，索尼在摄像机全球生产运营中，非常重视供应链管理，希望以最快的速度向全球市场供应产品。但是摄像机的元器件多数在日本采购，为缩短供货时间，索尼将原来在华出口美国的部分摄像机产品搬到日本生产，这样可以有效地配合索尼全球的生产销售体系。

2. 索尼力求自己在中国的进程保持与世界同步

由于将自己定位为一个国际化企业，索尼最初的模式是在全球同时推行一个统一的战略。只要定下一个方针，全球是可以按照同样的一个进程去发展的。但是这实际上是不容易实现的，每个国家都有着各自不同的发展阶段，所处的情况不同，所以在中间还是会有一些时间差的问题，只能尽量朝一个总的方向发展。以中国为中心的东亚地区，已经被视之为索尼发展的引擎，所以索尼在华不惜大力投入，准备在今后的发展过程中能让中国与日本总部同步，甚至有时候还要比日本的发展更快一些，以此来加快在中国的发展。在这方面，索尼的内部也做了很多的讨论，比如怎么样推出新的产品，怎么样推出新的服务，结论是可能中国变化的速度需要比其他国家的变化速度更快一些才可以。对于中国战略地位的提升，这一从研发到销售的在华同

■ 索尼承认今天在中国的好成绩与跟当地合资伙伴有着良好的合作是密不可分的，索尼确立自己的工作方向之一就是在将来发展的路途上会继续加强和合作伙伴之间的关系。

步理念已经为索尼在中国的营销打入了一剂强心针，这无疑使得索尼比在中国市场上的其他竞争对手更具时效性上的优势，同时也使索尼更加具有吸引力。可以想象，中国消费者可以同时拿到与日本、美欧等国同样的索尼产品，这对消费层次不断提高的中国是多么具有吸引力的一件事啊！

3. 索尼也需要在中国深化多元化发展

索尼的重点是电子硬件和娱乐内容两方面。事实上索尼多元化发展的核心是创造一个价值链，一个价值的循环，通过它建起的平台为消费者提供更好的产品和服务，所以并不能单纯为发展多元化而发展多元化，而是要遵循一个整体性、连贯性的发展策略，发展成为一个真正多元化的公司。索尼认为非电子行业的发展空间相对比较小，电子业务却有非常大的发展潜力，当它与网络连接时将有很大的市场，新的服务业也可能产生。认识到这一点，索尼在中国的多元化会与传统的多元化有所不同，它将注入索尼近年来在欧美吸取的一些经验，并加入索尼经营的核心理念——创新。可以说中国也是索尼新的多元化理论的实验场，它的道路也会同索尼在美国的发展一样，而索尼将坚持不懈地走下去。

11.2.3　特丽珑产品在中国

索尼的特丽珑产品得到了中国消费者的格外青睐。1995 年，索尼公司与上海索广映像有限公司一起，引进大屏幕彩电技术、高分辨显示技术、特丽珑彩色显像管改进设计等技术，开始投产贵翔平面特丽珑彩电及彩管、背投彩色电视机等高科技含量的电视设备。

■ 事实上索尼多元化发展的核心是创造一个价值链，一个价值的循环，通过它建起的平台为消费者提供更好的产品和服务。

1998年，索尼（中国）有限公司与全球同步向上海索广映像有限公司导入索尼全球首创的真正平面的彩电。到了2003年，索尼（中国）有限公司宣布正式在中国市场推出在全球范围内领先的革命性显示技术“贵翔引擎”，同时发布采用这一技术的11款最新电视产品。“贵翔引擎”最大的技术特点是可以广泛应用于包括CRT显像管、背投影、等离子、液晶等在内的多种显示设备，进行全程数码处理。“贵翔引擎”能够有效地避免由于多次进行模数到数模转换而引起的噪波增加和信号损失，最重要的是它还可以最大限度地发挥索尼独创的高画质电路DRC和MID的潜能，还原更高纯度、更具表现力的画面。因此，这项面向未来的核心显示技术被索尼称为“电视的心”。

贵翔平面特丽珑彩电技术改变了显像管百年历史，这个具有革命性技术的贵翔平面特丽珑彩电在中国隆重面市，启动了中国平面彩电市场，并在中国市场上获得了巨大的成功。

虽然平面特丽珑彩电的问世给人们带来了前所未有的视觉享受，但索尼并没有满足于此，为了不断给人们提供更完美的画质效果，索尼又陆续推出了“数码精密现象”（DRC）技术、“超精细线距”技术等，使特丽珑显像管电视技术愈加完美，同时索尼在中国的产品占领了高端市场。

11.3 探索不止

索尼进入中国市场就像它进入其他市场时一样，面临着许多未知的困难。在不断的探索中，索尼一次次地扫除了障碍，在中国的发展取得了令人

■ 贵翔平面特丽珑彩电技术改变了显像管百年历史，这个具有革命性技术的贵翔平面特丽珑彩电在中国隆重面市，启动了中国平面彩电市场，并在中国市场上获得了巨大的成功。

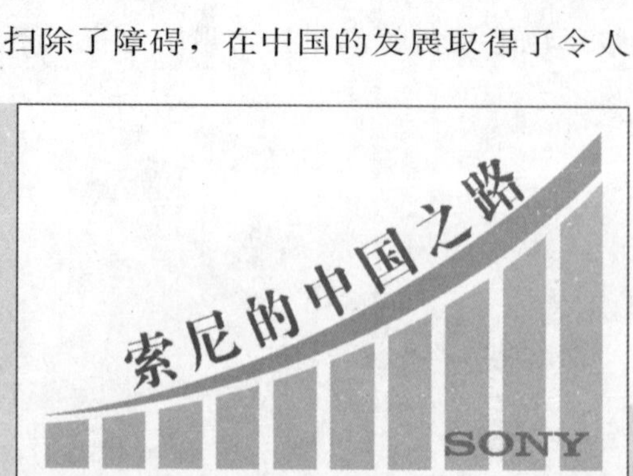

满意的成绩。如今，面对索尼海外战略重心的调整，中国在索尼的战略地位将越来越重要，更大的挑战摆在索尼的面前。为此，索尼将进一步探索中国市场，克服困难，为其在中国的持续发展壮大铺平道路。

11.3.1　PS2 的进退维谷

据 IDC 咨询顾问公司的调查数据显示，在索尼公司总利润中，高达 53%来自 PS2 的贡献。可以说，在索尼帝国庞大的产品线中，最重要、最赚钱的业务，既不是精巧的消费类电子产品，也不是最近高速成长的电影公司，而是那台小小的游戏机——Play Station2。在美国和日本市场上，平均每 3 个家庭就拥有一部 PS2，可谓是风靡全球。

索尼全面进入中国的战略部署中，PS2 在中国的推广本应该是一个重大而又有着非同寻常意义的事件，然而面对中国这个市场，PS2 却迟迟不见动静。索尼原来计划让 PS2 于 2003 年全面进入中国市场。可在任何关于 PS2 的市场运作中却迟迟不见索尼有所动作。事实上，索尼在中国的游戏业务已经陷入了进退维谷的境地，这是索尼在进入中国所面对的一个重大的难题之一。

索尼公司通过自身的反思，不得不面对一个事实，对于索尼这个引以为豪的 PS2 项目，在中国实现盈利还有一段很长的路要走，在实现未来的巨额盈利之前，PS2 在中国市场上必须面对相当长时间的亏损。这可能很像当初进入美国市场时地域差异的问题，现在这个问题又摆在了索尼的面前。

到目前为止，PS2 最大的利润来源是游戏软件，而其硬件设备是贴钱销售的，这本来是源自山井伸之的以软件带动硬件的销售策略。即 PS2 先凭借

■ 索尼进入中国市场就像它进入其他市场时一样，面临着许多未知的困难。在不断的探索中，索尼一次次地扫除了障碍，在中国的发展取得了令人满意的成绩。

低廉的主机价格迅速占领市场，而用户为发挥PS2的价值就会不断地购买相应的游戏软件。

事实正是如此，游戏软件的热销反过来刺激PS2游戏机市场占有率的进一步扩大，吸引更多的开发商开发更好玩的游戏，这样就形成了PS2出色的利润链的良性循环。就是这样一个良好的经营方式使得PS2迅速成为索尼的第一利润支柱，这也是索尼公司在经营运作上的范例。

可是，PS2这种独特的盈利模式在中国却遇到了前所未有的困难，直到现在索尼PS2还未正式进入中国。事实上，索尼的游戏已经流行于中国的各个游戏市场，这些游戏软硬件的来源全是盗版。正版货平均400元，而盗版PS2游戏仅仅5～10元，差价如此巨大，而且随处可得，使游戏玩家对廉价的盗版养成了很大程度的依赖性。对完全依靠软件获利的PS2而言，盗版是其进入中国市场的最大障碍，索尼对这个问题非常重视。正田就曾直接表示："PS2为什么不贸然投放中国市场，就是因为盗版问题。"可是对于这个问题，索尼公司显得一筹莫展。

盗版之所以猖獗，主要是其价格便宜。索尼要想彻底打击盗版，最有力的措施就是让游戏软件的价格，向中国低头。这是一个正确的思路，现有的PS2游戏软件基本上都是由日本和欧美的软件商开发的，成本居高不下。从长远考虑，要想降低游戏软件的价格，培养相对廉价的本地游戏软件开发人员是其关键。另外，PS2登陆中国，必须适应中国游戏玩家的爱好，游戏内容本地化就显得尤为重要，这也要求培养高素质的本地游戏软件开发人员，开发中国文化的游戏软件。所以培养索尼自己在中国的游戏开发人才显得就极为重要了，因为这是个一举两得的好办法。然而，这将是一个长期的工

■ 到目前为止，PS2最大的利润来源是游戏软件，而其硬件设备是贴钱销售的，这本来是源自山井伸之的以软件带动硬件的销售策略。

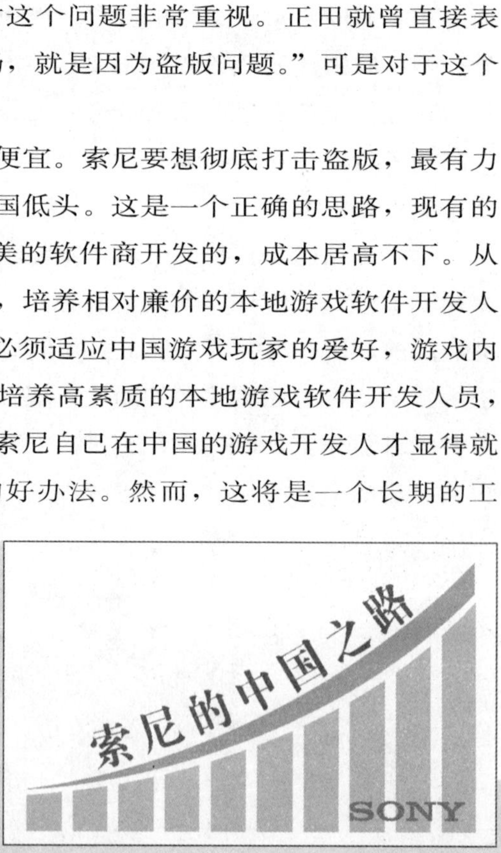

作，在短时间内是不可能一蹴而就的。

正所谓远水解不了近渴。PS2要想短期内在中国市场上有所作为，索尼只能打破它全球统一的价格体系，通过补贴的方式直接降低正版游戏的价格，为中国市场单独定价。按照现有的PC游戏情况看，PS2游戏在中国的平均价格只有低于50元，才有可能被接受。也就是说，索尼在通过一系列市场分析之后得出的结论是，PS2在中国必须先亏本经营。

另外，索尼还将面临的一个问题是，中国的游戏市场是一块尚未真正开垦的处女地，遍地荆棘。索尼PS2率先进入中国虽然能赢得市场先机，却需要支付巨额的培育成本。与欧美和日本相比，中国的游戏市场是“具有中国特色”的。在中国，由于传统文化的影响，大部分人都对电子游戏嗤之以鼻。在游戏的消费主体——青少年中，电子游戏在社会观念和学业的双重压力下成了一种抬不起头的行为，始终不能光明正大地进行。PS2要想真正成为主流的娱乐产品，还需要对消费者的观念进行相当长时间的培育，这是一个长期而艰苦的过程。

另外，PS2在中国市场的立足还必须获得政策的支持。可是中国政府对于游戏产业一直采取限制的消极政策。由于政策的不支持，电子游戏的生存环境有很大的不确定性，也就提高了索尼在中国市场的风险，并且很难预计和防范其中的风险损失。中国著名的“蓝急速”网吧大火事件，就让游戏产业承受了巨大的压力。索尼想要在广州、上海、北京设立游戏电玩中心，但在申请营业执照时却遇到了诸多的困难，要经过众多部门的层层审批，这些都加大了索尼PS2进入中国市场的实际难度。

面对如此艰难的情形，索尼所耗费的人力、物力、财力也无法估计。中

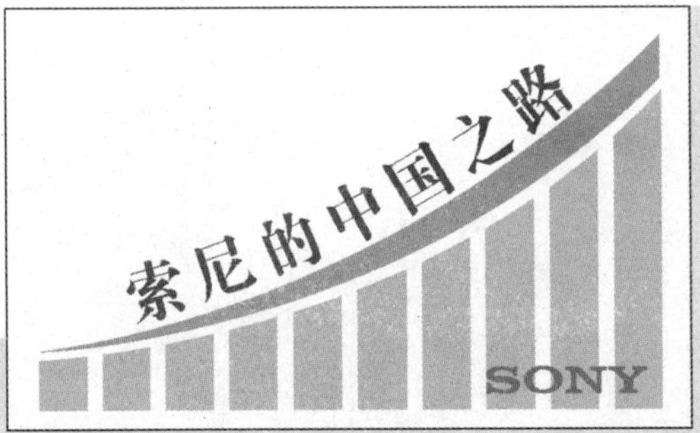

■ 正所谓远水解不了近渴。PS2要想短期内在中国市场上有所作为，索尼只能打破它全球统一的价格体系，通过补贴的方式直接降低正版游戏的价格，为中国市场单独定价。

国有着无底洞般的市场，却又带着一个不确定的预期，索尼大笔的“教育投入”很有可能泛不起任何波澜，甚至会冒为他人铺平道路的危险。当索尼的努力使中国的游戏产业发展环境成熟了，它的竞争对手肯定就会纷纷杀入，捡一个现成的便宜。同时，索尼还必须面对来自同行竞争者的挑战，就像微软的同类型游戏机 XBOX 带来的威胁。

现在，索尼真正处于两难抉择，率先进入中国赢得市场先机，还是等待市场成熟、先期风险已经减小后再进入中国市场？本着创造精神的索尼公司，是不会让中国市场海外战略的新重心旁落的，索尼公司在短暂的踌躇后必将做出一个明确的选择。

显而易见，盗版和市场培育的确是 PS2 在中国市场的巨大障碍，索尼必须做好短期内 PS2 很难实现在中国盈利的心理准备。但是索尼不会放弃中国这块充满无限潜力的游戏市场，不会放弃这个新的海外战略堡垒，因为中国市场对索尼有无法抗拒的魅力。

令人欣喜的是，中国游戏市场已经开始高速成长，仅网络游戏部分，在 2002 年中国市场规模就达到 9.1 亿元人民币。这样一个高速成长的市场对于索尼来说，不但不能错过，还必须把他们的拳头产业放进去。索尼在华的宏伟目标是，到 2005 年，索尼在华业务将发展成索尼集团的第 4 大支柱，在中国的销售额将达到现在的 5 倍；到 2008 年在华业务要超过日本，做到全球第二。PS2 作为索尼的利润支柱，即使面临再大的困难，也必然会占领中国市场。

所以，无论是从市场远景还是从竞争战略上考虑，PS2 必会正式进入中国市场。同时，中国政府正在加大力度打击盗版，这给了索尼方面很大的信

■ 现在，索尼真正处于两难抉择，率先进入中国赢得市场先机，还是等待市场成熟、先期风险已经减小后再进入中国市场？

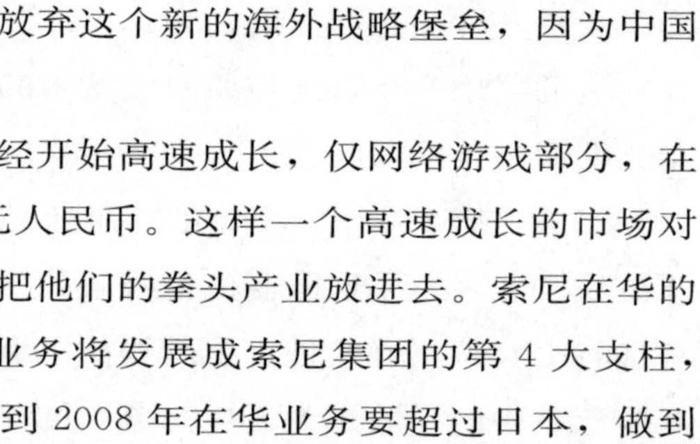

心。另一方面，随着中国加入世贸，游戏市场也正在逐步放开。索尼只要长期增加投入，做好 PS2 的中国本土化进程，培养良好的市场，将其他竞争对手抛在身后，实现 PS2 统治中国游戏市场，加快索尼在中国的发展将不再是一个梦想。

11.3.2　共同分得一杯羹

索尼在中国的发展战略有条不紊地进行的同时，它也充分认识到合作伙伴的重要性。作为全球合作竞争战略的一部分，索尼希望通过与其他一些公司的合作，达到其在中国市场快速发展的目标。

2003 年，索尼（中国）有限公司与全球领先的超媒体网络会议和通信解决方案供应商——美国 FVC 公司共同宣布，双方缔结企业战略合作伙伴关系。索尼想要通过捆绑各自在网络会议和视频会议领域的强势产品，并充分利用索尼公司在中国市场的深厚渠道关系，携手开创中国网络视频会议的新时代。通过此次战略合作，FVC 最新网络会议产品会和索尼的会议系统与视频系统相结合，以更丰富的功能、更优异的质量向中国客户展示索尼的产品，提高索尼的竞争力。

另外，索尼也同样重视与中国本土企业的合作。索尼公司与长城集团就展开了全面战略合作。长城旗下核心上市公司中国长城计算机深圳股份有限公司将全面代理索尼笔记本电脑等数码产品。在这一合作中，长城电脑将作为索尼笔记本电脑的行业销售总代理，充分发挥自身的行业客户销售经验和渠道优势，与索尼公司的品牌和产品研发优势完美结合，为用户提供最合适、最具竞争力的索尼产品。索尼和中国本土企业的合作使它具有了重要的

■ 索尼在中国的发展战略有条不紊地进行的同时，它也充分认识到合作伙伴的重要性。作为全球合作竞争战略的一部分，索尼希望通过与其他一些公司的合作，达到其在中国市场快速发展的目标。

地缘优势。索尼可以通过这一体系加速其在中国市场的进攻速度。

索尼在中国的合作战略是步步为营，一步胜于一步。再加上与爱立信公司在中国的合作，其在占领中国手机市场的进程显得出奇地顺利。目前，索爱的手机产品 1/3 来自他们在北京合作的生产基地。索尼的合作战略是其进军中国市场的一个捷径，它也正在用这种方式节省自己的消耗，加快进军的速度，可以说这是一个明智之举，真正展示了索尼公司高瞻远瞩的智慧，以及索尼对中国市场的决心与信心。

11.3.3 放眼中国未来

索尼是一个日本企业，但它更愿意被人称作是一个国际化的企业。索尼在日本的销售额只占它全球市场的 30%。目前，索尼在亚洲地区的产量已经占到全球生产量的 80%，而索尼在中国的产量占亚洲地区制造的 1/3 左右。换而言之，中国的产量已占了索尼在全球产量的 25%，并且逐步成为索尼重要的生产基地。在强化中国、日本、东南亚之间相互协调关系的同时，索尼在中国本土制造的力度也在不断地得到加强。

索尼对中国市场全方位的、长期的承诺已经不容更改，它把自己视作一个完全根植于中国本地长远发展的企业，而不仅仅是把中国作为一个出口基地。索尼的海外全球战略把高速发展的中国市场作为未来发展的重中之重，并致力于把全球最先进的技术和产品同步带到中国，迅速实现本地化生产。为此，索尼已经把最先进的产品，如全球首款 300 万像素摄录放一体机、全球首款 800 万像素数码照相机放到中国来设计、生产和销售。在很多产品领域，索尼已经使中国在全球中成为领先者。迄今为止，索尼在中国的投资额

■ 索尼在中国的合作战略是步步为营，一步胜于一步。再加上与爱立信公司在中国的合作，其在占领中国手机市场的进程显得出奇地顺利。

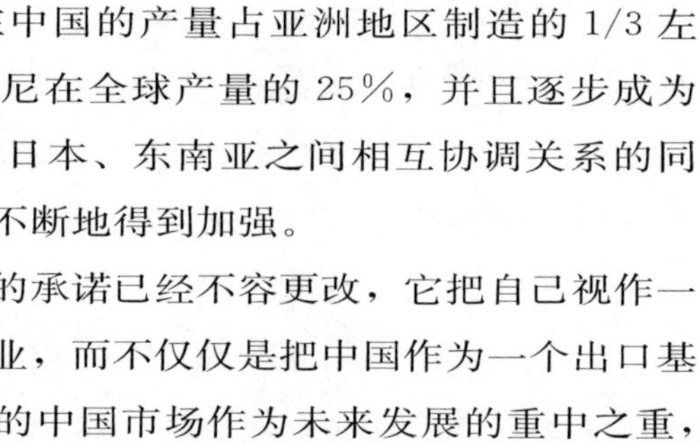

为 8 亿美元，在未来的日子里，索尼还会加大在研发、设计和生产方面的投入。

索尼在中国的投资将与日本本土有互补的作用，这是索尼在中国发展的原则之一。现在，它将继续努力，计划在 2008 年使中国市场销售额超越日本市场，成为索尼公司仅次于美国的第二大市场。虽然索尼为此还要付出很多，但是道路充满光明。索尼秉承一贯勇于挑战的信念，通过一系列的在华经营，战略上的改组改造，势必会实现在中国的发展目标。

附录：索尼在华大事记

1978 年　开始在中国运营，先后在北京（1980 年）、上海（1985 年）、广州（1994 年）等地设立了办事处和客户服务机构，并于 1995 年在成都设立了办事处。

1982 年　得到中国政府许可，开始在北京、上海生产广播电视专业用录像机。

1993 年 9 月　与上海广电股份有限公司合资（SONY 出资 70%）成立“上海索广电子有限公司”。主要业务范围：生产 8 mm/数码 8 毫米/DV 格式数码摄录放一体机、光学拾音头、DVD、音响、数码照相机等。

1994 年 4 月　成立全资索尼凯美高电子（苏州）有限公司。主要业务范围：生产挠性印制线路板（FPC）、扁平电缆（FFC）等。

1995 年 10 月　与北京邮电学院科技开发公司、北京京芝电子信息产业有限公司、北京天竺空港工业开发公司合资（SONY 出资 74.5%）成立

■ 索尼在中国的投资将与日本本土有互补的作用，这是索尼在中国发展的原则之一。

“北京索鸿电子有限公司”，主要从事移动式通讯设备及 DVCAM 格式专业用磁带录像机、摄录放一体机等产品的开发和生产。

1995 年 11 月　在广东省惠州市成立独资“索尼精密部件（惠州）有限公司”，并于次年 1 月开始正式投产，主要从事光学拾音头、机芯、马达等关键部件的生产。

1995 年 12 月　与上海广电股份有限公司、上海真空电子器件股份有限公司合资（SONY 出资 70%）成立“上海索广映像有限公司”。主要从事全系列平面彩电、平面显像管及相关关键件等产品的生产。

1996 年 10 月　在北京成立索尼（中国）有限公司。

2000 年 9 月　在江苏省无锡市全资建立“索尼电子（无锡）有限公司”。主要生产适用于移动电话等移动终端使用的世界先进的聚合锂离子充电电池、背投彩电，并进行 VAIO 笔记本电脑和数据投影机的组装。

2000 年 10 月　索尼公司在北京建成并对公众开放中国第一座寓教于乐的全新体验型科技乐园——“索尼探梦”（Sony Explora Science）。

2001 年 10 月　索尼中国完成了包括北京总部在内的中国 20 个分支机构及代表处的设立。

2002 年 4 月　索尼在中关村海龙大厦开设“Sony Gallery”展厅，以展示索尼最新的数码网络生活解决方案。

2003 年　索尼在中国总投资超过 8 亿美元。

2004 年　第二家“Sony Gallery”在上海淮海路上隆重开幕。

■ 2000 年 10 月　索尼公司在北京建成并对公众开放中国第一座寓教于乐的全新体验型科技乐园——“索尼探梦”（Sony Explora Science）。

第十二章 索尼的挫折应对

社会与市场的复杂性使企业总是在无数的困难和激烈的竞争中游走。企业的发展总是有起有伏，在历经无数的挫折之后，它才会成长，才会发展壮大。当今世界的企业巨头们，有谁没有遭遇过生死攸关的困境？可以说，正是这些困境，为这些杰出企业发展注入了新的活力，使它们能够开辟更为广阔的领域，继续发展它们的宏基伟业。

索尼也是这样，从创业时的艰苦条件到后来的种种困难，它的发展从来就不是一帆风顺的，可贵的是，索尼的高层们并没有自欺欺人地掩人耳目，而是以坚持不懈、开拓创新的精神不断孕育着新的攻势，在发展的道路上一步步地向前迈进。

12.1 遭遇寒冬

20 世纪 80 年代“MADE IN JAPAN”的商品在全世界铺天盖地，不知道当时日本人到底建了多少工厂，有多少贸易公司，整个日本充斥着一个个强大无比的“日本株式会社”。在日本国内，几乎每家企业都宣称自己的产品是“世界第一”。特别是在 80 年代中后期，日本经济出现了持续时间最长

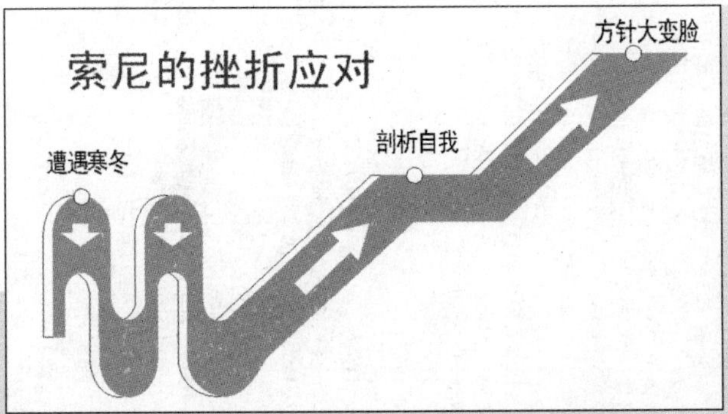

■ 社会与市场的复杂性使企业总是在无数的困难和激烈的竞争中游走。企业的发展总是有起有伏，在历经无数的挫折之后，它才会成长，才会发展壮大。

的经济繁荣。日本的政治家曾夸下海口，美国经济已失去了世界经济火车头的作用，现在该轮到日本了。

的确，当时，日本曾经一度成为了世界经济发展的中心，对于像索尼这样的企业正是一个发展的关键时期。然而，这种自信没有保持多久，面对全球经济持续低迷和日本的泡沫经济的破裂，日本企业开始变得举步维艰。日本经济陷入了通胀的泥潭，日元对美元、欧元大幅贬值，众多公司纷纷对日本的未来持悲观态度。就连让日本人引以为豪的家电业也是全线告急。

新世纪之初，日本家电业在全球市场的占有率减少到了 24%，失去了其占有亚洲乃至全球半导体市场一半以上份额的绝对统治地位。日本家电业的这次衰落，是从韩国企业积极抢占内存芯片市场开始的，紧接着，美国的芯片设计公司纷纷兴起，与此同时，中国台湾的代理生产厂商也逐步壮大，致使日本家电业面对困境“越陷越深”，实在难以找到脱身之策。而当时中国家电业及市场的快速成长，也冲击到了日本的家电市场。

2001 年对日本众多的家电业企业来说，更是一个寒冷的冬季。令日本国民震惊的是作为家电王国巨擘之一的松下集团陷入经营危机，出现了高达 3 700 亿日元的经营赤字。日本家电业之所以会出现整体的大幅度的衰落，其原因是多方面的，除了全球信息产品制造业不景气，以及全球半导体产业市场竞争加剧等大环境的影响因素外，日本家电业在投资、技术开发与产业结构调整方面的失误，也导致了日本半导体产业的发展停滞不前，并且缺乏继续向前发展的推动力。再加上由于泡沫经济和全球经济的不景气，各个公司的投资都受到了银行信贷方面的制约，消费者需求此时比以往任何时候都要弱，日本家电业遇到寒冬也就是理所当然的事情了。

■ 2001 年对日本众多的家电业企业来说，更是一个寒冷的冬季。令日本国民震惊的是作为家电王国巨擘之一的松下集团陷入经营危机，出现了高达 3 700 亿日元的经营赤字。

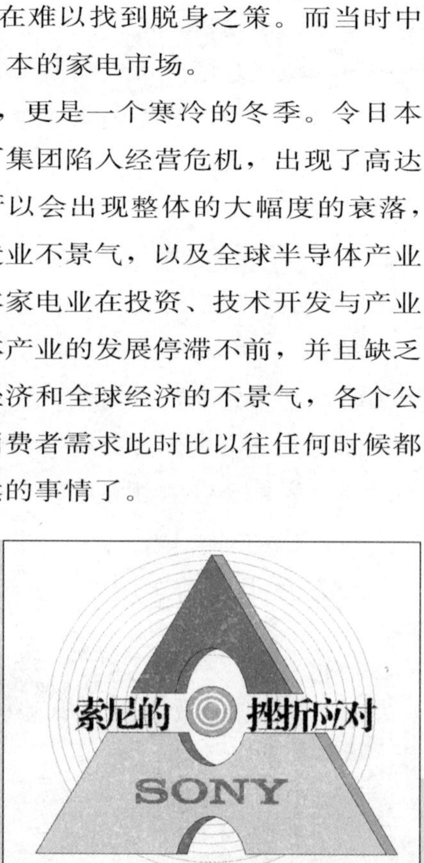

身为日本一面旗帜的索尼公司也没有幸免，它也陷入了经营上的困境。索尼这个最有战略号召力的公司在众多的领域都开始遭遇挫折。

在等离子彩电市场，索尼已经渐渐失去一统天下的局面，在液晶彩电领域，韩国三星已经在索尼的传统领地北美地区将索尼封住。

在手机领域，诺基亚、摩托罗拉共同把持了市场，索爱暂时还不能和这两个传统品牌相抗衡；在中国，三星一直占据高端市场，在全球，更是挤进了全球手机五强之列，而索尼的手机起初则一直处于不利状态，三星在液晶显示器等电子类产品的市场占有率逐年攀升，索尼后来与爱立信联合共同研发索爱手机，但步伐还没有那么快。

2003 年春，索尼电子业务出现 1 161 亿日元巨额营业赤字，由此引发了日本股市的巨幅震荡。有舆论认为索尼企业将面临一个重大考验。美国是索尼最大的市场，美国消费者的信心已经跌到了 9 年以来的最低值，而索尼在美国的销售额占公司总销售额的 2/3。日本是索尼的第二大市场，近 10 年来日本的经济一直处于衰退期，近期内也不会走出低谷。索尼曾在 2001 财政年度，全线溃败，利润下滑了 40%，索尼进入了一个危险的时期。

企业战略从来都不是静态的，因为市场在变化，一个静态的战略不可能保持企业的持续胜利，企业战略必须跟进时代变化，进行持续的、新的定位，以保证自己获得胜利的根本。

索尼 50 多年来的胜利所依靠的战略现在看起来遇到了障碍，它的战略似乎已经跟不上时代的脚步了。而作为后起之秀的三星对企业战略的理解似乎更为透彻。早在 1998 年，市场上“数字化”潮流初见端倪的时候，三星便开始了以“数字化战略”为主题的“选择与集中”的战略转变，在战略上

■ 2003 年春，索尼电子业务出现 1 161 亿日元巨额营业赤字，由此引发了日本股市的巨幅震荡。有舆论认为索尼企业将面临一个重大考验。

不再将自己定位于消费类电子（类似索尼）制造公司，而是定位于新经济中“数字化消费潮流”的创造者。比如，三星果断撤出沃尔玛等折扣店，因为这种低价折扣不能反映三星对数字化潮流的领导雄心。又如，三星数字化战略的行动纲领强调四先（“先见，先手，先制，先占”），目的是想告诉消费者：三星要领导数字化潮流，而不是在制造数字化产品。在数字电子的领域，三星早已超过了索尼，这正是得益于其战略的及时调整。

索尼的战略确实已经遇到了挑战。它的战略有些模糊，定位似乎也不够准确，在很多索尼以往独占鳌头的领域内，其他公司开始超越索尼。索尼清楚地认识到，是进行重新战略定位的时候了。

12.2 剖析自我

任何一个成功的企业都不会在挫折面前低头。它们总是在寻找错误的原因以及解决问题的方法。索尼也是这样，它在挫折面前并没有就此消沉下去，而是在冷静分析自身所处的形势，找出走出困境的策略。

在日本陷入经济危机的时候，索尼已经进入出井、安藤时代了，面对这一个又一个的挑战，当时的总裁出井伸之感到身上的压力越来越重，索尼所有的高层领导都在进行着索尼前景的思索，他们始终认为困难难不倒索尼，因为索尼的成功之路历来就不是一帆风顺的。

要扭转索尼的颓势首先就要认真地分析自我。回想起来，索尼经过长达几十年的努力成就了在全世界创造“优质优价”的贵族气质，索尼品牌也成为全世界最具知名度的品牌之一。然而，现在看来，固守曾给索尼带来巨大

■ 任何一个成功的企业都不会在挫折面前低头。它们总是在寻找错误的原因以及解决问题的方法。索尼也是这样，它在挫折面前并没有就此消沉下去，而是在冷静分析自身所处的形势，找出走出困境的策略。

成功的“贵族气质”似乎正是造成索尼颓势的重要原因。

12.2.1 战略失衡

从战略上来看，索尼在全世界的业务布局一直都是倚重美欧和本土：美国32%，欧洲21%，日本约占30%，其他地区包括中国（含中国台湾、港澳）才17%。而从索尼2002财年不同地区法人的营业利润来看，美国索尼为人民币65.8亿元，远远超过了日本法人的7.6亿元及欧洲法人的41.4亿元。在联合营业利润之中，美国法人就占了53%。由此可看出，即使是在“日本制造”衰落以来的第12年，索尼仍然在成熟的美欧市场用力，而忽略了快速增长的中国及亚洲地区。

索尼这个战略布局转身慢的软肋被后来者如韩国三星、LG以及中国的竞争对手所瞄准，以更低的成本向索尼的阵地发起冲击。索尼忽视亚洲及新兴国家市场，一个重要的因素是索尼“看不起人”，一直认为索尼的产品是给高端消费者做的，而经济不发达的地区人们买不起，而低价则会破坏索尼的贵族形象。

当索尼认识到原来中国也有巨大的消费能力而决心从2003年起，把中国视为全球经济增长的“第四引擎”时，其竞争对手，甚至包括日本的松下、佳能等早已在中国完成了布局，并调整好了自己的全球战略。同时，索尼总是担心盗版对索尼整体形象的影响而不愿意从美欧所谓“文明”地区转移注意力。事实上，微软在亚洲地区遭遇盗版甚烈，但微软依然在中国深耕了10年之久，可以说，索尼因为贵族气质的成型而失去了创业初期敢于冒险的开拓精神，从而在战略上导致失误。

■ 索尼这个战略布局转身慢的软肋被后来者如韩国三星、LG以及中国的竞争对手所瞄准，以更低的成本向索尼的阵地发起冲击。

12.2.2 战术失误

从战术上看，占据索尼 2/3 主营收入的电子产业因为固守自己优质高价的形象而失守大片城池。

传统电子产业经过战后 50 年的发展，技术早已不是什么绝活和秘密了，比拼的是成本和价格。靠一些外形的设计只能蒙那些有崇洋癖的少量消费者。实用的性价比对于传统电子产业来说已成为生存的必需。但索尼一再凸显自己的独特，在价格竞争中开始是死守，后来是被逼跟进，而且是小幅度地一点点降，始终保持着一份贵族式的矜持，结果导致步步落后。

12.2.3 四点启示

可幸的是，索尼似乎开始认识到自己的失误而改变自己的战略战术。在对自身战略优势衰退的分析中，索尼得到了四点启示：

第一，市场已经转变。市场创新竞争主体增多，具有技术优势的企业随之增多，同时消费者接受新产品的速度加快，索尼不可能垄断技术。这个新的市场是一个速度的市场，也是一个创新的市场，这样的市场不可能给索尼更多的时间享受一劳永逸，进入这样一个新的市场就等于开始没有终点的速度与创新的比赛，是要与时间赛跑的比赛。因此，不断坚持索尼的创新战略显得更加重要。

第二，有竞争力的永远是新产品。成功的索尼首先是产品的成功，索尼陷入困境的原因离不开产品开发上的失误。公司领导人深刻地认识到，索尼这个品牌并不能永远地保证没有竞争力的产品，恰恰相反，有了竞争力的产

■ 传统电子产业经过战后 50 年的发展，技术早已不是什么绝活和秘密了，比拼的是成本和价格。

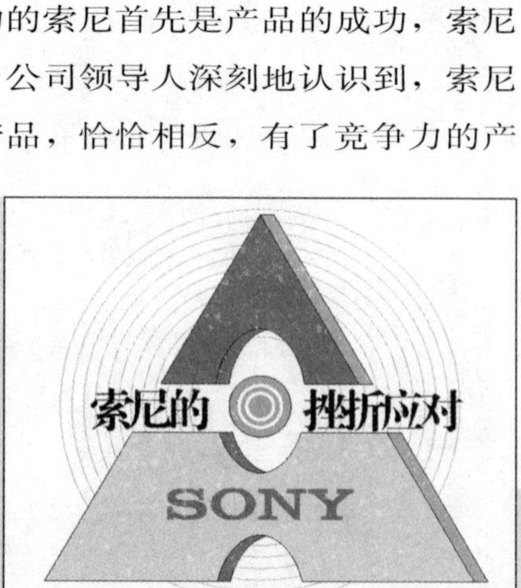

品才能保证索尼品牌的长盛不衰。因为只有这样，索尼才能为了保证自己的产品永远有竞争力而不断创新，并因此长盛不衰。公司领导人意识到，永远不要期待"SONY"这个品牌能为公司失误了的产品起到什么样补救作用，而是应该不断地突破、创新。

第三，重视低成本。设定好的战略，找到差异化的市场空间，并不意味着就一定要高成本的生产，即使具有索尼特色的产品，如果品牌的超额价值赶不上消费者期望它降价的速度，那么更独特与成本更低的产品也许已经到消费者手中了，换句话说，索尼要认识到竞争在加剧。新的市场要求更大的创新与更低的成本，即使是研发的成本难以缩减，也要想办法对付过高的商业运行成本，这样索尼才能够保证自身对高品质的追求。

第四，要有最快的速度。创新和低成本是很重要的，但还必须具有超前的速度，速度已经成为像技术、成本等物质要素一样重要或者说是更为重要的要素。在当今时代，产品、成本有竞争力，没有速度，所有的活动都是不实际的。速度和创新必须是索尼追求的东西，以保证自己在产品上的胜利。

12.3　方针大变脸

显然索尼的一系列剖析调整是卓有成效的，出井和安藤果断、及时而恰当地进行了产业转移和升级，使索尼的调整正逐步走向成功。索尼认识到如今世界的变化加快，在 20 世纪 90 年代没有来得及跟上世界的计算机变化，而在宽带网时代，时间就是金钱，速度已成为 IT 时代企业经营必胜的要诀

■ 显然索尼的一系列剖析调整是卓有成效的，出井和安藤果断、及时而恰当地进行了产业转移和升级，使索尼的调整正逐步走向成功。索尼认识到如今世界的变化加快。

之一，企业的经营、决断，企业新产品的生产、更新换代，要以超常的高速度来进行。面对严峻的经营形势，索尼高层经过苦苦思索之后，决定将公司经营方针大变脸，索尼开始了一系列的改革调整。

12.3.1 产品、部门调整

索尼公司制定了突出重点项目，扭亏为盈，彻底摆脱困境，力争在2006年度实现企业利润占总销售额10%的目标。公司董事长兼CEO出井伸之强调，在索尼的6大经营领域之中，要强调中心，要重点突出功能游戏机和索尼的高科技彩色电视机这两种产品，以其为中心，作为公司营利的重心。

索尼准备在PS2风靡市场的基础上，将PS2游戏机演变成PSX游戏中心。即在传统的游戏功能之外，熔音响、录像、放像等功能为一炉，使其成为家庭的娱乐中心。该产品不仅立意新颖，而且可充分发挥索尼本身拥有知识产权的半导体和记录媒介技术的优势，使竞争对手望尘莫及，这是索尼一种有创意的立体式的索尼产品的整合。另一重要产品就是高科技彩色电视机。过去索尼是在外部采购薄形彩电的液晶显示屏和等离子显示屏，但是现在索尼下定决心，加快这方面的发展，现已投资建厂，从2005年起将采用自产显示屏制作薄形彩色电视机。

传统上索尼生产的电视机采用阴极射线管显示器。由于在液晶显示器上索尼落后于其他厂商，索尼要通过薄形彩电继续保持其在彩色电视领域优势地位的同时，开拓这一领域的新进展。此外，索尼还大力加强可视电话中图像传感器的生产，使高附加值的重要产品均由公司自产。在加强新产品的同

■ 传统上索尼生产的电视机采用阴极射线管显示器。由于在液晶显示器上索尼落后于其他厂商，索尼要通过薄形彩电继续保持其在彩色电视领域优势地位的同时，开拓这一领域的新进展。

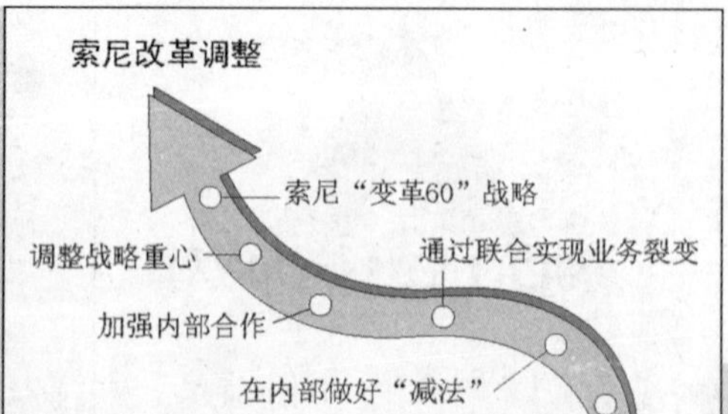

时，索尼下定决心坚决从不盈利的生产部门中撤退，根治大企业病。

目前，索尼有 100 多个产品部门，其中将有 10%以上的不盈利和不符合公司经营战略的部门将被关闭或撤出。通过集中生产主要产品和加强客户服务中心的建设，公司预计在 3 年内将减少 3 000 亿日元的经营成本。从 2005 年度起，每年将削减 750 亿日元的成本，但同时可能会产生裁员的阵痛。为了加强企业经营管理，索尼把沿用多年的以年为单位的预算管理，在 2003 年改为以周为单位进行预算管理。为此，公司大力加强了首席财政官的职权。不仅公司总部，各分公司和日本国内外各经营集团均配备首席财政官的职位。

12.3.2　在内部做好“减法”

尽管索尼并没有大规模裁员，但它鼓励员工提前退休，并为此准备了一笔 1.5 亿美元的基金。60 岁的安藤国威在 2000 年 6 月接替出井伸之当上总裁以来，他对家用电器工厂进行关、并、转，如今已实施了多年，一些低端业务如随身听等外包给成本低廉的 OEM，而 VAIO 电脑的生产索性迁移到中国。在这过程中取消了 11 000 多个工作岗位，而且编制缩水将继续下去，这是索尼今后想要发展所必须要走的一步。

安藤国威在 2003 年 4 月对全球的索尼工厂进行机构整合，全部归在一个叫做 EMCS 的单位来管理。这一招立竿见影，迅速削减了 10%的固定开支，并且将全公司的库存由以前的 60 天减少到 2004 年 3 月的 45 天。

■ 为了加强企业经营管理，索尼把沿用多年的以年为单位的预算管理，在 2003 年改为以周为单位进行预算管理。

12.3.3 通过联合实现业务裂变

索尼的另一项转变在它对于联盟的态度。索尼传统上对于新技术和新产品采取唯我独尊的姿态，如今索尼不再坚持自我发展，而是希望跟有影响力的厂家形成联盟攻势，索尼已经认识到了合作的重要性。之后安藤国威宣布索尼跟AOL时代华纳合作，在美国推销其媒体内容产品。这是索尼远大宏图中仅缺的一块，即散布媒体内容的平台。

现在的索尼已经有各种接收声画资讯的家用电器，也有生产这些资讯的唱片公司和影视公司，唯独缺少散发这些资讯的渠道。索尼认为跟AOL时代华纳的联盟是很重要的，因为需要一家强势ISP，把索尼的产品连接到一个宽带网络，以实现索尼的发展目标。索尼还将从富士通那里收购日本最大的ISP，以此吸引到640万名订户，成为日本的AOL。这个用户数字虽然不是很庞大，但足以让索尼有动力开发它的宽带产品、网络安全及其他服务。但在至关重要的美国市场，它面对着AOL时代华纳、迪斯尼、环球等强劲对手，它们均有无线和有线电视网甚至手机网，因此积极地寻找合作伙伴，收购媒体平台企业是索尼接下来要进行的战略措施。

12.3.4 加强内部合作

以前，索尼的各个业务部门一直是独立完成它们自己的目标和战略。

比如，主管硬件和内容部门的经理们相隔千山万水，电子产品和游戏是在日本开发的，电影是在加利福尼亚制作完成的，而音乐却是在纽约合成的。这些公司虽然都归母公司管理，但它们的管理理念却大相径庭，它们通

■ 现在的索尼已经有各种接收声画资讯的家用电器，也有生产这些资讯的唱片公司和影视公司，唯独缺少散发这些资讯的渠道。

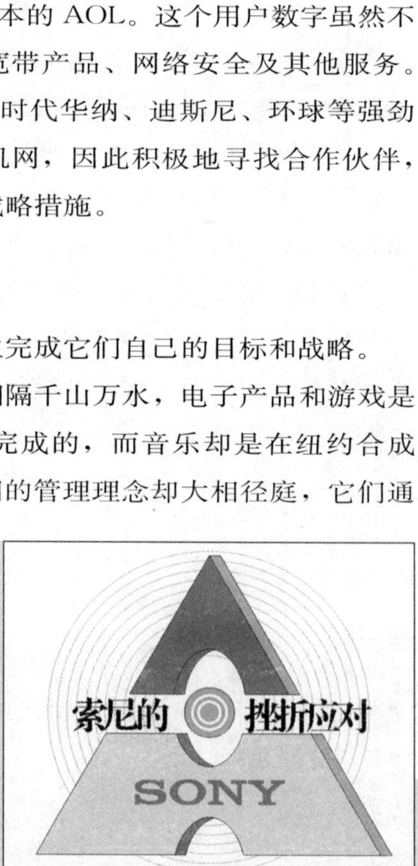

常是按公司所在的业界和所在地域的特点来决定管理方式，好像它们的合作名不副实。索尼公司的经理们承认，不同的部门之间存在着文化差异。过去，文化方面的差异使各业务部门之间发生摩擦，关系紧张，有时还会威胁到整个索尼集团的财务状况。

出井出任董事长以来，一直致力于加强整个集团的凝聚力。首先，他重新调整了索尼影业娱乐公司的管理层结构，聘用了在电影业卓有建树的行家高手；其次，加强了在美国的管理力度，请来了在娱乐业和电子产品业都很有经验的霍华德·斯金格先生任索尼公司美国部总裁；最后，他又提升野添正行出任新成立的网络应用与内容服务部总裁，野添是公司高层管理人员里为数不多的在消费性电子、音乐、电影方面都有经验的人才之一。

出井的任务就是把索尼公司的各部门组织起来，就如同索尼公司也在努力把市场上的索尼产品有机地联系在一起一样，让各种产品都能紧密地结合起来一同工作，把硬件业务和内容业务联结在一起，总之是为索尼的总的发展战略服务。

12.3.5 调整战略重心

索尼另一个战略上的调整，是战略重心的转移。为此，索尼重新划分了其在全球业务的主要领域，将原来以“美国、日本、欧洲及其他市场”为几个主要业务区域的划分方式，改变为“北美、欧洲、东亚”三大主要业务区域。

索尼计划在2005年，在中国的目标是销售要增长到40亿美元，亚洲的销售能占到其全球销售的20%以上，以改变索尼传统的美欧日三大市场占

■ 索尼另一个战略上的调整，是战略重心的转移。为此，索尼重新划分了其在全球业务的主要领域，将原来以“美国、日本、欧洲及其他市场”为几个主要业务区域的划分方式，改变为“北美、欧洲、东亚”三大主要业务区域。

到销售总额80%的销售格局。其中新确定的东亚业务区域包括中国内地、中国香港、中国台湾及韩国、日本等一个大的范畴。索尼看到中国的优势，并强调了对中国市场未来发展的坚定信心，着重突出了索尼集团未来植根中国的长远发展策略。

12.3.6 索尼“变革60”战略

索尼名为“变革60”的改革方案勾勒出公司未来的发展方向——电子、娱乐、金融。“60”代表2006年是索尼成立60周年。

电子巨头仍然是索尼的第一杀手锏。家用电子业务及移动电子业务，以及提供支持的半导体技术领域被定位为其核心领域。在移动电子方面，索尼将协同爱立信整合电信、影像、AV及计算机技术创造新的移动产品市场。娱乐商则是索尼力推的第二面大旗。影视、音乐及游戏资源将被更紧密地与其电子业务联系在一起。索尼将推出符合美国、欧洲及日本各自需求的新的音乐分销服务，并通过消除原有界限，整合影视、音乐、游戏、电子及服务的各项业务，从而提升整个娱乐业务的价值。

当然，为了实现这些改革，索尼不得已进行了一些不太“温和”的措施，包括裁员。在新的改革方案中，索尼计划3年内裁员2万人，其中包括大约7 000名日本国内的员工。同时，索尼将重新设计自己的生产体系。其中，中国在这一体系中将具有重要地位。关键部件和模块的生产将大量向中国转移。而“客户中心”功能则将向印度等亚洲其他地区和欧美转移。

通过这些调整举措，索尼已经调整好了心态，并且在各条战线上已经初显成效，索尼在日本众多企业经营不善的情况下仍然开始盈利，再次竖起了

■ 索尼名为“变革60”的改革方案勾勒出公司未来的发展方向——电子、娱乐、金融。“60”代表2006年是索尼成立60周年。

索尼帝国的大旗。近几年的艰辛丝毫没有动摇索尼的毅志，果断的改革也显示出了其高层的决心。有理由相信，索尼将会迎来更美好的未来。索尼将在新时代继续他们的索尼梦想。

案例1：诺基亚的主营业务策略

1998年，诺基亚取代美国的摩托罗拉成为世界最大的移动电话生产商。在当年全球1 630万部移动电话的销售量中，诺基亚占了22.9%，摩托罗拉占19.8%，爱立信占了14.6%。1998年，诺基亚的移动电话产量超过了4 000万。而且世界上超过一半的GSM网络是以诺基亚的基站和交换机为基础的。这个从一个默默无闻的小国芬兰艰难起步的企业，在一次次的出击中都重创它的竞争者，最终脱颖而出。今天的诺基亚已经成为世界上最知名的手机巨头。

但是，与许多著名企业一样，诺基亚也经历了重大的挫折。

20世纪80年代，诺基亚那时还是一个本土色彩很浓的企业，公司高层领导人梦想有一天诺基亚会成为一家世界知名的跨国公司，而电视机的生产和汽车电话以及家用计算机的生产都有助于这个目标的实现。尽管世界电视机市场上已经出现了严重的生产过剩，诺基亚仍坚持在该领域投资。

1984年，诺基亚收购了Salora。但是它并不满足于拥有Salora，它还有更大的“胃口”。在狂热的利益驱使下，诺基亚又收购了瑞典的Luxor，从而成为北欧地区电视机市场上的头号公司。

开始的时候，Salora和Luxor为诺基亚带来了高额利润，1985年诺基

■ 这个从一个默默无闻的小国芬兰艰难起步的企业，在一次次的出击中都重创它的竞争者，最终脱颖而出。今天的诺基亚已经成为世界上最知名的手机巨头。

亚工厂共出产 600 000 台电视机，成为北欧地区最大的电视生产厂家，并开始向英国大量出口。

1987 年，诺基亚收购了法国的 Oceanic 公司并进入法国市场。第二年，诺基亚买下了位于波鸿的德国公司 SEL。又是在狂热利益驱使下，爱立信的计算机分部也被诺基亚纳入麾下。爱立信在美国市场取得了巨大的成功。几年前，瑞典人在那里收购了 Facit 和 Data-Saab 两家公司。而现在它们都成为诺基亚数据公司的下属公司。在疯狂的 1987 和 1988 年，诺基亚就像一条饥饿的梭鱼，大口吞下所有进入它视野的猎物。

如果诺基亚打算完全投入电视机业务的话，那么收购法国 Oceanic 公司的行为或许能找到一个很好的解释。但是，爱立信信息服务公司和 SEL 的业绩都很差。

诺基亚将瑞典的计算机部门毫不留情地重组。但是，事实证明解决德国电视生产中出现的问题是不可能的。而当时每个欧洲家庭已经至少拥有一台电视机，没有迹象表明在此情况下这些家庭还会再添置一台电视，市场已经饱和。

诺基亚主要是在 3 个欧洲国家——芬兰、瑞典和德国生产电视。这 3 个国家的人均工资水平在欧洲是最高的，它们的贸易联盟也很强大。因此在那里生产的电视再被销往低收入国家，如西班牙、葡萄牙和希腊就很不合算。同时，这些产品还必须同来自日本及韩国的产品进行竞争，诺基亚根本就无法胜出。1989 年，诺基亚电视销售完全崩溃。1990 年诺基亚出现了最严重的危机。事态的发展已经非常清楚地表明在电视业务上的冒险行为不仅抑制了诺基亚盈利部门的发展，还差点成为导致公司消亡的“刽子手”。

■ 1989 年，诺基亚电视销售完全崩溃。1990 年诺基亚出现了最严重的危机。事态的发展已经非常清楚地表明在电视业务上的冒险行为不仅抑制了诺基亚盈利部门的发展，还差点成为导致公司消亡的“刽子手”。

索尼的挫折应对 SONY

为了应付电视机业务中日益严重的亏损，诺基亚被迫在 1991 年把整个计算机分部——诺基亚数据公司卖给了日本富士公司的下属公司——ICL 公司。诺基亚数据公司当时是欧洲计算机公司中的佼佼者，年营业额达到 100 亿瑞典克朗，有 8 000 名员工。诺基亚为成为欧洲第三大、世界第九大的电视机生产商付出了高昂的代价。

1991 年，诺基亚的危机发展到了顶峰，对电视业务的巨大投资成为制约公司发展的“瓶颈”，又加之美国和日本竞争对手的双面冲击，诺基亚经济开始崩溃。屋漏偏逢连夜雨，苏联 1991 年解体导致欧洲经济暴跌，芬兰也不能例外，诺基亚内忧外患。在爱立信也不愿加以考虑并购后，如同孤儿的诺基亚不得不另寻出路。

约玛·奥利里正是在这个时候执掌摇摇欲坠的诺基亚。奥利里清楚地意识到，移动电话和电信预示着公司的未来，它才是公司应该突出的主营业务。

为了摆脱电视业务，奥利里与飞利浦、汤姆森和三洋进行了秘密谈判，但都毫无结果，电视分部的状况太差，对买家而言根本无利可图。竞争者踟蹰不前，希望诺基亚自行毁灭，所有收购的提议都是以诺基亚仍作为合资公司的部分所有者为前提，这对想彻底摆脱此业务的诺基亚来说根本行不通。诺基亚需要彻底地摆脱那场噩梦，于是一场大刀阔斧的重组开始了。

1992 年有 6 000 名员工在诺基亚的 6 家电视机生产厂工作。4 家工厂被关闭，只留下芬兰奥布和德国波鸿的工厂继续生产。差不多有 3 000 名工人失业。生产开始合理化，诺基亚只集中力量生产三种基本型号的产品，其他型号的电视和录像机的生产都停止了。1992 年和 1993 年的巨额亏损转变为

■ 约玛·奥利里正是在这个时候执掌摇摇欲坠的诺基亚。奥利里清楚地意识到，移动电话和电信预示着公司的未来，它才是公司应该突出的主营业务。

1994年的少量盈利，但是1995年又出现了赤字，奥利里正式宣布出售电视公司。1996年4月，德国波鸿的电视机厂被关闭，富余1 200多名员工。而为电视公司寻找买主的努力并没有停止。诺基亚为结束电视机生产业务准备了30亿瑞典克朗。最后，是中国香港的一家公司买下了诺基亚的家用电子分部。

在卖掉了“包袱”电视业务后，诺基亚开始为自己的主营业务进行定位。当被称之为GSM的数字电话标准开始在欧洲流行时，诺基亚操作简便的移动电话也已经准备就绪。这些产品全部带有典型的电视屏幕式的显示屏。诺基亚对其电话做了专门处理，使型号相同但稍有差别的电话适用于全球范围内的不同频率和标准。NMT101是第一种诺基亚大批量生产的电话。这些电话会在户外和重工业区使用，经常可能被摔在地上，所以第一代的移动电话每一部在销售前都要经过仔细测试，测试标准十分严格，因而非常耐用。NMT101在扭转诺基亚败势的努力中发挥了重大作用。1993年它成为真正意义上的“大众电话”，在芬兰，尽管售价高达15 000克朗，人们仍然争相购买。

20世纪90年代初，欧洲电信的自由竞争成为欧洲联盟扩张和开放内部边界的一个直接结果。这就意味着在一个国家的几家经营商可以拥有各自的GSM网络。市场是巨大的，诺基亚在电信技术方面继续保持自己良好的发展势头。然而约玛·奥利里对未来看得更为长远，诺基亚当时的经济状况如此之糟糕，已经经不起再一次倒退了。所以他不得不考虑诺基亚利用什么优势进行“抢滩”。

好在诺基亚在电信技术方面实力不弱，早在1991年，诺基亚就收购了欧洲第二大移动电话生产商——英国Technophone，诺基亚因此拥有了更大

■ 20世纪90年代初，欧洲电信的自由竞争成为欧洲联盟扩张和开放内部边界的一个直接结果。这就意味着在一个国家的几家经营商可以拥有各自的GSM网络。

的生产能力、更丰富的生产技能，而最重要的是它降服了一个最凶猛的对手：Technophone 是全球第二大移动电话生产商，主要为美国和英国的两大网络提供电话。

到 1994 年，GSM 技术已经普及到 40 个国家。10 多个国家正忙着建造 GSM 网络，诺基亚单 1994 年一年售出的电话就比整个 80 年代加起来还多。这一年成为一个转折点，它标志着移动电话不再是一种奢侈品或身份的象征而成为一种家庭用品，一种保持联络的手段。移动电话的大众化为其生产商提供了更为广阔的市场，也证明了奥利里对实际能力的绝佳把握。诺基亚终于抓住了这千载难逢的发展机遇。

1992 年是诺基亚最后的亏损年。从那之后，电信业务终于成为诺基亚事业的重心，收益曲线开始从下降转为上升。这家芬兰公司开始以一种令人意料不到的高速发展态势引起人们更多的关注。

直到 1996 年，经过大范围的重组后，诺基亚才得以完全摆脱电视机制造业务。由于发挥了主营业务的优势，1999 年春季，在整个全球数字网络设备市场上，诺基亚的供货占了 15%，与加拿大的北方电讯并驾齐驱。

案例 2：飞利浦主动调整、改革

飞利浦电子公司是世界上最大的电子公司之一，创立百年来一直锐意创新，为世界贡献了录音卡带、CD、可重写 DVD、100 赫兹彩电等众多发明。作为一家快速增长的高科技公司，飞利浦在显示、储存、无线互联及数字视频方面拥有先进的技术和强大的优势，是这些领域的全球领导者之一。飞利

■ 直到 1996 年，经过大范围的重组后，诺基亚才得以完全摆脱电视机制造业务。由于发挥了主营业务的优势，1999 年春季，在整个全球数字网络设备市场上，诺基亚的供货占了 15%，与加拿大的北方电讯并驾齐驱。

浦由一个小小的灯泡生产工厂发展为今天世界上的超级大企业，其发展并不是一帆风顺的。在它 100 多年的历史中，充满了坎坷和挫折。然而，飞利浦并没有在这些坎坷和挫折中倒下，相反，每一次挫折后都使飞利浦成功一次、壮大一次。

飞利浦电气公司自创立之后，为适应国际形势，满足国际市场的需求，除在产品上创新、取舍之外，还不断地改革自身机构。20 世纪 80 年代后期发生在飞利浦的改革，是其最深刻的一次。

20 世纪 80 年代飞利浦电气公司的一项最重要的改革是建立“国际性生产中心”和“国际研究中心”，以专业化制造和研究发展技术为出发点，供应行销全世界的产品。在一连串裁、撤、兼并及合资合作等行动之后，德国的克雷菲及奥地利的维也纳专门生产录放像机，瑞典工厂只生产微波炉，加拿大工厂只生产文字处理机，而在英国的三家工厂，则分别生产汽车音响、分析仪器及线性加速器。飞利浦的这一改革，实际上减轻了公司包袱，挖掘了公司潜力，缩短了资金周转期，节约了开支，并使同类技术取长补短，得到加强，同时，有利于产品质量的提高，增强竞争后劲。

但是很不幸，1990 年飞利浦公司又一次遭遇了历史上最严重的挫折。这一年，公司亏损了 23.27 亿美元，公司的股票曾在 10 天内损失 20%。这样巨大的亏损使公司中的每个人都感到悲哀。但他们并未气馁，他们相信改革会很快使飞利浦振作起来，并继续跻身于世界先进行列。这是公司每个职员殷切的期望，也是世人拭目以待的期盼。

于是，从加强公司的机动能力着手，飞利浦公司开始了复兴的进程，目标是要完全恢复持续盈利。首先，飞利浦果断地实行了再改组措施，使元件

■ 飞利浦电气公司自创立之后，为适应国际形势，满足国际市场的需求，除在产品上创新、取舍之外，还不断地改革自身机构。20 世纪 80 年代后期发生在飞利浦的改革，是其最深刻的一次。

与信息系统都步入了健全的轨道。同时，飞利浦决定开展一场全球运动以使其所有的组织机构提高效益。这场效益运动旨在短期内真正实现降低成本，并形成利润与成本的永久意识，加强质量与顾客的意识。

这些行动导致 1990 年 9 月至 1991 年年底飞利浦公司的工作数量减少 45 000个左右。另外，自 1990 年底以来，飞利浦公司已对自己经营的组织及业务组成进行了重新评价，摆脱、关闭一些机构或果断地进行再组织。在 1990 年下半年和 1991 年的调整中，飞利浦公司卖掉了部分计算机和集成电路生产厂，关闭掉 75 个工厂，在欧洲的工厂裁员 20%～25%。这些改革措施最终取得了成效，1991 年飞利浦公司扭亏为盈，盈利达 6.42 亿美元。

之后，飞利浦公司并没有停止改革的脚步。1991 年，在元件部，终止了明显的非盈利环节，使开发与生产被真正置于一些业务环节。集成电路领域作为再改组措施的一部分，被决定终止开发与制造 1 兆位芯片的生产。集成电路与离散半导体作为元件部经营的一部分，已于 1991 年 1 月转入新的半导体部。同时，公司从 JIESSI 研究与开发计划的芯片项目中撤退出来，而公司参与的 JIESSI 其他项目将按计划继续进行。

在全球性施行改革策略中的另一个重要方面是“充分授权”和“单一经理制”。

“充分授权”是指他们将生产和行销的决策权，完全授予各据点所在国的分公司，总公司只保留研究发展的方向和将对整体产生影响的长期策略制定权，以及针对市场及经济趋势变化的应变决策。他们坚信，只有驻在当地的营运管理人员，才能确切地知道当地行情，才能更好地把握产品的生产和销售。这一授权使下级得到信任和鼓舞，并充分发挥了他们的主动性和积极

■ 于是，从加强公司的机动能力着手，飞利浦公司开始了复兴的进程，目标是要完全恢复持续盈利。

性，成为飞利浦建立跨国霸业的基础。

“单一经理制”则是将过去的每个产品部门由技术经理和业务经理共同负责的做法，改为每一部门只设一名经理全权负责，这样可以避免因意见不同造成责任归属不明。同时，通过“契约式管理”——即部门财务与劳务的传递必须在契约下进行，强化责任体制。

从那以后，飞利浦公司才奠定了成长为全球超级企业的基础。飞利浦公司也最终从自己的悲欢历史中掌握住命运的准绳。

■“单一经理制”则是将过去的每个产品部门由技术经理和业务经理共同负责的做法，改为每一部门只设一名经理全权负责，这样可以避免因意见不同造成责任归属不明。

第十三章
索尼的未来蓝图

一个企业的成功，往往在于永不满足，不断开拓自己的前进领域，并且决不畏惧任何困难。在这个高速发展、日新月异的社会，企业只有时刻保持高度的洞察力和不甘落后的进取精神，才能与时代的发展同步。回顾索尼发展的历史，可以看到它是一个在一次次的困难中成长起来的企业。如今的索尼已经成为一个国际性的大企业，面对家电行业竞争的日益加剧，索尼将如何继续发挥它的创新优势，将何去何从？

13.1　SONY 梦想世界

21 世纪人类即将进入宽带网络时代，时代的变革将对人们的生活方式产生不可估量的影响。随着宽带网的迅速发展，“无所不在”已经成为 IT 界关于策略及目标的关键词。这些策略及目标描绘了一幅无所不在的网络蓝图，即所有的产品都与网络连接，网上丰富的内容和服务能随时随地让人们自由地共享。

索尼面向宽网时代提出了“无所不在的价值网络”的策略，是指将 PC 和其他索尼的电子产品与网络连接在一起，从而使用户能随时轻松上网享受

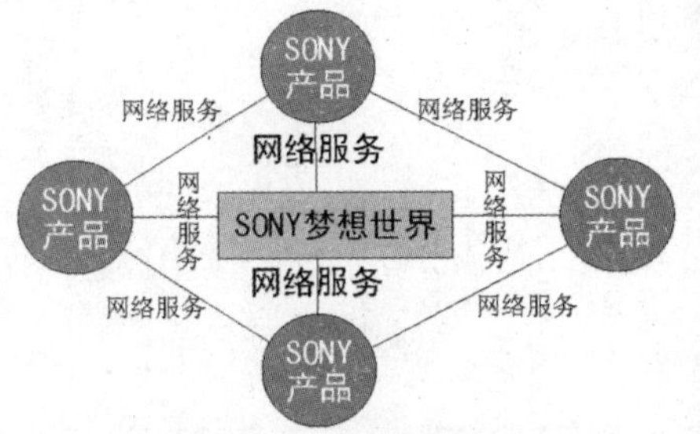

无所不在的价值网络

■ 21 世纪人类即将进入宽带网络时代，时代的变革将对人们的生活方式产生不可估量的影响。随着宽带网的迅速发展，“无所不在”已经成为 IT 界关于策略及目标的关键词。

网上丰富的娱乐内容与服务，全面享受索尼的多款产品。索尼给消费者提供了一个无限大的想象空间，所有的设备都被紧密地连在一起。一旦这些产品能联系起来，那么，无论消费者身在何处，索尼都能用自己的产品把音乐、电影、电视、游戏或是数据服务传递给他们。消费者可以随意选择以喜欢的方式听音乐、看电影，以及做任何想做的事。消费者还可以与家人和朋友分享自己的创意、经验和记忆。

索尼的最终目标并不是创造一个无所不在的网络环境本身，而是通过提供内容和服务，为用户提供独特的生活方式，从而在新的娱乐环境中为用户创造新的索尼产品的价值。这就是索尼想要构筑的“SONY梦想世界”。

为实现这一目标，全球性发展的电子、游戏以及内容将成为支持索尼发展的三大核心业务，索尼将最大限度地综合利用公司所拥有的网络服务及娱乐内容产品，为用户提供更完整的解决方案，并推出崭新的、人们梦想中的产品。就像在东京品川的一间“SONY梦想世界”展示会的展厅里那样，消费者按动“发送”按钮，就可以通过电子邮件或是蓝牙技术发出用手机拍摄出来的数码相片或录像，这些相片或录像立刻就能出现在个人电脑或是图片打印机上。

当然，索尼梦想世界的理念想要传达给消费者并不是很容易的事。在销售的模式方面，如何让消费者感受“SONY梦想世界”就是一个很大的问题。就像索尼的Airboard，它是一种无线便携式影像和网络显示器，既能做电视又能做电脑用，还能把电视节目录下来，传送到个人电脑上。如果想让消费者充分感受这种产品，就应该将其与提供配套服务的用件摆放在一起，并要突出其个性。但是今天，大多数电子产品商店都是分门别类地摆放产

■ 索尼的最终目标并不是创造一个无所不在的网络环境本身，而是通过提供内容和服务，为用户提供独特的生活方式，从而在新的娱乐环境中为用户创造新的索尼产品的价值。这就是索尼想要构筑的“SONY梦想世界”。

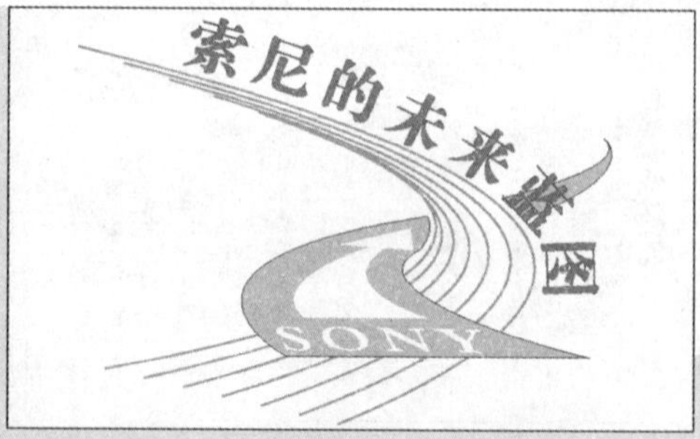

品：把可携式录像机放在一块儿，把个人电脑摆在另一边，电视靠着后墙放在一起，数码摄像机和可移动设备常常是放在商店的入口处，把 DVD 播放器和录像机放在两旁。在这种分区放置产品的商店里，销售商很难向消费者展示网络互联设备，让他们懂得这种设备的优点。

在日本，这种情况稍有改善。东京某个电子产品商店的索尼 VAIO 电脑专区可以突出展示电脑独特的银紫色，用音响和大条幅指引消费者来到这个专区。而在美国和欧洲，制造商们几乎不可能这样去做。索尼在美国的营销人员曾和零售商讨论过，能不能换一种独创的新方法展示产品，以充分体现这些网络化商品的特点。但是，这种习惯显然是很难改变的，索尼要么加大力度说服零售商重新摆设他们的商店，要么就得多开几家索尼自己的零售专卖店。所以说，索尼想要充分地展示自己的梦想世界，还有一段很长的路要走。

现在，索尼正努力朝着构筑其梦想世界的方向努力。索尼工程师们在研发一种新设备之前，都要首先考虑一下这种设备能不能在网上使用。硬件部门和内容部门的主管们每隔一段时间就要开一次会，或是通过电子邮件和电视会议保持联络。硬件和内容的完美结合是“SONY 梦想世界”的基础。公司上下都在为此付出努力。

13.2　网络数字化

在过去几年中，索尼曾受到了“数字革命”这块“巨大陨石”的冲击，如今，宽带网的普及使全球进入了网络时代，“网络化”与“数字化”相结

■ 索尼在美国的营销人员曾和零售商讨论过，能不能换一种独创的新方法展示产品，以充分体现这些网络化商品的特点。

合将是未来的发展趋势。索尼顺应时代的发展，以构筑“SONY 梦想世界”为其未来的发展目标，一如既往地坚持创新，努力实现网络数字化的转变，强有力地迎接未来的挑战。

为实现网络数字化的远景，索尼要与在通讯及电脑方面都更有经验的新劲敌竞争。网络世界让索尼冲破了消费性电子领域的界限。就在索尼开始提供服务和内容，开展网上销售业务的同时，其他娱乐界的媒体巨人，如美国在线时代华纳公司也正设法实现同样的目标。而微软、IBM 都是强有力的劲敌。

索尼公司能否在竞争中领先，取决于消费者是否认同公司的网络设想，是不是愿意为网络适用的电子产品买单。这类电子产品在日本刚刚上市，等这些可接入宽带的产品握在数百万消费者手中时，索尼公司就会把准备好的 1 000 部数字电影，33 000 小时的电视节目，和 500 000 首歌曲拿出来供他们欣赏。

索尼的蓝牙数码摄像机明确地体现出了这种全新的设计思想。使用带有蓝牙技术的索尼爱立信手机和这种可携式摄像机，用户就可以不通过个人电脑，以电子邮件的方式把录像片段和静态画面即时地传送给他们的朋友，而且手机和摄像机之间不需要任何线路连接，索尼认为这确实很吸引人。这种蓝牙技术摄像机也可以把这些画面无线地传送给一部索尼图片打印机或是一台无线液晶电视 Airboard。用户还可以用摄像机内置的 LCD 屏幕上网，接收简短的电子邮件信息。

在以往的产品上也可以做这方面的改进，例如在 Clie 掌上电子记事簿和 VAIO 掌上电脑里配置了小型的数码照相机。此外，索尼爱立信还计划要推

■ 索尼公司能否在竞争中领先，取决于消费者是否认同公司的网络设想，是不是愿意为网络适用的电子产品买单。

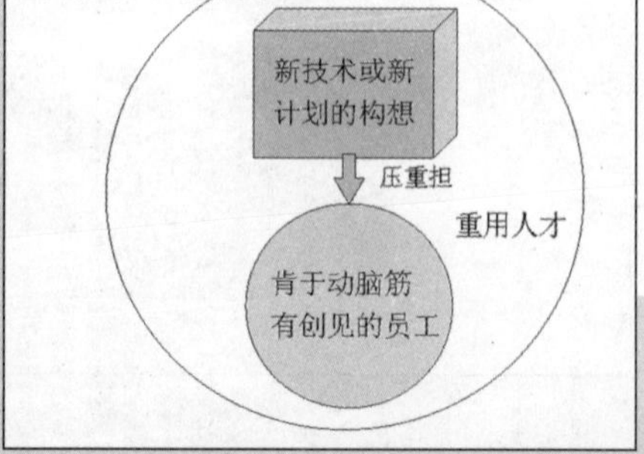

出一款配有内置式数码照相机的手机。

在网络时代，索尼将致力于将数字产品注入网络元素，从而通过索尼网络数字化产品，使人们能有更美好的生活体验。在未来，如果能把索尼认为最终会成为行业标准的无线适配器装在一些可以录像的设备上，那么人们就可以在参加婚礼的时候给正看着电脑屏幕、电视荧屏、Airboards 或是手机的朋友们发去现场的盛况。这将是未来索尼极具魅力的地方。

13.3　瘦身计划

面对未来，索尼有很美好的远景计划。然而，带着梦想的索尼不得不首先正视自己的问题。

几十年以来，索尼一直在便携音乐设备市场占据统治地位，从卡带式的 Walkman 到 CD 播放器，索尼无不获得了成功。然而在 MP3 播放器领域，索尼的动作就显得有些迟缓了，远远落后于苹果公司。虽然索尼不负众望地推出了类似于 iPod 的硬盘版媒体播放器，但是它依然无法与苹果公司的 iPod 相抗衡。现在索尼的音频业务几乎处于崩溃的边缘，其利润空间从 2003 年的 6.7%下滑到 2004 年的 3%。在电视机市场，索尼更是危机重重。它要面对来自三星、松下、夏普以及中国制造商的挑战。2004 年，索尼的液晶和等离子电视首次出现亏损，而传统电视业务和 DVD 播放器的利润空间也在不断下滑。在索尼认为最能赚钱的游戏产业方面，微软的介入将会使索尼面临更大的挑战。

为了解决这些问题，索尼公司在机构的整合方面加大力度，进行所谓的

■ 在网络时代，索尼将致力于将数字产品注入网络元素，从而通过索尼网络数字化产品，使人们能有更美好的生活体验。

"瘦身计划"，从而降低成本、增加效率，以抗衡竞争对手，并实现盈利，为达到远景目标而不懈努力。

索尼这一削减成本、重新定位的计划正在有条不紊地进行着。在消费电子部门方面，公司计划在 2006 年之前将其每年运营成本削减 28 亿美元，而这很大程度上要通过裁员以及提前退休方式来实现，涉及的员工将达到 2 万名，这可以使公司整体薪水开支削减 13 个百分点。事实上，消费电子部门的"瘦身"已经开始实行。截至 2004 年，索尼已经关闭了这个部门包括的 21 个工厂。在未来，"瘦身"力度将加大，除了关闭工厂，还会从 135 个种类产品中砍去 15 个。此外，索尼还在削减其使用的零部件产品数量。就拿电视机来说，一年前索尼有 30 个电视机底座生产部，现在只有 15 个，而到 2006 年将削减为 6 个。

在零部件采购方面，索尼决定利润最大的产品的零部件不再从其他外部公司采购，而是转向公司内部采购。到 2005 年，索尼电视机部门以往向外部公司购置的液晶面板将直接来自索尼爱立信合资公司。到了 2006 年，这些底盘将全部由索尼公司自己生产。事实上，在数码相机领域，索尼早有类似的行动。2003 年，索尼数码相机 70%的零部件是从外部采购的，然而现在这一比例正在下滑，已降低到 40%。索尼不仅仅开始生产关键的相机镜，还开始制造相机的芯片处理器。

随着时代的发展和市场情况的变化，索尼这一系列的"瘦身计划"还将扩展到其他领域。索尼将以更高效的生产能力，更具创新力的企业形象出现在人们的面前。

索尼曾经有过辉煌的历史，创新力始终是它最富魅力的特点，它创造的

■ 随着时代的发展和市场情况的变化，索尼这一系列的"瘦身计划"还将扩展到其他领域。索尼将以更高效的生产能力，更具创新力的企业形象出现在人们的面前。

随身听、特丽珑电视、CD 和 PS 游戏机都是世界电子产品领域里具有代表性的里程碑。但对索尼来讲，更需要关注的并不是过去而是未来，只有不断从新的挑战中创造，自己的企业才能继续保证“胜者”的骄傲。

回顾井深在 1946 年成立纲要中提到的索尼精神的核心——创造从心开始，在 50 多年的时间里，索尼公司一直坚守着这一个教条，独创了许多伟大的产品，树立起了备受尊崇的声誉。

在索尼网站上，有着一段象征着索尼精神的宣言，恰到好处地总结了索尼公司所寻求的真谛：“我们既不循规蹈矩，也不妄加推断。我们只是在追求无穷无尽的可能。我们鼓励思维创新，这样，更大胆更离奇的创意才会出现……我们利用机会，我们超越期待。我们帮爱梦的人寻梦。”

索尼人坚信，“SONY 梦想世界”的到来将不会让爱梦的人等得太久。

■ 回顾井深在 1946 年成立纲要中提到的索尼精神的核心——创造从心开始，在 50 多年的时间里，索尼公司一直坚守着这一个教条，独创了许多伟大的产品，树立起了备受尊崇的声誉。

第十四章

索尼的战略创新者

在当今这个自我意识、自我管理、社会意识和人际关系越来越复杂的社会环境下，从事团队领导工作的人比以前更有价值，因为企业的发展需要的是更多的战略创新者，能成为行动楷模的领导者，需要他们坚持不懈的信念、创新的思想、卓越的个人魅力去左右整个企业的前途。优秀的领导者会给企业带来一个广阔的发展舞台。

纵观索尼的历史和现实、成长与成就、梦想和奇迹，首先使人联想起的就是那几任具有传奇色彩的总裁：被誉为经营谋略家的盛田昭夫，索尼的技术灵魂井深大，盛田的接班人大贺典雄以及索尼现任的总裁出井伸之。他们以自身的魅力带领着索尼创造出不朽的业绩。正是这些索尼的创新战略家们以他们的智慧与勇气书写着他们优美的人生篇章，书写着索尼辉煌的过去、今天与未来。

14.1　盛田昭夫

盛田昭夫是世人所公认的顶尖人物，不仅通晓技术，更是一个商业奇才，对产品的潜在市场和客户定位，有着异常灵敏的嗅觉。盛田昭夫对事业

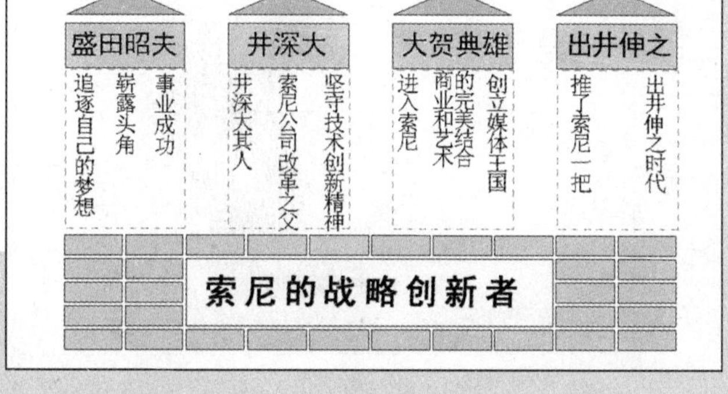

■ 在当今这个自我意识、自我管理、社会意识和人际关系越来越复杂的社会环境下，从事团队领导工作的人比以前更有价值。

的追求伴随他一生，为了实现“世界的索尼公司”，终其一生，他不懈追求着。他用了几十年的时间忙碌于世界各地之间，致力于了解各国的市场行情和推销产品。就这样，盛田不知疲倦，一如既往，他踏遍了五大洲，为绘制索尼公司 21 世纪的宏伟蓝图奠定了基础。

14.1.1 追逐自己的梦想

盛田昭夫 1921 年 1 月 26 日生于爱知县的一个酿酒世家。盛田家族是日本最古老、最有名望的酿酒业家族，其生产的名牌米酒“年节松”已有 300 多年的历史。盛田作为长子是可以子承父业的。因此，在他念小学的时候，父亲就带他到公司参加业务会议，想让他学会酿酒的经营之道。可是盛田却对现代科学技术更感兴趣。他上中学时就对一些像电唱机、收音机等这类的新发明着迷不已，他亲手装了一部电唱机和一台无线电接收器，还制作了一张唱片并且录上了他自己的声音，在自己的电唱机上放了出来。他把几乎所有课余时间都花在摆弄这些电子玩意儿上。最终，他不顾父亲要他选考经济专业以继承祖业的愿望，而考上了大阪帝国大学的物理专业。在大学里 4 年的刻苦学习，为他日后在电子行业的驰骋奔腾打下了牢固的基础。

大学毕业后，盛田被征召入伍，在海军里当技术尉官，不久就在海军研究中心任技术工程师。在这里他可以全身心地从事热追踪武器的研究工作。同时，他认识了日本精密仪器会社的总工程师、比他大 13 岁的井深大，两人由此建立了长达 40 年的伙伴关系。

第二次世界大战结束后，盛田昭夫回到家乡，不久就在东京工业大学任教。一天，他偶尔从报纸上看到老友井深大正在筹办一家电讯公司的消息，

■ 最终，他不顾父亲要他选考经济专业以继承祖业的愿望，而考上了大阪帝国大学的物理专业。在大学里 4 年的刻苦学习，为他日后在电子行业的驰骋奔腾打下了牢固的基础。

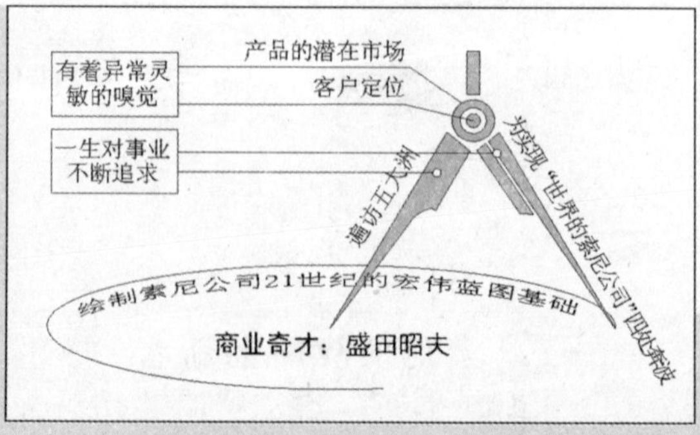

便立即与井深大取得联系。经过多次磋商，他俩决定共同成立一家新公司。作为家族长子，不继承自己的家业而与别人合伙开办公司，这在日本是不能够被理解的行为。因此，盛田昭夫带着井深大回家，与他父亲商谈此事，并想争得父亲盛田彦太郎的同意。出乎意料的是，早有思想准备的父亲爽快地答应了，他说："我确实盼望昭夫能接替我，掌管我们的家业。但如果孩子为了发挥自己的才干，而决心从事别的工作的话，我支持他去干自己想干的事情。"并对盛田昭夫说："你放心去干你最喜欢的事业吧。"盛田幸运地拥有一位思想开通的父亲，事实上，父亲早就看透长子的心思，已安排正在东京早稻田大学读书的三子和昭来继承其家族的酿酒事业了。

回到东京，盛田昭夫和井深大就东拼西凑了 19 万日元的资金，在那座被炸毁的百货商店的楼上，创办了东京通信工业公司。创建工作十分艰难，人手少，工资也发不出来。好在有盛田昭夫的父亲经常借款资助他们，使他们坚定了大干一番的决心。

14.1.2　崭露头角

索尼的真正目标，是致力于创造高科技的电子产品，而不仅仅是做配件生意，盛田时刻把这一个愿望记在心里。

经过创业初期的努力钻研，索尼终于开创了属于自己的、令盛田引以为自豪的一款产品——收音机。但是从一开始，要推销录音机，就不是件容易的事。商人出身的盛田马上意识到，仅有独特的技术，生产出独特产品，并不等于事业就一定成功，还必须重视商品的推销。于是，盛田从抓技术转向抓销售。一个偶然的机会，盛田获知法院的书记员紧缺，不得不超负荷地工

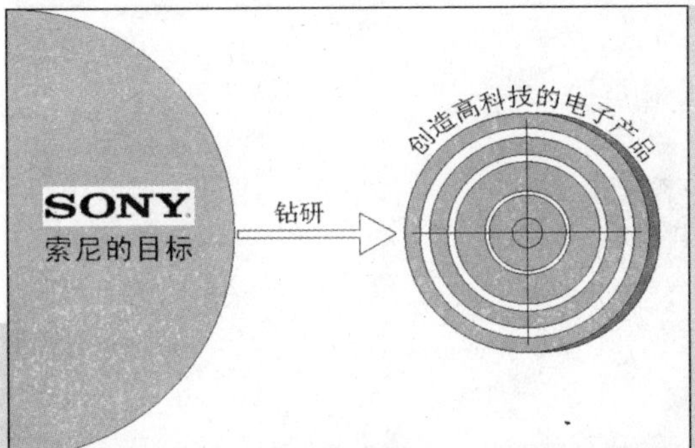

■ 索尼的真正目标，是致力于创造高科技的电子产品，而不仅仅是做配件生意，盛田时刻把这一个愿望记在心里。

作，他立即带着他的产品上门推销，并马上取得了突破，仅日本高等法院就购置了 20 台，其他法院也纷纷效仿，带去的产品很快销售一空，初战告捷。接着，索尼公司开发了一种 H 型录音机，它的体积只比公文包大一点。这种 H 型录音机非常适合用来充当学校的教学工具，于是盛田如法炮制，用它很快打开学校的销路，并且普及到全国。

盛田昭夫并没有因取得这些成绩而得意忘形，进一步研制更具吸引力的新产品，是他和井深大孜孜追求的新目标。正在此时，从太平洋彼岸传来一个信息：美国贝尔实验室发明了晶体管，美国西方电子公司仅仅把这种晶体管用于助听器的生产。具有专门知识和敏锐洞察力的盛田，很快地意识到这项伟大的发明具有良好的发展远景。1952 年，盛田昭夫和井深大为此飞往美国，进行实地考察，并以 2.5 万美元的价格买下了西方电子公司的这项专利。西方公司的工程师告诉他们，这东西可用于制造助听器。但是盛田昭夫和井深大对助听器兴趣不大，他们有自己的打算，即想运用它生产一款能够被广泛使用的电器产品。

回国后，他们欣喜地发现，晶体管和电子管一样能够放大信号，而且反应快、体积小、耗电少、可靠性强，具有可取代电子管的特性。不知经过多少次试验和失败，始终坚持不懈的盛田和井深终于在 1957 年生产出世界上第一台袖珍式晶体管收音机，这一重大创新开创了索尼的新篇章。

除此之外，盛田为了公司经营可是煞费苦心。就在公司小有名气的时候，他奇思妙想地创造了 SONY 这个成功的品牌。当时打上“SONY”商标首批生产的 200 万台袖珍式晶体管收音机刚一投放市场，就受到消费者的青睐，出现了意料不到的爆发性销售热潮。销售额高达 250 万美元，正好是购

■ 盛田昭夫并没有因取得这些成绩而得意忘形，进一步研制更具吸引力的新产品，是他和井深大孜孜追求的新目标。

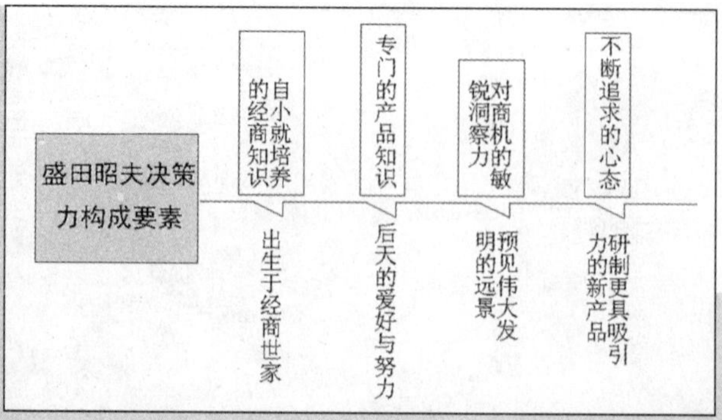

买专利所用资金的100倍，索尼的这项投资全面胜利。"SONY"的品牌也因此响遍了全世界。1958年1月，索尼公司的股票正式以"索尼株式会社"命名，在东京证券交易所上市。

14.1.3　事业成功

晶体管的采用成了索尼公司迈向开发一系列电子产品的跳板。公司在1958年推出第一个调频晶体管收音机；1959年推出第一台全晶体管电视机；1960年则又推出晶体管录像机；1961年推出第一台小屏幕晶体管电视机。索尼连续四年不断推出有关于晶体管的新产品，使索尼在世界电子行业中由此获得了"先驱者"的美誉。

随着事业的发展，不满足现状的盛田又把目光转向了海外市场。索尼公司开始进军美国，盛田推出的第一张王牌产品就是晶体管收音机。一开始，盛田亲自带着几打袖珍式晶体管收音机的样品，到纽约的零售商店按户推销。"只有人手一台，才能互不干扰，在自己的房间里收听自己喜爱的节目啊。"盛田用令人信服的言论这样劝说着，使一份份的订单蜂拥而至。索尼的产品就这样进入了美国市场。

随着索尼在美国的业务的快速发展，盛田在1960年2月正式创建了"美国索尼公司"。1961年6月，索尼公司在美国市场上发行200万股股票，成为第一家在美国股票市场上市的日本企业。同一时期，索尼公司又创造了世界上第一台单枪三束彩色电视机。具有创新意识的盛田认准这种新产品有广阔的市场后，就立即决定在美国建立生产基地就地生产。1972年，在美国加利福尼亚州的圣地亚哥，索尼电视机厂正式投产。"美国制造"的索尼

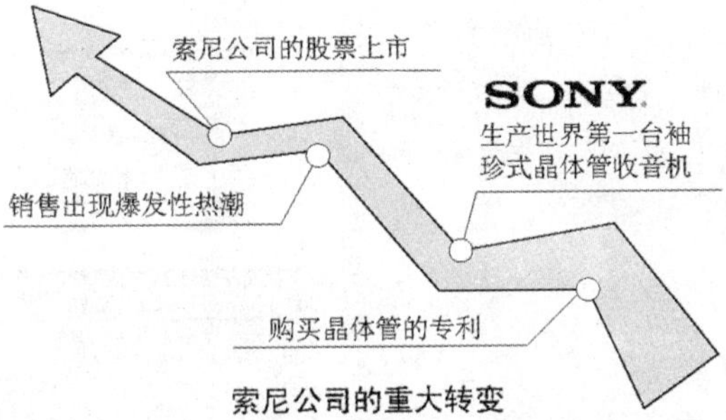

索尼公司的重大转变

■ 随着事业的发展，不满足现状的盛田又把目光转向了海外市场。索尼公司开始进军美国，盛田推出的第一张王牌产品就是晶体管收音机。

彩电源源不断地进入了美国和中南美市场。

除了成功打开销售市场，盛田昭夫也是索尼公司施行不同于日本其他企业的人才策略的倡导者。他一贯重视人才开发，不拘一格使用贤才。他曾写过一本有着非常观点的畅销书——《学历无用论》。他认为，不能光是以学历来评价一个人的价值。以资历为主和看重学历的做法是阻挡许多年轻有为的工作人员发挥自己能力的一大障碍。因此，在尊重学历的同时，也要看重一个人的实际能力，他提出，索尼公司必须“人尽其才，根据实际成绩和工作能力来安排人才”，这一用人的指导思想使索尼始终立于不败之地。

盛田自己身先士卒地实践这一思想。1971 年他接替井深大担任索尼公司总裁，到 1979 年他就公开表示：我不想在这里呆太久，这样会损害下一代人的志气，我也不在乎继承人是否是我的儿女，我只是需要一位能干的人来领导索尼。3 年后，一位男中音演员出身的人出人意料地坐在了索尼公司总裁的宝座上。1982 年，索尼公司董事长盛田昭夫在股东非常大会上正式宣布任命大贺典雄为公司新任总裁。“伯乐”盛田做出的这项明智、正确的决策，获得了股东们的一致赞扬。

在盛田和大贺的共同努力下，索尼公司取得了突飞猛进的发展。随之而来的手提式 CD 磁碟唱机、随身听、3.5 英寸小型软式磁碟片、超速录像机系统、8 毫米“伴君走”55 型摄像机、家用立体音响组合、电子摄影机、高清晰度电视摄像机……一个个领先世界的新产品伴随着索尼公司的美名风靡全球。

■ 除了成功打开销售市场，盛田昭夫也是索尼公司施行不同于日本其他企业的人才策略的倡导者。他一贯重视人才开发，不拘一格使用贤才。他曾写过一本有着非常观点的畅销书——《学历无用论》。

14.2 井深大

索尼公司创始人井深大出生于1908年，1933年毕业于早稻田大学科学工程学院，他还是学生的时候就以“动态霓虹灯”的发明获得巴黎万国博览会优秀发明奖。1946年5月，他同盛田昭夫先生共同创立了东京通信工业株式会社，出任公司高级总经理和代表董事。作为一名重视创造力、独特性的技术人员和企业家，他为公司事业的发展付出了毕生精力。

井深大同盛田昭夫的合作被誉为“天衣无缝”，正是这种近乎完美的看似不可能的协作和他们对于心中美好梦想的追求使得索尼公司不断发展壮大，成为日本战后经济发展的杰出代表，同时为全球的消费者带来诸如特丽珑、Walkman随身听、8毫米摄录放一体机等代表着全新生活方式、“触动心弦”的产品。

14.2.1 井深大其人

井深大在公司成立之初的《成立宣言》中写道：“要充分发挥勤勉认真的技术人员的技能，建立一个自由豁达、轻松愉快的理想工厂”。井深有着强烈的好奇心和优秀技术人员特有的卓越洞察力以及执着的热情奉献精神。日本第一台磁带录音机、晶体管收音机、“特丽珑”彩色电视机等代表索尼公司的众多商品大都是源于井深大的杰作，他为今日索尼的成功奠定了坚实的基础。他不拘泥于现有的技术、独立研究开发出前所未有的产品，创造了全新的市场需求，这正是SONY公司在50年间取得巨大发展的动力。

■ 索尼公司创始人井深大出生于1908年，1933年毕业于早稻田大学科学工程学院，他还是学生的时候就以“动态霓虹灯”的发明获得巴黎万国博览会优秀发明奖。

同盛田有些不同，井深身为一名研究者、技术人员，在产品的研发上具有非凡的见识和卓越的独创能力，为众多电子设备的研究开发及商品化做出了很大贡献。他曾经被誉为是将尖端电子技术广泛运用到民用产品的先驱者。不仅如此，井深为日本电子产业的发展开拓了新的方向——从最初模仿改良已有的技术到开创全新的技术业务领域。由于这些杰出贡献，他先后获得日本政府颁发的蓝带绶章、一等瑞宝绶章、一等旭日大绶章和一等旭日桐花大绶章（日本国民所能获得的最高荣誉的正三位勋之一）。

14.2.2 索尼公司改革之父

井深的天分在于，他能够预测出新科技在新产品中的运用，能激励他的工程师们竭尽全力达到他设想的目标。认识井深的索尼工程师们都崇拜他的记忆力，并且把他们与井深工作的几年看作是他们事业当中最有创新能力，最有满足感的一段时间。

井深终生把科技创新看得和自己的生命一样重要。早在学生时期，他就已经显现出了在科技发明方面的才能。那时，他的作品“动态霓虹灯”获奖后，他又采取了同样的技术发明了一种叫做“会跳舞的氖”的产品，并把这个产品用自己的名字申请了专利。在 1933 年的巴黎世界交易会上，这个产品为他赢得了发明金奖。一份日本报纸的头条曾这样写道：“享誉国际的一个天才发明家”。

就在井深获世界交易会金奖的那一年，企业家上村大治看中了他，邀请他加盟他的公司——影像化学实验室。上村看得出来，井深不是他能管理得了的人才，就让他自由自在地按他的兴趣搞研究。那时日本军队在亚洲的侵

■ 井深的天分在于，他能够预测出新科技在新产品中的运用，能激励他的工程师们竭尽全力达到他设想的目标。认识井深的索尼工程师们都崇拜他的记忆力，并且把他们与井深工作的几年看作是他们事业当中最有创新能力，最有满足感的一段时间。

SONY DE ZHAN LUE JIA MEN
SONY 战略家
索尼的战略家创新者

略日渐扩张，井深开始对如何把电子与机械工程结合创造出武器装备产生兴趣，这其中包括一个船舶定位系统。井深在上村的帮助下找到了日本测量器械公司，这家公司在第二次世界大战期间成了军火制造商，井深开始在这家公司进行研究。日本在 1945 年宣布无条件投降时，井深意识到他所在的公司在和平时期不会占有优势，于是，就决定离开那里。井深带着和他一起工作的 7 名工程师，来到了白木野百货公司，这就是最初的索尼公司厂址。

有人说，伟大的企业家们都被赋予了透析事物的能力，他们能看到平常人眼里看不到的东西；他们有天分，这是后天教不会、学不来的。在某种程度上，这种说法可能没有错，但是，井深大相信，创新的精神多数情况下是由心而生。在索尼创建简章的开始段落中，井深大宣布，公司要由工程师们的创新而创建："我的第一个也是首要的目标就是建立起一个稳定的车间，让工程师们尽情地工作，充分感受到科技研究和尽社会责任的快乐。"正是如此，从随身听外壳的颜色，到风格独特的 VAIO 笔记本电脑每个按键的形状，索尼给它的工程师赋予了足够的空间和时间，他们在细节上做文章，让索尼的产品具有独特的、与众不同的品质，并与其他同类产品区别开来。

如今，索尼在世界各地都建立了设计中心，专门设计产品的外观、色彩、色调、形状、按键与按钮的位置。公司也有独立的研发中心致力于具体的商业领域，比如无线电、音频或视频产品。虽然大多数的发展项目是由高层经理们传达的，但索尼公司设计与产品开发中心的很多设计人员说，他们也能沉浸在他们自己的发明中，这些发明可能有朝一日会成为索尼产品线的一部分。就像井深所追求的那样，索尼的设计人员们走出了条条框框，在索尼公司形成了大家共同的价值基础：冒险精神、员工与管理者们无限的

■ 有人说，伟大的企业家们都被赋予了透析事物的能力，他们能看到平常人眼里看不到的东西；他们有天分，这是后天教不会、学不来的。

信任。

14.2.3 坚守技术创新精神

井深大的心目中，技术创新永远占据着不可替代的核心位置。井深拥有其他企业家所没有的对技术的追求和渴望，他的梦想就是将索尼办成一个“工程师的乐园”。这个梦想使他本人成了晶体管时代的领军人物，在他领导下开发的单枪三束彩色显像管（Trinitron）至今还是彩色电视机的核心技术。今天的索尼在技术上始终具有极强的核心竞争力，这与井深倡导的技术创新精神是密切相关的。

井深在技术创新方面相当执着。特丽珑彩电可以说是索尼最具代表性的产品之一。它的研发是索尼公司历史上惊心动魄的一次经历，如果没有井深的坚持，人们可能要晚几年甚至几十年才能使用到像特丽珑这样好的产品。

当时，由于特丽珑新技术的开发难度，以及投入资金的庞大，使索尼公司几乎濒临破产。在危急的形势下，感情深厚的井深和盛田甚至产生了意见分歧。盛田迫切地要减少亏损，而井深大执着地要开发特丽珑，丝毫不肯让步。在几个月中，井深大激励着工程师不知疲倦地工作，并从不同的角度给予建议，希望他们能够从中得到启发。他坚持着自己的技术创新信念，并把这一信念传达给了每一个工程师。当首批特丽珑彩管从装配线上下来时，井深对所有研究人员深深地鞠了一躬，简单地说了句“谢谢”，眼里噙满了泪水。

在商界，做个追随者很容易，去看看别人怎么做的然后抄袭下来，稍作修改就行了。可是，在技术领域，想要生存、想要发展就必须创新，这也意

■ 井深大的心目中，技术创新永远占据着不可替代的核心位置。井深拥有其他企业家所没有的对技术的追求和渴望，他的梦想就是将索尼办成一个“工程师的乐园”。

味着要承受常人无法承受的压力，以及付出常人无法付出的努力。井深懂得，战后的日本，乃至整个世界，不创新就会灭亡。他不仅要让索尼生存下来，还要让索尼成为技术界的先锋。索尼起家时，既没有树起美名又没有经验丰富的经理助它一臂之力，给它提供商业经验。像井深这样的工程师们只能坚守技术创新的精神，依靠他们的想象力和智慧开创一片天地。在索尼，井深就是创新的主舵手，正是他以发明家的狂热带领着索尼攀登技术的高峰。

14.3　大贺典雄

了解索尼的人，很少有不知道大贺典雄的。大贺 1930 年生于日本，1953 年毕业于东京国立艺术和音乐大学后，进入慕尼黑音乐学院深造，开始学习演唱。在大贺还是艺术学院学生的时候，他就曾经给索尼唱片公司提出了宝贵意见。后来，大贺典雄在担任索尼总裁之职的 13 年里，为索尼的发展做出了巨大贡献。在其领导下，索尼通过并购哥伦比亚唱片公司（CBS Records）和哥伦比亚电影公司（Columbia Pictures）将业务拓展至娱乐领域。

然而，商业上的成功并不是大贺最初的理想，他的理想是成为一位艺术家。大贺在索尼公司任职期间，也曾经指挥过包括维也纳爱乐、柏林爱乐、圣彼得堡爱乐这样的世界一流乐团，在许多国际性的音乐会上参加过演出。令人佩服的是他还是一个出色的飞行员，总是自己驾驶着飞机在世界各地往来。

■ 大贺典雄在担任索尼总裁之职的 13 年里，为索尼的发展做出了巨大贡献。在其领导下，索尼通过并购哥伦比亚唱片公司（CBS Records）和哥伦比亚电影公司（Columbia Pictures）将业务拓展至娱乐领域。

大贺的业务很忙，但他总是很守时，总会在约定时间内出现在大家的面前，从来没有迟到过一分钟。他具有生意人的精明和艺术家的敏感，有着银行家般的沉着，而且还拥有飞行员般的勇于冒险的精神，更有成功人士必备的诚信品质。

大贺，是一个有着很强个人魅力的人！

14.3.1 进入索尼

大贺进入索尼的经过是一个曲折而充满趣味的故事。

有一次，索尼公司发明了一种新式的录音机。录音机刚刚问世，当时的总裁盛田昭夫就寄给了正在德国留学的大贺。盛田以为会得到大贺典雄的赞赏，可是大贺在给索尼公司的信中毫不客气地说："这种录音机录出来的声音明显失真，根本不适合一个音乐家用。一个音乐家需要听到自己真实的声音，这种东西对于一个音乐家来说就是一件废物。"

大贺诚实的批评引起了一些工程师的不满，可是盛田昭夫受到了启示：一个成功的企业必须想顾客所想，诚恳地向顾客征求意见，然后再设计出真正适合顾客的产品。于是就写信感谢大贺典雄，信上说："您诚实的意见给了我很大的启发，非常感谢您的诚恳。"

深谋远虑的盛田昭夫邀请大贺典雄一起去欧洲旅行。在旅行中，大贺典雄又很诚恳地批评了索尼公司，他说："公司里到处都是工程师，这些工程师开创了公司，所以工程师们认为应该由他们来管理公司。其实在别人眼中，索尼已经很陈旧，管理得很糟糕。"

盛田昭夫其实早知道这种情况了，于是就借机说："所以我想邀请您参

■ 大贺在给索尼公司的信中毫不客气地说："这种录音机录出来的声音明显失真，根本不适合一个音乐家用。一个音乐家需要听到自己真实的声音，这种东西对于一个音乐家来说就是一件废物。"

大贺典雄

加到公司的管理当中来，请您考虑一下。”面对盛田的盛情邀请，大贺说：“我是艺术家，不想当工薪族，不想被束缚在办公桌前。”

盛田没有因大贺的拒绝而放弃，他通过自己的妻子说服了大贺的妻子。终于，在妻子的劝说下，年仅 29 岁的大贺进入了索尼公司，领导录音机部的工作。但是大贺并没有放弃他的歌唱事业，所以要求同时兼两份工作。盛田同意了大贺的这个要求。盛田只对大贺提出了一个请求，就是请他给公司的各种产品多提出意见。大贺应邀参加技术会议，说起录音机，他那百科全书般的知识给每个人留下了尤为深刻的印象。在此之后的很多年里，盛田每周都给大贺写信，把索尼公司的新产品样品寄给他，让他评价，同时也殷勤地邀请他做公司的全职员工。

大贺最终放弃音乐源于这样一个故事。一天，大贺为了向一家地方商店推销索尼牌录音机，累得精疲力竭，忙了一天也没卖出去。那天晚上，他还要在歌剧《费加罗的婚礼》中扮演阿玛维瓦伯爵。穿上服装化好装，时间刚刚好，大贺登台演唱，前三场都没出差错。后面的一场戏要求很高，大贺换了衣服坐在后台的一个箱子上等待伯爵在第四场快结束时最后一次上场。他太累了，居然睡着了，醒来的时候，管弦乐队已经开始他的入场前奏了。慌乱中，他发现自己坐错了位置，坐在了舞台的另一边。没有办法，他只能沿着错误的方向上了台，使费加罗和苏珊娜没有上台时间。就在那天晚上，大贺意识到他难以应付两份工作，终于决定放弃他的歌唱事业。

许多年以后，大贺曾说到，当时他弃乐从商的原因，除了那次演出的失败，最重要的是因为他感到他对在索尼工作的人们负有责任。那时候，他作为整个录音机部的负责人，管理着 1 000 多人，他必须要对这些人负责。当

■ 盛田昭夫其实早知道这种情况了，于是就借机说：“所以我想邀请您参加到公司的管理当中来，请您考虑一下。”面对盛田的盛情邀请，大贺说：“我是艺术家，不想当工薪族，不想被束缚在办公桌前。”

然，两位创始人对员工尊敬的态度以及他们的热情，也深深地打动了大贺。于是，大贺毅然放弃了音乐，加入了索尼大家庭，全心全意地为公司工作。作为回报，盛田和井深也对大贺展示了他们培养人才、迅速采纳人才建议的独特管理方式，很快，大贺就被越级提升了。在两年之内，除了管理录音机部，他还监管了产品策划、工业设计和全公司的广告创意。1995 年，在盛田的一手栽培下，大贺典雄升任为索尼公司的董事长。

14.3.2 商业和艺术的完美结合

进入 20 世纪 60 年代，日本和世界上许多国家的贸易摩擦变得明显起来。日本政府为了应付各国的压力，下决心认可外国企业的直接投资即所谓的资本自由化。这一自由化政策，使得一直关注日本唱片市场的 CBS 唱片公司开始寻找合作对象创立日本唱片公司。那个时候 CBS 是美国最大的广播公司，在唱片业上占据当时世界市场份额的 20%。然而，与日本唱片公司的合作计划进展很艰难。于是，盛田主动提出合作要求。

10 天后索尼就拿出了契约书的草案。不久，双方就签订了年内设立合资公司的协议。索尼内部成立了以大贺为主的中心筹划室。为了设立新唱片公司的工作，大贺开始在公司内部招募人才。后来，这些从索尼内部招募过来的包括大贺在内总共不到 10 人，都转到 CBS 索尼公司，开始面对新的挑战。

要想成为日本第一，在当时看来，是绝对不可能的事情。但大贺并不这么想，他认为只靠广泛撒网是绝对不行的。所以从一开始，大贺就决定采用重点培养新锐歌手的做法。在这一点上，大贺充分地体现了一位艺术家独到

■ 为了设立新唱片公司的工作，大贺开始在公司内部招募人才。后来，这些从索尼内部招募过来的包括大贺在内总共不到 10 人，都转到 CBS 索尼公司，开始面对新的挑战。

大贺带给唱片界的新理念

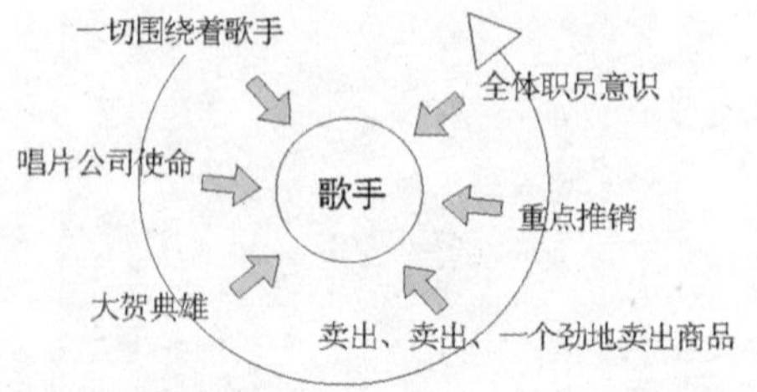

的眼光。仅仅用了10年的时间，CBS索尼公司就成为日本第一大唱片公司。

当时，大贺认为，唱片公司最大的问题在于每年出一大堆新曲，仅仅被动地接受哪个卖得好、哪个受欢迎这一结果。这种现象就是大贺所说的“广种薄收”的销售。新担起重任的大贺要彻底废除这种惯用的做法，开创新式的音乐商务活动。首先，他自己去寻找具有唱歌潜力的歌手。他认为发掘歌手才是唱片公司的使命，并让全体员工都具备这种意识的开拓精神，这是大贺带给唱片界的新理念。这样决定后，才能展开彻底的重点推销。然后是卖出、卖出、一个劲地卖出商品。这期间索尼的唱片不能仅仅等着卖出去，而要为了卖出而进行有效的推进工作。就这样，大贺完美地把商业和艺术结合在了一起。

大贺当时挖掘的年轻人，都成为了日后大家耳熟能详的明星。例如，乡广明君、天地真理、南沙织、山口百惠，这些20世纪70年代光芒四射的年轻歌手，都曾属于索尼公司。

这些歌手一个接一个地被发掘培养出来，CBS索尼公司的水平有了很大的提高，并且大幅抬高了CBS索尼公司的水平和形象。对索尼公司来说，首先树立良好的形象比什么都重要，也正是这样，CBS索尼公司才得以在成功道路上不断前进。

然而，就在这个时候，CBS索尼公司提出了提高利润分成比例的要求。CBS索尼公司是以CBS和索尼各占50%的股份的短期合约形式开始运作的。当时，CBS索尼公司一直得10%的红利，母公司索尼公司也只有10%红利，作为子公司的CBS索尼如果得15%、20%的红利是不合理的。所以，大贺也一直坚持10%的红利。然而，CBS方面却总是在要求分得更多的利润。

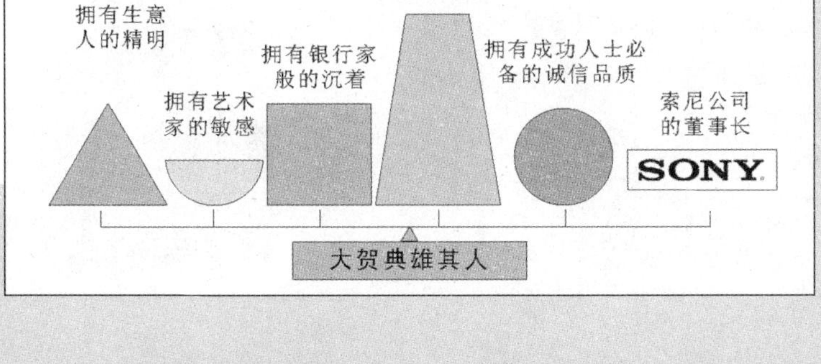

■ 当时，大贺认为，唱片公司最大的问题在于每年出一大堆新曲，仅仅被动地接受哪个卖得好、哪个受欢迎这一结果。这种现象就是大贺所说的“广种薄收”的销售。

这使得大贺非常不满。

为此，大贺想果断地解除这个短期合作合同。但是，如果想要解除短期合作合同，就必须从 CBS 购买 CBS 索尼公司那 50%的股份。然而，设想以后不断成长的 CBS 索尼公司的价值，那可是一个天价。自己创立的公司变成自己拥有的东西，为什么还要这么费劲呢？大贺感到非常苦恼。但是不久，聪明的大贺就意识到：只要把 CBS 唱片公司购买过来就行了。

就这样，索尼把在世界上 44 个国家经营唱片业务的 CBS 唱片公司纳入了自己的大家庭中。1988 年 1 月，CBS 索尼变成了百分之百的索尼出资的公司。1988 年，也正是 CBS 索尼公司成立 20 周年之际，其营业额突破了千亿日元。在这个过程中，大贺为索尼媒体创造经营作出了难以磨灭的贡献。也因此，他被誉为索尼媒体王国中的“媒体国王”。

14.3.3 创立媒体王国

在购买 CBS 唱片公司后，大贺并没有停止他探索的脚步，他马上想到，仅有音乐是不够的，不管怎样还应有图像。他马上劝盛田昭夫购买哥伦比亚电影公司。

1989 年 11 月，索尼以日本企业收购中最高的金额 34 亿美元，公开收购了哥伦比亚电影公司。

索尼上演的这两大收购剧，在日美引起很大反响。当时，索尼在 CBS 唱片公司之后，又高额收购了哥伦比亚电影公司，花了不少的钱，世界上对此议论纷纷。由于这两件购买案，索尼在放送图像、音乐两个领域具备了媒体资产和世界基盘。从结果看，这两个收购案都获得了极大成功，而且也成

■ 在购买 CBS 唱片公司后，大贺并没有停止他探索的脚步，他马上想到，仅有音乐是不够的，不管怎样还应有图像。他马上劝盛田昭夫购买哥伦比亚电影公司。

大贺典雄

为了索尼历史上的一个传奇。

大贺在索尼 40 多年时间里，所做的是产品设计工作。他帮助公司树立起了国际大企业的形象，并使产品设计最终都升华到制造出更好的产品上。

当然大贺也曾经预测失败过，比如随身听。大贺曾到制作处督促设计制作出这个产品。虽然自己命令设计它，但当时完全想不出随身听有什么理由会畅销。在他看来，同别的技术水平很高的索尼产品相比，随身听完全不像索尼特色的产品。因为它没有一处进行技术革新，都是使用昨天已有的技术，是谁都可以做得出的东西。后来随身听的巨大成功，使得大贺心服口服，当然他在其他方面的成就弥补了他在随身听上的失误。

当时，对音乐有着很强兴趣的大贺已经完全迷恋上数字音响。为此索尼开始了 CD 的开发，仅仅数年的时间，CD 作为新的音乐媒体取代了之前落后的媒体，毫无疑问，它有着数字的高音质，广泛运用了唱片特有的高速随机存取功能。但是，CD 只能用于欣赏录制好的光盘软件。于是大贺随之又冒出了一些想法，他想制作代替磁带式录音机的能够记录音乐媒体的唱片式录音机。他的这一想法，在 1992 年 MD 上得以实现。

MD 音质在某种程度上要比 CD 差些。但 MD 与 CD 音质具有可接近性，而且可以翻录 CD，同时也可以通过麦克风录音，并且装进几种机子都可以听。大贺抱着这样的一款产品的雏形，开始了新产品的研发。

但是大贺没有就此满足，他希望建立一个全面的索尼式的媒体王国，为此他开始关注游戏产业。20 世纪 80 年代后期索尼也开始做游戏机。当时，大贺敏锐地看出公司内部不赞成这个意见的人很多。于是，他把一些支持者，大概 10 个人从本部带到索尼音乐部，创造可以与从事软件的一伙人一

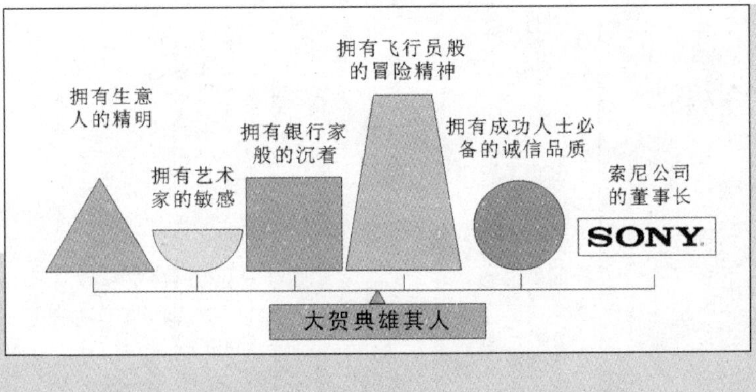

■ 大贺在索尼 40 多年时间里，所做的是产品设计工作。他帮助公司树立起了国际大企业的形象，并使产品设计最终都升华到制造出更好的产品上。

起开发 CD-ROM 的环境。如今，游戏机的出库数超过 2 200 万台，而在这其中，同一种机器已经制作了 30 种以上的型号。为了跟上需求，还要不断创立新型号，现在市场上也保持着 6 种左右的型号。创造出这么多型号的商品，是索尼从未有过的。从这个意义上讲，大贺的确是个了不起的人才。而且，索尼有唱片公司成功的历史，与其说是从游戏文化本身开始，还不如说是以唱片文化作为出发点来做游戏的，这是成功的关键。

1994 年 12 月，索尼游戏机开始出售。在那之前，在任天堂的领地里，索尼品牌不为人所知。然而，索尼准备的 10 万台机子在售货第一天就销售一空。索尼在游戏业中名声大震。

迄今为止，在大贺的推动下，索尼已向世人推出了各种各样的媒体产品。这些成功并不像人们认为的他在开发时就有预感，而是靠一步一个脚印得来的。他负责开发的产品，即使以后获得很大成功，在开始的时候，也从没有预感到它会引起极大反响。他只是一直在尽最大努力，然后成功地推出产品。

2001 年，71 岁的大贺应邀参加第四届北京国际音乐节的演出。在北京保利剧院，大贺亲自指挥东京爱乐乐团演出。在指挥演奏柴可夫斯基的《E 小调第五交响曲》时，他突发脑溢血，倒在指挥台上。经过一段时间的治疗，大贺又恢复了健康，但也萌生了退休的想法。2003 年，在度过 73 岁生日之后，大贺让出总裁的位置，只担任索尼的名誉董事长，同年 6 月份召开的例行股东大会上，出井伸之接替大贺担任董事会议主席。

■ 迄今为止，在大贺的推动下，索尼已向世人推出了各种各样的媒体产品。这些成功并不像人们认为的他在开发时就有预感，而是靠一步一个脚印得来的。

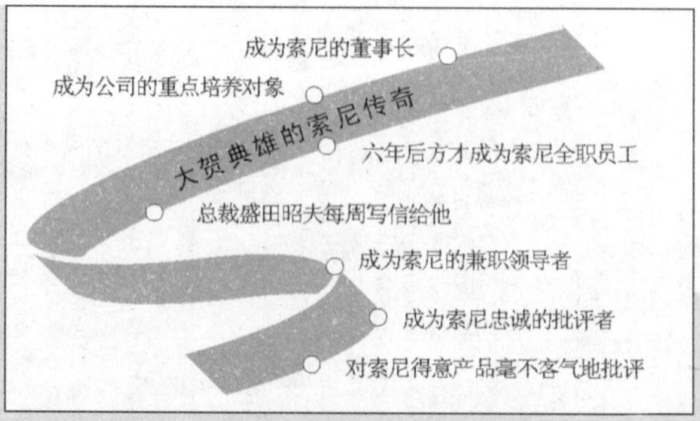

14.4　出井伸之

出井伸之，1937 年 11 月 22 日生于日本东京；1960 年 4 月加入索尼公司；1979 年 2 月任索尼公司音响事业本部音响事业部部长；1994 年 6 月任索尼公司常务董事；1995 年 4 月任索尼公司总裁、代表董事（至今）兼首席常务执行官；1998 年 5 月任索尼公司联合首席执行官；1999 年 6 月任索尼公司首席执行官；2000 年 6 月任索尼公司董事长兼首席执行官；现任日本 IT 策略委员会主席。

14.4.1　推了索尼一把

出井伸之毕业于日本 Waseda 大学（早稻田大学），毕业后曾经留校任政治经济系的教员。后来他留学瑞士日内瓦，在那两年时间里，攻读国际贸易。因为瑞士国内使用英、法、意、瑞四国语言，所以出井能说一口流利的英语和法语。20 世纪 60 年代后期，他回到日本，加入了当时还是小商社的索尼株式会社。

作为一个企业的中高级管理人员，出井伸之对索尼的决策贡献在于他不仅提高索尼有名的产品设计能力，打造了完整的企业形象，还竭力推动索尼从消费类家电制造向数码娱乐服务的转型。

“索尼徘徊在数码时代的门口，不得要领。出井走过去，把索尼往大门里狠狠地推了一下。就这样，索尼跌跌撞撞地冲了进去，跑在市场的前面，把竞争对手远远地甩在了后面。”日本《朝日新闻》这样生动地形容这个老

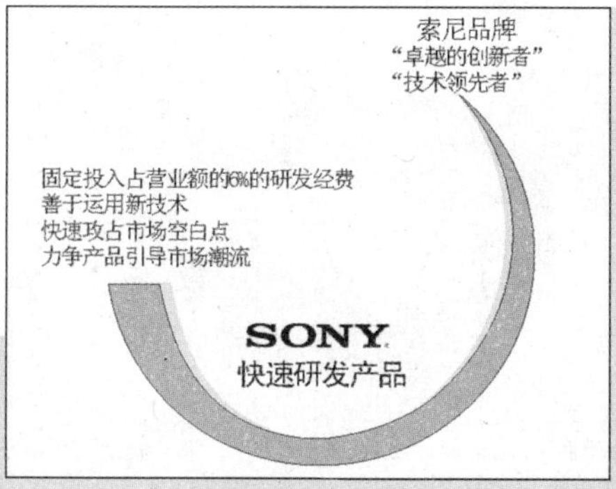

■ 作为一个企业的中高级管理人员，出井伸之对索尼的决策贡献在于他不仅提高索尼有名的产品设计能力，打造了完整的企业形象，还竭力推动索尼从消费类家电制造向数码娱乐服务的转型。

人对索尼的影响力。

出井之所以能够有这样的成绩，从很大程度上是得益于索尼的职业背景。其实，在企业文化建设上，日本企业落后于北美，亦不如欧洲的英国、法国和德国。日本制造业的企业管理非常严谨、细致，而且管理思想比较僵化、保守，上下层员工之间等级制度森严。这种情况往往会使企业在面临危机时，一些重大的改革举措会因为保守思想作祟和抵制而流产，主张改革的管理人员也难以保住自己的位置。但是出井有着比别人更加优越的职业背景——他一直深受索尼前辈企业家的器重。

出井的这一优势可以说是源于索尼的管理风格。盛田是索尼最早的管理高手。他继承了日本家族式管理的优点，同时他淡化官僚意识，培养普通员工对企业的向心力和凝聚力，努力与每个下层员工保持良好的关系。正如盛田认为的那样，索尼不仅属于股东，它也属于每个为企业成长做出贡献的人。也因为这样，当盛田退隐时，他没有让自己家族的人继承他的位置，而是选中了早已看重的人才大贺典雄。而大贺在担任索尼的首席执行官期间，又看上了同样具有欧洲留学背景的出井，并屡屡委以重任。这样师承式的CEO“禅让”关系延伸下来。2001年大贺典雄突发脑溢血，健康状况急转直下，不久出井就被推上了索尼掌门人的宝座。也正因为得益于强大的高层背景、海外留学教育资历和出色的市场开发能力，出井逐步领导索尼成为全球娱乐行业的知名供应商，崭露出潜在的商业才华。

1986年出井被任命为索尼消费类视频、音频产品的代理高级总经理。两年之后，转任家庭视频产品群组高级总经理。出井的一言一行对于索尼介入计算机应用市场和CD市场的建立、开发具有举足轻重的作用。

■ 1986年出井被任命为索尼消费类视频、音频产品的代理高级总经理。两年之后，转任家庭视频产品群组高级总经理。出井的一言一行对于索尼介入计算机应用市场和CD市场的建立、开发具有举足轻重的作用。

全球化业务方面，出井在开发欧洲市场时非常活跃，尤其是在 20 世纪六七十年代早期，索尼进军法国市场时，出井伸之在第一线指挥若定，表现得游刃有余，颇有大将风度。

出井的成长就是企业高层领导重视发掘、培养人才理念的体现。索尼公司的育才之道在于“让每一个人都尽其所能、百炼成钢、奋勇开拓。开拓者索尼把最大限度地发掘人才、信任人才、鼓励人才不断奋进视为自己的第一生命”。2001 年，出井出任索尼掌门人。

14.4.2 出井伸之时代

1995 年 4 月出井出任总裁那天起，便以一个企业家的战略眼光来审视索尼在世界经济中的位置和应扮演的角色，当时索尼业务蒸蒸日上，他便看出，公司要想发展必须有所变革，于是他果断决定对公司进行根本性的结构改革。出井在多个场合也反复强调一种说法：“过去，索尼涉足了广泛的业务领域，如果还沿着目前事业的延长线进行发展，索尼的进展可能只能到 2002 年。为了在 21 世纪依然辉煌，索尼必须进行变革。”

出井早在早稻田大学的演讲中就曾经说道：“真空管不等于晶体管，晶体管不等于电子管，电子管也不等于集成电路。一味沿着旧事物的延长线发展是不会有新事物产生的，到了某个时刻必须要有大动作，才能突破限制。”

和许多日本企业一样，索尼过去制造过很多产品，受到了市场欢迎，似乎专业性是企业克敌制胜的不二法门。但出井看到，为了适应数字化、网络化社会的发展趋势，索尼业务结构性的变革应该是把传统的单个视听产品实现网络化连接，通过建立符合网络时代特点的新业务模式，为个人和家庭提

■ 出井早在早稻田大学的演讲中就曾经说道：“真空管不等于晶体管，晶体管不等于电子管，电子管也不等于集成电路。一味沿着旧事物的延长线发展是不会有新事物产生的，到了某个时刻必须要有大动作，才能突破限制。”

供全新硬件产品及网络服务。

在这个思想的指引下，索尼公司在娱乐的各个领域发展很快。索尼的PS系列视频游戏机自从1994年推出以来已经在世界各地销售了9 030万台，二代产品自从2000年3月推出以来已经销售了4 004万台。包括光驱、硬盘在内的仿PC设计和后来追加的上网功能都令消费者耳目一新，被业界誉为索尼向娱乐业转型的标志性产品。

索尼是半导体收音机、特丽珑、随身听、蜘蛛侠的故乡，现在他们又希望成为数码时代在线娱乐的故乡。作为首席执行官，出井伸之认识到互联网和芯片已经炸掉了盛田和井深大所推崇的索尼模拟世界，他把老索尼比作螺旋桨飞机，而现在的索尼则是喷气式飞机。如今的索尼已经不再出售孤立的设备，而是出售大量可以相互连接的设备、服务和体验，也只有这样才能更加适应当今的世界。出井伸之说："我们必须改变我们的文化，从制造业转向以知识为基础的全球文化产业。这类似于重新打造公司的商业模式。"

在出井伸之看来，一切都来自一个令世界为之改变的产物：宽带。索尼不仅将生产通过网络连接起来的设备，还将提供内容传输服务，主要是自有的音乐、电影和游戏。索尼甚至进入了购买这些服务的新型货币领域，他们通过自己的银行给东京常坐火车的人提供智能卡支付服务。显然，在面对新的宽频网络时代，索尼的危机意识和一以贯之的创新精神，成为索尼全面的企业转型和机构重组的最大推动力。于是出井伸之不止一次地声称："对于索尼新的商业，真正靠其提供盈利显然还很遥远，但索尼的改革只要决策层、技术管理层认为可行，就完全可以进行，甚至在一年之内总部都可以全面改组。"

■ 如今的索尼已经不再出售孤立的设备，而是出售大量可以相互连接的设备、服务和体验，也只有这样才能更加适应当今的世界。

为了实现这一目标，索尼不仅需要能造出富有想象力的新产品，还要改变索尼自身的机制。索尼美国公司曾经表示："索尼是垂直式建立起来的，这是为了培养盛田昭夫所称赞的独立性。在模拟时代的尾声，各公司的运营并不很好。"出井伸之也认同这个说法并认识到这一点必须改变。这种在部门间建立桥梁的工作导致索尼音乐的长期负责人托米·马托拉最终被解职，因为他不愿按照新模式与其余部门交换意见，没有看到协作的重要性，这是出井上任以来所不能够忍受的，他不符合出井的改革理念，因此，出井引入了 NBC 管理人员安德鲁·莱克来担任这一职务。

可以说，出井伸之的时代就是索尼变革的时代，他带领着索尼在新世纪里，将步向另一个辉煌。

■ 可以说，出井伸之的时代就是索尼变革的时代，他带领着索尼在新世纪里，将步向另一个辉煌。

参考文献

Shu・Shin. luh著. 索尼之路：最富于创新的电子产品巨人的经营秘诀. 北京：中国人民大学出版社，2004

武齐著. 索尼营销. 北京：中国经济出版社，2003

李姗著. 索尼之父——盛田昭夫经营谋略. 成都：西北大学出版社，2002

[美] 萨布哈会・杰恩著. 市场营销策划与战略案例. 北京：中信出版社，2003

藤甫诺（Temporal. P）著. 高级品牌管理——实务及案例分析．北京：清华大学出版社，2004

陈曦著. 在价值链上跳舞. 北京：地震出版社，2004

世界品牌研究室著. 世界品牌100强：品牌制造. 北京：中国电影出版社，2004

常桦著. 影响企业家一生的300个管理故事. 北京：中国纺织出版社，2004

宏泰顾问著. 世界优秀企业的卓越理念. 北京：中国纺织出版社，2003

熊仕平著. 品牌战略与产品推广策划. 北京：中国经济出版社，2003

甘亚平　谢文辉著. 卓越管理：跨国公司十大管理范式．北京：中国时

代经济出版社，2004

（英）斯图尔特·克莱纳等著．品牌：如何打造品牌的学问．西安：陕西师范大学出版社，2003

罗长海著．企业文化学．北京：中国人民大学出版社，2003

吕英斌　储节旺著．网络营销案例评析．北京：北方交通大学出版社，2004

周景民　闫引利著．世界顶级企业人力资源经典模式．北京：经济科学出版社，2004

李小勇著．100个成功的人力资源管理．北京：机械工业出版社，2004

凯恩斯著．世界500强用人标准．北京：原子能出版社，2004

邱庆剑著．营销的简单道理．广州：广东经济出版社，2004

声 明

“点击行业巨头”书系在写作过程中，作者查询、参考了众多国内外的相关图书、文章资料，并在参考文献和文内列明所引用资料的出处与来源。但是由于资料来源广泛而繁多，仍然有一些资料未来得及查明及标注出处，特此表示歉意。

对于部分直接引用的相关图文资料，我们一直在努力寻找版权拥有者并向其支付稿酬，但由于各种原因仍未联系到部分版权拥有者，希望版权拥有者看到本声明后及时与我们联系。在此表示深深的谢意。

本书的一些观点来自索尼的官方资料及相关专家的著述，在此一并表示感谢。

最后，欢迎关于本书的各种交流与合作。

联系人：陈先生

联系电话：13910679981

电子邮箱：g_j100@163.com